A bord de l

Gaston Lemay

Alpha Editions

This edition published in 2024

ISBN : 9789357961837

Design and Setting By
Alpha Editions
www.alphaedis.com
Email - info@alphaedis.com

As per information held with us this book is in Public Domain.
This book is a reproduction of an important historical work. Alpha Editions uses the best technology to reproduce historical work in the same manner it was first published to preserve its original nature. Any marks or number seen are left intentionally to preserve its true form.

Contents

Contents

DE MARSEILLE A GIBRALTAR

Arrivée à bord. — Partirons-nous ? — Un voyageur *in partibus*. — Appareillage. — Présentation au lecteur. — En mer. — La première messe à bord. — Les colonnes d'Hercule.

En rade de Marseille, 1er août 1878.

Le jour même de son départ la *Junon* présentait le spectacle le plus singulier. Dire qu'elle était encombrée, ce n'est rien dire ; il n'y a pas de mot qui puisse exprimer un pareil enchevêtrement de choses disparates ; des caisses de toutes formes et de toutes dimensions, des sacs, des cartons, des provisions, des armes couvraient le pont, malgré le va-et-vient continuel des garçons et des matelots s'efforçant de mettre chaque chose à sa place, soit dans les cales, soit dans les chambres. De chaque côté, deux grands chalands, que des hommes de peine déchargeaient en toute hâte, et dont le contenu venait obstruer les passages, s'accumuler au pied des mâts et le long des claires-voies. C'étaient des pièces de machine, des cordes, des fanaux, de la vaisselle... Enfin, le plus complet et le moins artistique désordre qui se puisse voir.

Au milieu... que dis-je ? par-dessus tout cela, une foule compacte et remuante d'amis, de curieux, de négociants, d'ouvriers du port, de marins, etc...

Plus agités, ou tout au moins plus émus que cette foule, partagés entre les soins de leurs bagages et le plaisir de distribuer d'innombrables poignées de main, mes vingt compagnons de voyage cherchaient à se reconnaître au sein de ce dédale.

Curieux comme un touriste doublé de *reporter*, je tenais à savoir si véritablement la *Junon* allait appareiller, ce qui me semblait peu vraisemblable, et pourquoi tant de hâte au dernier jour. Je m'adressai au commandant :

— Monsieur, me répondit-il, nous quitterons le port vers dix heures pour aller mouiller en rade, et nous prendrons la mer demain matin.

C'était net. Cependant, je dois avouer qu'il fallait une certaine confiance dans la parole de notre *leader* pour que mille objections ne vinssent pas à l'esprit. J'allais risquer de nouvelles questions, lorsque s'avança vers moi un grand jeune homme mince et blond, vêtu d'une redingote d'uniforme correctement boutonnée, l'air de fort bonne humeur et qui, tout en évoluant de droite et de gauche, répondait à vingt personnes à la fois, sans perdre un instant cette physionomie souriante qui m'avait plu tout d'abord :

— Vous cherchez votre chambre, sans doute ?...

— Oui, monsieur ; j'arrive à l'instant de Paris, et…

— Je suis le secrétaire de l'expédition. En l'absence de notre commissaire, je me ferai un plaisir de vous la montrer.

— M. de Saint-Clair Stevenson ?

— Oui, monsieur. Voulez-vous descendre avec moi ?

— Mille remerciements.

J'allais donc être renseigné. Nous arrivâmes jusqu'à la cabine. Je ne vous la décrirai pas. Toutes les cabines se ressemblent ; elles me font l'effet d'un nécessaire de voyage incomplet, assez grand pour tenir deux personnes ayant bon caractère, avec un trou rond nommé hublot, en guise de fermoir. On y trouve, comme partout, la gaieté qu'on y apporte. Les marins prétendent qu'on y peut vivre, lire et travailler, mais les marins ne sont pas des gens comme les autres.

Quel sera mon compagnon ? C'est M. E. de S…, l'unique représentant de la Belgique. Il arrive au même instant ; la poignée de main est cordiale, et la fusion complète entre Bruges et Paris.

Nous ne jetons qu'un coup d'œil distrait sur notre nouveau logis, que nous déclarons charmant, et je reprends mon interrogatoire :

— Nous ne partons pas aujourd'hui, n'est-ce pas ? ni demain…

Le jeune secrétaire me regarda d'un air profondément surpris :

— Et pourquoi ?… A moins que le commandant ne vous ait dit ?…

— Il m'a dit que la *Junon* serait en rade ce soir, et en mer demain matin. Mais il me semble que nous ne sommes pas prêts.

— Oui, il y a un peu d'encombrement. On arrangera cela après le départ. Rassurez-vous, vous serez en mer demain à midi.

— Vous en êtes sûr ?

— Parfaitement sûr.

— Très bien. Mais, dites-moi, si ce n'est trop indiscret, pourquoi ce matériel n'est-il pas embarqué depuis plusieurs jours ?

— Je vous expliquerai cela plus tard… Je n'ai pas une minute. Excusez-moi si je vous quitte si brusquement… Ah ! à propos, nous dînons à six heures. Vous avez encore une heure à vous.

— Nous dînons… où cela ? ici ?

— Sans doute.

— Mais les assiettes ne sont pas encore embarquées !

— Elles le seront. Mille excuses. A tout à l'heure.

A six heures… et quelques minutes, le dîner était servi. Nous pûmes constater avec satisfaction que le cuisinier méritait notre estime. C'est là un point fort important à bord d'un navire ; je me suis laissé raconter maintes fois par des officiers de marine que « mauvaise gamelle est mère de mauvaise humeur ». Voilà un écueil qui me paraît évité, et si ce n'est le plus dangereux, c'était peut-être celui qu'on avait le plus de chance de rencontrer.

J'eus, pendant le repas, l'explication de cet indescriptible désordre qui me paraissait compromettre les bonnes conditions du départ.

Voici ce qui s'était passé :

Vous comprenez bien qu'on n'installe pas en vingt-quatre heures un bateau qui va faire une campagne d'un an autour du monde ; aussi, du jour où la Société des voyages fut d'accord avec les armateurs pour l'affrétement, supposa-t-elle que ceux-ci allaient pousser les travaux d'installation avec la plus grande rapidité. Ils furent, au contraire, conduits si lentement, que, le 29 juillet (on aurait dû être déjà parti), le bruit courait que la *Junon* serait prête *probablement* vers le 10 août.

Bon nombre de mes compagnons, réunis à Marseille depuis une huitaine, impatients de partir et fatigués d'attendre, parlaient de se désister. L'expédition était compromise.

C'est alors que M. Biard, ayant reçu le commandement le 31, avait annoncé le départ pour le lendemain 1er août, et mené l'ouvrage de telle sorte qu'en douze heures de travail on avait obtenu le résultat dont je viens de parler. Mais à sept heures du soir les feux de la machine étaient allumés ; il n'y avait plus à douter, la *Junon* allait partir.

Quelques mots sur notre nouveau logis. C'est un steamer à hélice de construction anglaise, un peu lourd de formes, point jeune mais solide, et capable assurément de remplir la rude mission qu'on lui a imposée. Il mesure 76 mètres de long sur 9 de large et jauge 750 tonnes. Installé primitivement plutôt pour le transport des marchandises que pour celui des voyageurs, le nombre de cabines était insuffisant ; aussi a-t-il fallu en construire de nouvelles à notre intention.

La *Junon* n'est pas un marcheur de premier ordre ; cependant elle peut atteindre une vitesse de onze nœuds, et sa mâture est assez forte pour pouvoir bien utiliser les vents favorables.

En somme, c'est un bon navire.

Après dîner, comme il nous restait quelques heures de liberté, j'en profitai pour me mettre à la recherche d'un de nos compagnons de route qui n'avait pas paru à bord. C'était M. de R..., un étranger, mais grand ami de la France et grand voyageur, fort riche, d'âge respectable et parfait gentleman. Je le trouvai à son hôtel, tranquillement installé devant un excellent menu.

— Eh bien ! la *Junon* va appareiller. Vous ne venez pas ?...

— Ma foi ! non. Vous êtes venu pour moi, vous êtes bien aimable... Asseyez-vous, je vous en prie. Un verre de champagne ?...

— Vous renoncez au voyage ?

— Oh ! pas du tout ; mais j'ai réfléchi. Ce n'est pas la peine de me mettre en route maintenant. Qu'allez-vous voir pour commencer ? Gibraltar, Tanger, Madère. J'ai vu tout ça. Je vous rejoindrai à Rio... ou à Buenos-Ayres.

— Mais, à ce compte-là, vous avez vu aussi, je crois, le Brésil et la Plata ?

— Oui, c'est vrai. Moi, voyez-vous, dans ce voyage, il n'y a guère que les îles Fiji qui m'intéressent véritablement. Vous n'y êtes pas allé ?

Je regardai M. de R...; il était sérieux.

— Non ! je ne suis pas allé aux îles Fiji.

— Eh bien ! je tiens beaucoup à les voir. C'est un point fort intéressant... Je vous prie de dire à M. Biard de ne pas m'attendre, mais de garder cependant ma cabine. Du reste, je verrai sans doute demain M. de Chabannes, le directeur de la Société, qui est ici, et je lui ferai savoir où je compte rejoindre la *Junon*. Ce sera sans doute à Buenos-Ayres.

....

A onze heures du soir, la *Junon* largue ses amarres du vieux port et se dégage doucement des navires environnants. Une foule nombreuse, attirée par les feux multicolores d'une triple rangée de lanternes vénitiennes dont nous avons joyeusement enguirlandé le gaillard d'arrière, mous envoie de sympathiques adieux.

L'hélice commence ses évolutions, et dans la nuit sombre nous franchissons la passe de la Canebière. Là quelques derniers « Bon voyage ! » nous sont encore jetés par des amis inconnus, juchés sur les rochers des forts Saint-Jean et Saint-Nicolas, et que nous entrevoyons à peine à la lueur rougeâtre de falots vacillants. « Merci ! Au revoir ! » Nous entrons dans la rade, et bientôt le fracas de la chaîne entraînée par le poids de l'ancre nous annonce que la *Junon* s'est arrêtée.

....

Me voici dans cette cabine où j'ai été conduit il y a quelques heures. Il faisait alors grand jour ; j'étais entouré de gens qui sont maintenant paisiblement chez eux et qui demain, à pareille heure, y seront encore ; je n'avais que quelques pas à faire pour fouler le sol de mon cher pays ; je voyais des rues, des maisons, des passants ; je vivais de la vie de tout le monde.

Comme tout cela est changé. La nuit est profonde, l'agitation a cessé comme par enchantement. Pas de bruit. L'équipage fatigué se repose, et le silence absolu n'est troublé que par le petit clapotement de l'eau le long de la muraille du navire. Par mon hublot ouvert, je ne vois que quelques lumières disséminées et de grandes ombres derrière ces lumières. Demain, à pareille heure, je ne verrai même pas cela. Décidément, le dernier lien est rompu...

Permettez-moi, lecteur, en attendant que le sommeil me gagne, de me présenter à vous. Puisqu'il vous a plu d'ouvrir ce livre, sachez quel compagnon vous emmène avec lui dans sa promenade à travers le monde.

J'aimais les voyages avant d'avoir une idée bien nette de ce que ce pouvait être. A huit ans, je lisais fièvreusement la *France maritime*, d'Amédée Gréhan ; à dix ans, je m'évadais du collège, résolu à m'embarquer comme mousse et à visiter... tous les pays ; les gendarmes m'arrêtèrent à Saint-Cloud et ma famille déclara que je « tournerais mal ».

J'espère ne pas avoir justifié ces sévères prévisions ; cependant l'Europe, l'Asie et l'Afrique n'ont pas encore assouvi mon humeur vagabonde.

Il y a à peine trois ans, j'ai accompagné Largeau à Ghadamès ; avec deux autres vaillants compagnons, Say et Faucheux, nous avons exploré cette oasis du grand désert, riche entrepôt des produits du Soudan, et nous en sommes revenus par hasard la vie sauve, nous estimant heureux de rapporter quelques renseignements utiles pour l'avenir de notre plus belle colonie.

Le sort nous a bien dispersés depuis. Largeau s'est brisé à la peine et est rentré en France ; Say étudie toujours la question commerciale aux confins du désert, et Faucheux, comme colon explorateur, est aujourd'hui à Sumatra.

Puis de l'Atlas, je suis passé au delà des Balkans, en Serbie, où j'ai assisté à tous les détails du prologue de la guerre aujourd'hui terminée, présent à toutes les affaires, avec Leschanine à Zaïtchar, avec Horvatowitch à Kniajéwatz, avec Tchernaïeff sous Aleksinatz. Enfin ma dernière pérégrination s'est accomplie en Arménie, où pendant de longs mois, sous Kars, j'ai suivi les mouvements de l'armée turque d'Asie.

Quelle différence entre ces voyages et celui que je vais entreprendre ! Il me semble que celui-ci est la récompense des fatigues de mes excursions passées. Je n'ai plus cette fois qu'à me laisser conduire ; point de soucis, pas de transbordements : je vais voir le monde entier tout à mon aise.

Y a-t-il des dangers ? Je ne les prévois guère. Le bateau est solide et bien commandé, l'équipage, m'a-t-on dit, est excellent, et mes compagnons paraissent fort aimables. Cependant bien des gens ont fait le tour du monde, chacun le peut faire aujourd'hui, les pays que je vais visiter ont été cent fois décrits, et je me demande si ces notes, forcément incomplètes, auront quelque intérêt pour d'autres que pour moi. Vous seul, lecteur, pourrez le dire ; mais puisque je me suis promis de vous raconter ce que j'aurai vu et appris, laissez-moi vous faire cette humble et sincère profession de foi :

Je n'ai point de prétention à la science, n'étant ni géographe, ni botaniste, ni géologue, ni astronome, ni même astrologue, ni rien enfin qui puisse me permettre de prétendre à un titre scientifique quelconque. Je vous dirai mes impressions et mes opinions, je n'augmenterai ni ne diminuerai rien des unes ni des autres ; je n'aurai ni complaisances ni sévérités ; je me tromperai peut-être, mais je vous promets de ne pas vous tromper.

Je sais que nous devons voir le monde assez vite, mais je sais aussi que nous serons bien placés pour le voir, nous puiserons dans l'expérience des plus expérimentés ; n'est-ce pas le meilleur moyen pour savoir ce qui est et supposer ce qui sera ?

L'entendez-vous ainsi ? Oui. En ce cas, vous voilà, comme moi, passager de la *Junon.* Votre place est marquée, votre bagage à bord. A bientôt, et puisque vous êtes franchement décidé, n'oubliez pas que nous partons demain à midi.

En mer, 2 août.

Le départ s'est fait simplement. Point d'émotions, point de tapage. J'en excepte le *treuil* de l'avant (machine à virer les chaînes), qui remplit son office un peu bruyamment. A midi, l'équipage était aux postes d'appareillage. Quelques minutes après, la *Junon*, rasant la fameuse île du château d'If, faisait route en filant neuf nœuds et demi à dix nœuds, sur une mer presque calme et sous un ciel presque bleu.

Nos regards sont restés longtemps fixés sur la ville, puis sur les montagnes ; enfin, le mince ruban qui bordait l'horizon s'est effacé, la terre a disparu.

Nous sommes maintenant entre le ciel et l'eau. France, au revoir !

On a travaillé activement à réparer le désordre de la veille, et je me suis aperçu que c'était chose plus facile que je ne le pensais tout d'abord. Chacun de nous, dans sa cabine, procède à une première installation. Hâtons-nous, car la mer peut devenir mauvaise, et sans doute il nous faudra payer notre tribut à ce dieu prudent qui prévient les navigateurs novices que tout n'est pas rose dans le métier de marin.

3 août.

A la tombée de la nuit, un violent orage a passé sur nous. Les éclairs se succédaient sans interruption. Les voiles goélettes établies pour diminuer les mouvements de roulis ont dû être serrées, non sans peine ; une pluie battante a contraint de fermer les panneaux. Nos estomacs commencent à faiblir, des catastrophes sont imminentes. Nous nous réfugions dans nos cabines en proie à de vives émotions.

Tristes épreuves qui nous ont fait oublier en un moment et patrie et famille ! Notre maître coq, un démissionnaire du Splendide hotel, s'il vous plaît, est complètement navré, et nous le sommes encore plus que lui. Que d'excellentes choses il nous avait servies et dont nous n'avons pas pu profiter !

La dunette, où nous nous sommes réfugiés après le grain, étendus sur de longs fauteuils en osier, inertes et comme anéantis, ressemble à s'y méprendre à une ambulance, avec cette complication que notre jeune docteur est également gisant. Quelle meilleure excuse peut-il nous donner ! Impuissant à nous guérir, il veut au moins partager nos maux. Quel mémorable exemple offert à tous ses confrères !

Terre ! Ce sont les îles Baléares. Voici la grande île Majorque, puis Iviça, là-bas, dans la brume, Minorque, Formentera et Cabrera sont invisibles. Peu nous importe. Un peu moins de tangage et pas du tout de Baléares ferait bien mieux notre affaire.

4 août.

La nuit s'est bien passée. La mer s'est radoucie, et nous voilà redevenus parfaitement dispos. Nous n'avons pas, d'ailleurs, ralenti notre marche. Vers deux heures du matin, on a reconnu la terre d'Espagne et constaté, paraît-il, une fois de plus, l'existence d'un courant très variable, mais souvent très fort, portant à l'ouest, aux environs des caps Saint-Martin et Saint-Antoine.

A huit heures, on est venu nous prévenir que la messe serait dite à neuf heures. Nous y sommes tous allés ; les uns par conviction, les autres... peut-être par curiosité.

La dunette de la *Junon* était complètement dégagée et tout entourée de pavillons de diverses couleurs étendus comme des rideaux. Au fond, à l'arrière, ces pavillons formaient comme une petite chapelle improvisée, aussi peu ornée que les plus simples autels de village. Des chaises de chaque côté, un passage au milieu comme dans nos églises ; au lieu des arceaux gothiques des cathédrales, une tente en forme de toit très plat, bien raidie et se rejoignant avec les pavillons qui nous entouraient.

A l'heure dite, le commandant, accompagné des officiers non de service, prit place au premier rang, en invitant l'un de nous, M. R. de L..., à se mettre à sa droite. Bientôt M. l'abbé Mac, aumônier de l'expédition, parut et l'office commença. On n'entendit plus alors d'autre bruit que celui des mots sacrés prononcés à demi-voix et le battement régulier de l'hélice, dont chaque coup mettait plus de distance entre nous et les nôtres.

Pour ma part, tout en m'abandonnant quelque peu à un sentiment de rêverie qui me ramenait auprès des miens, j'éprouvais, je l'avoue, un indéfinissable plaisir à suivre le sillage du navire et à me sentir entraîné d'un mouvement doux, mais rapide, vers ces pays nouveaux où j'avais tant hâte d'aborder.

6 août.

Le vent de bout a un peu retardé notre marche. Nous avons maintenant en vue la terre d'Afrique ; à tribord, nous suivons d'assez près la côte d'Espagne, où viennent s'affaisser brusquement les sierras. Une forte houle de l'avant nous annonce la lutte entre la Méditerranée refoulée et l'Atlantique qui verse ses marées chez sa faible rivale. Voici encore Malaga. Puis les terres se resserrent, les deux continents semblent se rejoindre. Le temps est devenu magnifique, le ciel est toujours bleu et le soleil à son coucher jette encore quelques rayons d'or à l'entrée du détroit. A gauche, sur la côte d'Afrique, c'est Ceuta, place jadis forte et toujours occupée par les Espagnols, qui en ont fait un pénitencier ; à droite, c'est la pointe d'Europe, figurée par un énorme rocher au sommet duquel flotte le drapeau dominateur de l'Angleterre.

La *Junon* arbore les couleurs nationales et signale en même temps son nom par l'arrangement de quatre pavillons formant ce qu'on appelle le *numéro* du navire ; les dernières lueurs du jour lui permettent de se frayer rapidement un passage au milieu des nombreux bâtiments et pontons qui encombrent la rade. Elle s'arrête enfin, l'ancre tombe. Nous sommes devant Gibraltar.

GIBRALTAR

La citadelle. — Une consigne sévère. — L'aventure de la petite Johnston. — La clef de la Méditerranée. — Physionomie de la ville. — Les cavernes. — Point de vue.

8 août.

La grande baie de Gibraltar, ou d'Algésiras, a la forme d'un U renversé. La colonie anglaise occupe toute la partie orientale du golfe, et le colossal promontoire rocheux sur le flanc duquel elle est, en quelque sorte, accrochée, ne tient à la terre ferme que par une sorte de lande basse et inculte. La petite ville d'Algésiras est située en face de Gibraltar, de l'autre côté de la rade.

Notre première visite fut pour la citadelle, œuvre étrange et presque surhumaine. Dans l'intérieur de ces masses énormes de lave et de granit, la mine a partout creusé des casemates. A la pointe d'Europe, notre attention avait été attirée par des batteries dont les feux rasants semblent avoir la prétention de barrer le passage du détroit, et de notre mouillage nous avions aperçu de nouvelles batteries étagées sur trois rangs, à ciel ouvert ou couvertes, disséminées autant que dissimulées à tous les replis, à toutes les anfractuosités de la roche.

Aimez-vous les canons ? De ce côté (pauvre Espagne !) on en a mis partout, et leur présence n'est révélée que par des trous noirs percés à des hauteurs invraisemblables dans les falaises à pic. Les galeries intérieures ne sont éclairées que par les embrasures des pièces. Le côté qui regarde l'Espagne, relié à la péninsule par l'étroite langue de terre nommée *terrain neutre*, est surtout fortifié de façon à repousser toute attaque et à déjouer toute surprise. Chaque objet est entretenu avec le soin minutieux et la propreté scrupuleuse qui caractérisent les établissements militaires anglais. Le gouverneur avait eu la gracieuseté de nous envoyer une permission spéciale avant que nous eussions pris la peine de la demander, en sorte que nous pûmes tout visiter sans rencontrer le moindre obstacle. Je dois ajouter que le garde d'artillerie chargé de nous guider dans les labyrinthes de la forteresse, un grand et beau garçon, bien pris dans son sévère uniforme, nous surprit un peu par le sans-façon avec lequel il empocha quelques pièces d'argent que nous pensions difficile de lui faire accepter. Notre premier « pourboire », au début de ce voyage, où sans doute nous étions destinés à en prodiguer un nombre respectable, tomba ainsi dans la main d'un soldat anglais. *All right !*

Le fort et la ville sont placés sous le régime d'un état de siège permanent. La discipline y est aussi stricte que celle d'une place investie ; chaque jour, à neuf heures du soir, les portes sont fermées et ne sont rouvertes que le matin, sous quelque prétexte que ce soit.

Cette consigne est exécutée avec une rigueur absolue. Permettez-moi de vous conter une petite anecdote, qui vous montrera jusqu'à quel point peut aller la sévérité en pareille matière.

Il y a quelques années, un Anglais, résidant à Gibraltar, homme bien posé dans la ville, dont le nom m'échappe en ce moment et que nous appellerons, si vous voulez, M. Johnston, sortit un après-midi d'été, avec sa petite fille, dans un simple but de promenade. Ils franchirent les portes de la ville et s'avancèrent sur le terrain neutre. Le temps était très beau et très doux. L'enfant, enchantée de se trouver en un lieu nouveau pour elle, courait toujours en avant cherchant des coquilles, cueillant des herbes et jasant avec papa ; si bien que les heures s'envolèrent, et le déclin du jour vint seul les avertir qu'il fallait songer à rentrer au logis. L'heure était déjà avancée. La petite avait, dans ses jeux, fait au moins le double de la route et, dès qu'il fallut hâter le pas pour retourner, se plaignit de la fatigue. M. Johnston prit sa fille par la main, puis se résigna à la porter. Ce cher fardeau ralentissait sa marche. La nuit survint, mais pas assez noire pour cacher la grande porte de la ville, qui se rapprochait de plus en plus.

Ils arrivent à cent pas des murailles, au moment où neuf heures commencent à sonner. Est-il trop tard ? M. Johnston, exténué, désespéré, est saisi d'une idée subite. Il pose l'enfant à terre et lui dit : « Allons, Mary, cours après papa, vite, bien vite ; » et lui-même, rassemblant toutes ses forces, s'élance, atteint la poterne, la franchit, en s'écriant : « Attendez ! ma fille !... » La lourde porte roule sur ses gonds, se ferme avec un bruit sonore, les verrous sont poussés.

Avait-on vu l'enfant ? Je l'ignore.

Le malheureux père s'adresse au sergent du poste :

— Monsieur, ayez la bonté d'ouvrir pour ma petite fille, qui est là, qui courait après moi.

— Impossible, monsieur, on n'ouvrira que demain.

— Mais je vous dis que c'est ma petite fille. C'est absurde. Elle est là, là, derrière la porte.

— Monsieur, je ne puis pas ouvrir. Demandez à l'officier.

M. Johnston entre comme un fou dans la chambre de l'officier.

— Capitaine, je vous en prie, donnez l'ordre qu'on ouvre cette porte. C'est pour ma fille, qui est là, de l'autre côté. Nous avons couru pour arriver à temps ; moi, je suis entré le premier pour prévenir. Vous comprenez...

— Monsieur, je regrette beaucoup de ne pouvoir faire ce que vous me demandez, mais la consigne est formelle. Je ne dois faire ouvrir pour quoi que ce soit.

— Mais, capitaine, une petite fille…

— Je vous assure que je ne peux pas.

— Mais il y a du danger pour elle. La peur, le froid… et puis, vous savez bien qu'il y a de mauvaises gens de ce côté. On peut l'emmener, on peut…

— Je comprends, monsieur, votre situation et vos angoisses, mais, je vous le répète, la consigne est absolue, formelle. Si j'y manquais, je serais destitué dans les vingt-quatre heures. Apportez-moi un ordre écrit du gouverneur, j'ouvrirai. Mais je doute qu'il le donne.

Aller chez le gouverneur, qui résidait fort loin de là, avoir l'ordre, revenir. Que de temps perdu ! Le pauvre père perdait la tête.

Après de nouvelles supplications inutiles, il fut convenu que Mme Johnston, qui connaissait particulièrement la femme du gouverneur, la prierait d'intercéder pour elle. C'était, au dire de l'officier, le meilleur, sinon le seul moyen qui eût quelque chance de réussir.

On entendait les pleurs de l'enfant à travers la porte massive. Mme Johnston, prévenue en toute hâte, courut chez son amie, qui lui promit de faire tout au monde pour obtenir de son mari l'autorisation de faire rentrer l'enfant.

Le premier mot du gouverneur fut le même que celui des gardiens : impossible !

— Mais, mon ami, ce qui est impossible, c'est de laisser cette pauvre petite dans une situation aussi affreuse. Elle peut en mourir… Ces consignes-là sont faites pour la guerre, pour les hommes, et non pour les enfants.

— Elles sont ce qu'elles sont. On ne m'a pas laissé le droit de les apprécier, mon devoir est de leur obéir.

Mais la femme du gouverneur s'était juré de fléchir cette rigueur inexorable. Pendant une demi-heure, elle discuta comme une femme qui *veut*, elle aussi, et fit tant par ses prières et ses larmes que le vieux soldat fut enfin ébranlé.

— Eh bien ! je ferai, dit-il, pour Mme Johnston et pour vous ce que je ne croyais jamais devoir faire. La consigne sera violée, la porte sera ouverte ; mais ce que je ne ferai pas, c'est de violer en même temps l'esprit des ordres que j'ai reçus. Personne ne doit entrer dans la ville, personne n'entrera ; M.

Johnston pourra sortir et rester au dehors jusqu'à ce que la porte soit rouverte à la diane demain matin.

Le lendemain, à six heures, le père et l'enfant rentraient à Gibraltar.

J'ai dit tout à l'heure que le rocher ne défendait pas le passage, contrairement à une opinion assez répandue. La possession de cette fameuse « clef de la Méditerranée » est surtout une question d'amour-propre pour nos voisins d'outre-Manche. Un convoi de transports à vapeur pourrait franchir le détroit chaque nuit sans prendre le moindre souci des casemates et des forts anglais. Seule, une flotte, appuyée et protégée par les batteries, pourrait barrer le détroit, dont la largeur, entre Ceuta et la pointe d'Europe, dépasse 22,000 mètres. Aussi, dans le cas d'un grave conflit, quels nombreux navires ne faudrait-il pas à l'Angleterre pour maintenir ses communications avec Gibraltar, Malte et aujourd'hui Chypre ?

En réalité, le rocher de Gibraltar n'est qu'un point fortifié de ravitaillement. Quels autres bénéfices représentent les dépenses d'un pareil établissement ? La baie d'Algésiras est peu sûre ; elle est exposée aux vents du sud-ouest, qui parfois arrachent les navires et les jettent à la côte. Le port de Gibraltar n'a pas une grande valeur commerciale. On y trouve de bon charbon, fourni aux vapeurs de passage par une vingtaine de lourds bateaux dits « *colliers* », des moutons du Maroc, meilleurs que ceux dont l'Algérie encombre nos marchés, et il s'y fait un chiffre modeste d'importations en Espagne de quelques produits d'usage courant, la plupart introduits par des contrebandiers.

On ne pénètre dans la ville qu'en franchissant pont-levis, poternes et chemins tournants ; puis on traverse une grande place en forme de triangle, bordée de casernes. L'artère principale court parallèlement à la mer jusqu'à la pointe d'Europe, où l'on rencontre, jetés çà et là, dans de charmants bouquets de verdure — les seuls qui tachettent agréablement le roc, presque partout dénudé et comme rongé — les cottages des principales familles anglaises. Cette rue, la seule où règne un peu d'animation, est propre, bien construite, mais ne présente aucun caractère spécial.

Peu de marchands anglais dans les magasins, où l'on remarque des juifs, des Espagnols et quelques Maures, tous petitement installés, âpres au gain et ayant la réputation d'être peu délicats en affaires. Étrangers, défiez-vous des juifs de Gibraltar !

On circule à travers un public déjà bigarré comme celui d'une ville d'Orient. Les uniformes rouges de l'infanterie anglaise se rencontrent avec les costumes des soldats espagnols, campés sur les limites du terrain neutre ;

les longues lévites noires des juifs, coiffés d'un petit bonnet toujours crasseux, font tache avec les blancs burnous des Marocains, et les modernes costumes européens tranchent avec ceux des paysans andalous, coiffés du large chapeau relevé en gouttière. Ajoutez à ces types si divers les toilettes absolument voyantes des señoras des environs, et principalement de Malaga, portant la classique mantille et jouant de la prunelle aussi bien que de l'éventail pour mieux attirer l'attention.

Rien de remarquable dans l'architecture des quelques églises, temples, synagogues et édifices publics que l'on rencontre. En dehors des casernes, le palais du gouverneur est le seul bâti dans d'assez vastes proportions.

Gravissons au delà des maisons, dont les dernières n'atteignent pas à la moitié de la hauteur du rocher. On remarque d'abord les ruines assez imposantes d'un vieux château maure ; puis, dominant également la ville, une douzaine d'obélisques ou de colonnes commémoratives, parmi lesquelles celle surmontée du buste de sir Elliott, l'énergique défenseur du siège de 1782.

On explore ensuite de vastes cavernes. La principale, dite de Saint-Michel, a son entrée à mille pieds au-dessus de la mer ; à l'intérieur, on descend toujours, en traversant une succession de salles immenses d'où pendent de larges stalactites, puis on arrive à des passages resserrés, bas, infranchissables, situés à environ cinq cents pieds au-dessous de l'ouverture de la caverne. L'air vicié, nous a-t-on dit, empêche des investigations plus profondes. Chose curieuse : en cet endroit, on entend distinctement le bruissement des flots, ce qui tendrait à faire croire à une communication de ces grottes avec la mer.

Le rocher, d'ailleurs, est complètement dépourvu de sources ; aussi est-on obligé de se contenter de l'eau du ciel, soigneusement recueillie dans des réservoirs, alimentés à l'aide d'un système de drainage pratiqué sur les flancs des roches et jusque sur le toit des maisons.

La population de Gibraltar est d'environ 20,000 habitants, Espagnols pour la plupart. La garnison est en ce moment puissamment renforcée par les détachements que la politique « d'expansion » (nos voisins pourraient traduire : *expensive politic*) tient prêts à diriger sur Chypre, sur la côte d'Afrique ou vers le cap de Bonne-Espérance ; elle ne compte pas moins de 6,700 hommes, y compris artillerie, génie et transports. Le gouverneur, actuellement en congé, est le général lord Napier de Magdala ; il est remplacé en ce moment par le major général Somerset.

Du haut de Gibraltar, quel que soit l'endroit où l'on se place, on jouit d'un des plus beaux panoramas qu'il soit donné de contempler. Du côté sud, on a devant soi le large détroit, l'infini des deux mers dont les lignes extrêmes se fondent dans l'azur, l'immense développement de la côte africaine ; sur la côte d'Europe, Gibraltar, Algésiras, Tarifa, et en arrière le soleil, à son coucher, embrasant de reflets d'un rose ardent les gorges abruptes des sierras de Grenade et de l'Andalousie…

Mais l'homme n'a guère contribué à cette magnificence ; le seul collaborateur de la nature en ce lieu fut le légendaire Hercule, qui sépara de ses puissantes mains le mont Calpé d'avec le mont Abyla ; et pour résumer mon impression sur des temps moins fabuleux, je n'ai trouvé dans cette « guérite » inutile qu'une chose intéressante, c'est un dessin de Henri Regnault fait à grands coups de charbon sur le mur intérieur de l'une des casernes.

LES ILES MADÈRE

Passage du détroit. — La vie à bord. — La baie de Funchal. — Une fête villageoise. — Politique et philanthropie mêlées. — Voyage à Porto-Santo. — Politesses et congratulations. — Excursion au Grand Corral. — Trop de vin de Madère.

10 août.

Nous avons quitté Gibraltar avant-hier au soir, favorisés par un temps superbe. La traversée du détroit avec un beau crépuscule est une promenade charmante. Le vaste horizon ouvert devant nous semblait accalmi pour toujours ; poussés par une très légère brise, les navires que nous croisions paraissaient immobiles et comme endormis sur la mer, à peine bercés par une molle et longue houle du large, écho affaibli de quelque tempête lointaine.

Nous passions, rapides, à côté d'eux. La nuit, se faisant peu à peu, effaçait les éclats de lumière que les derniers rayons du soleil avaient fait briller aux cimes des montagnes. Chaque instant nous apportait ainsi un aspect nouveau. Les terres, devenues noires, semblaient enfin confondre leurs détails dans une teinte uniforme ; mais voici que l'astre des nuits se levant derrière nous était venu projeter des ombres nouvelles, dessiner des formes imprévues et nous montrer une dernière fois cet ancien monde, que nous ne fuyions avec tant d'insouciance que dans l'espoir presque assuré de le revoir un jour.

On n'apercevait plus du vieux continent que le phare du cap Spartel, brillant comme une étoile, lorsque nous nous sommes décidés à quitter le pont pour prendre un peu de repos dans nos cabines.

Hier et aujourd'hui, nous avons été poussés par une belle brise de vent arrière, qui permet à la *Junon* d'établir toutes ses voiles carrées. Cette vue nous enchante. Nous nous sentons devenir plus marins, mais nous sentons aussi vaguement qu'il nous faut encore quelques jours pour pouvoir braver impunément les fureurs ou seulement les impatiences du terrible Atlantique.

Notre route est dirigée sur Madère. Pendant la nuit qui a suivi la sortie du détroit, on a rencontré bon nombre de navires. Maintenant, nous n'en avons plus un seul en vue, et nous voilà pour la première fois au milieu de la grande solitude.

Je ne dirai que peu de choses de la vie du bord ; les incidents qui se passent sur un navire, à moins d'être très graves, n'ont guère d'intérêt que pour ceux qui l'habitent. Notre existence est fort régulière, et nous la trouverons peut-être monotone dans le cours des longues traversées (heureusement le programme du voyage n'en contient qu'un petit nombre). On déjeune à neuf heures et demie, on dîne à cinq heures ; la table, je crois l'avoir dit, est bonne, mais le service se ressent un peu de la précipitation du départ. Deux fois par jour, nous nous trouvons donc tous réunis dans le salon arrière, situé sur le pont. Outre les voyageurs, il y a là le commandant, l'aumônier, le secrétaire de l'expédition, deux professeurs, MM. Collot, de la Faculté de Montpellier, et Humbert, de la Faculté de Paris, et le docteur, M. Debely.

Presque tous nous sommes jeunes, tous heureux de faire ce voyage ; les repas sont donc gais, et les relations promettent d'être agréables. Dans la journée, nous avons pour tuer le temps la bibliothèque du bord, qui compte environ 500 volumes, dont une collection du *Tour du Monde*, déjà fort demandée ; un trapèze et des anneaux destinés aux amateurs de gymnastique, de grands fauteuils sur la dunette, dédiés aux rêveurs. Pour combler le vide laissé par ces éléments peut-être insuffisants, il nous reste nos conversations, notre patience, et en dernier ressort le sommeil, dont quelques-uns, fort sensibles au mal de mer, font un usage immodéré.

Aujourd'hui même a commencé la série des conférences données par les professeurs embarqués dans ce but. La séance a été ouverte par le commandant, qui nous a dit quelques mots sur les principes généraux de la navigation ; il nous a appris bon nombre de choses absolument élémentaires, que tous cependant, je crois, nous ignorions complètement. Bientôt nous serons capables, non de conduire un bâtiment, science compliquée et qui nous serait sans doute parfaitement inutile, mais de comprendre comment on arrive à le conduire.

En satisfaisant notre curiosité, cela nous permettra de suivre la marche du navire, d'apprécier les difficultés que nous pourrons rencontrer, et qui sait, si l'un de nous, dans une circonstance fortuite, ne sera pas heureux de retrouver quelque jour dans sa mémoire la trace de ces entretiens, qui ne sont aujourd'hui qu'un passe-temps ?

Après une courte leçon sur les compas, les cartes, les angles de route, M. Humbert prend la parole et nous donne, aux points de vue géographique, historique et économique, d'intéressants renseignements sur Madère, les Açores, les Canaries et les îles du Cap-Vert.

Vous n'attendez pas de moi, n'est-ce pas ? que je me fasse, à mon tour, professeur. Ce livre n'est pas un recueil scientifique, et vous savez, sans nul doute, que les conférences écrites valent moins encore que les discours récités. Remontons donc sur le pont. Voici le second coup de la cloche du dîner. A table. Demain matin, nous serons à Madère.

14 août.

Dimanche, c'était le 11, je me suis levé de bonne heure, et, comme de toute belle action, je fus récompensé ; mais, ce qui est plus remarquable et plus rare, je le fus en ce monde, et tout de suite.

La mer, toujours belle, était à peine sillonnée de quelques courtes vagues ; nous avions, à droite, l'île de Porto-Santo ; à gauche, un peu sur l'avant, un groupe de terres tout en longueur, d'aspect désolé, de formes bizarres, nommées les *Desertas*, et droit devant, un énorme massif, aux pans doucement ondulés, éclairé en plein par les rayons du soleil levant : c'était la grande île de Madère. Elle semblait sortir de l'onde, toute fraîche et parée de ses grâces naturelles, comme Vénus Amphitrite.

Bientôt, passant au sud de la pointe occidentale de l'île, prolongeant à petite distance une côte où venaient aboutir de pittoresques vallées, la *Junon* atteignit l'entrée d'une grande baie demi-circulaire, la rade de Funchal.

J'ignore quelles surprises nous réserve ce voyage, et si les splendeurs des forêts tropicales, la majesté des terres antarctiques, les bizarreries de la civilisation orientale nous feront perdre le souvenir de notre arrivée à Madère. J'ose en douter. Je n'entreprendrai pas de décrire ce panorama enchanteur. Quand je vous aurai dit qu'au pied de collines élevées, couvertes de forêts et de plantations, la modeste capitale s'étend et s'éparpille au bord de la mer, coquettement, capricieusement ; que toutes les teintes végétales, depuis le vert sombre des pins, entrevus à travers les nuages, jusqu'à la nuance douce et pâle des bananiers, se confondent dans un harmonieux ensemble sans jamais se heurter ; que l'arc gracieux de la baie s'arrête, d'un côté, à de belles falaises à pic et, de l'autre, se termine par un étrange rocher planté sur la mer comme le piédestal de quelque statue gigantesque ; quand j'aurai compté et nommé les ruisseaux, parfois torrents, qui dévalent le long des ravins, égayant et fertilisant tout ce qui les approche..., aurez-vous le tableau sous les yeux ? Hélas ! non. Je cherche moi-même à le retrouver et n'y parviens qu'avec peine. Ce qui me reste, ce que je puis vous dire, c'est l'impression :

La baie de Funchal n'est pas un lieu gai, riant, c'est plutôt un lieu calme et reposé ; la gravité des hautes montagnes tempère l'ardeur luxuriante des vallées qui en descendent. L'endroit semble fait, non pour ceux qui veulent commencer la vie, mais plutôt pour ceux qui voudraient paisiblement la finir. Il s'en dégage un charme très grand, un peu sérieux, presque triste vers le soir. Ce petit monde est une solitude. L'esprit fatigué, le cœur malade pourront, dans le spectacle de cette oasis perdue au milieu de l'Océan, chercher et trouver des consolations, mais ils n'y trouveront que cela. Ils auront échangé le tumulte contre l'isolement.

Dès que nous fûmes au mouillage, plusieurs embarcations vinrent se ranger le long du bord, nous offrant du poisson frais, des légumes et des fruits, parmi lesquels de magnifiques raisins et de petites figues excellentes. Une nuée de petits êtres à la peau bronzée sollicitent nos largesses, puis plongent et replongent pour pêcher la menue monnaie que nous leur jetons par-dessus le bord.

Descendons à terre. Le mode de débarquement est assez original et même assez amusant. Bien que la baie soit généralement tranquille, une petite houle du large y entre aisément, et comme il n'y a pas de quais, du moins en face de la ville, un canot ordinaire ne pourrait déposer ses passagers à pied sec qu'en certains jours de calme parfait. Aussi les embarcations du pays sont-elles toutes à fond plat ; dès que l'une d'elles va aborder, tous les bateliers et flâneurs de la plage vont au-devant ; les uns la prennent de chaque côté, d'autres s'attellent à une corde qui leur est jetée du bateau, et, au moment où la lame arrive, le traînant sur les galets l'espace d'une quinzaine de mètres, ils le conduisent hors de l'atteinte de la mer.

On embarque de même ; en sorte que chaque appareillage pour aller de la terre à bord est un lancement en miniature.

C'est dimanche. La ville semble déserte. Les notables sont à la campagne, dans les gorges. Ce qui reste d'habitants est monté à une chapelle qui domine la rade, dans laquelle on prie, et autour de laquelle on s'amuse. Allons-y.

La chaleur est accablante, et nous mettons près de deux heures à gravir la montée. Le chemin, bordé de maisons basses et de longs murs formant terrasse, est étroit et pavé d'abominables galets. Cependant des plafonds de verdure ombragent parfois la route, et, de chaque côté, des plantes grimpantes sont entrelacées aux rameaux des arbres ou suspendues en guirlandes. Nous reconnaissons les produits les plus divers de la flore de l'Europe et des tropiques. Dans la partie inférieure, nous avons rencontré les cactus, les bananiers, les palmiers, les lauriers-roses ; mais bientôt, à côté des aloès et des cannes à sucre, nous retrouvons la ronce sauvage et le lierre d'Europe, puis le platane, le chêne, l'orme et des fleurs en profusion : des glycines, d'énormes fuchsias, et l'héliotrope, le lis du Cap, le myrte, l'amaryllis, le magnolia, etc. ; j'ai déjà parlé de ce superbe raisin, dont les grappes, suspendues au-dessus de nos têtes, nous font penser à la terre promise.

Nous arrivons à la chapelle au moment où se termine la fête religieuse. De chaque côté du portail, ou, pour être bien sincère, de la porte, de hauts mâts livrent à la brise les pavillons du Portugal et de la France, de l'Angleterre et des États-Unis. L'intérieur de l'édifice, tout entier construit en basalte, est tendu d'étoffes de couleur claire et éclairé *a giorno*. Un orchestre, presque entièrement composé de violons, joue des airs quasi dansants et que ne désavoueraient point nos ménétriers. Au dehors, des bombes, des fusées éclatent dans les massifs où sont dressées de nombreuses buvettes enguirlandées de magnifiques hortensias bleus. Et, pendant que l'on entre et que l'on sort, que l'on va et que l'on vient, j'admire le superbe point de vue.

Partout des collines couvertes de bois épais ; au-dessous ce sont des maisons isolées qui se détachent dans la verdure, et, presque au centre de la rade, notre blanche *Junon*, maintenant bien sage sur l'immense miroir de l'Océan sans limites.

Notre retour en ville comptera certainement parmi les plus gais incidents du voyage. Les voitures n'existant pas à Madère, à cause de la déclivité très sensible du terrain, on ne circule qu'à cheval ou en traîneau. Quand il s'agit de monter, les traîneaux sont tirés par des bœufs, fortes et vigoureuses bêtes au pied sûr qui partent au pas accéléré, encouragées par les cris étourdissants de leurs conducteurs, et mieux encore par de fréquents coups de bâton appliqués sans ménagement sur leurs robustes échines. De temps en temps, l'un des conducteurs place sous les patins du traîneau un petit sac contenant de la graisse, afin de rendre le frottement plus doux. De là cet aspect poli et luisant du pavé de Funchal, exclusivement composé de galets roulés. Pour descendre, les frêles véhicules sont lancés sur les pentes, conduits et à peine retenus à l'aide de cordes dont les guides se servent surtout pour éviter les chocs aux tournants.

Nous embarquons dans une dizaine de traîneaux placés en file indienne, et au signal : En avant ! nous voilà glissant avec une vitesse presque vertigineuse ; nos guides, doublement entraînés par nos folles excitations, suants et ruisselants, essoufflés et haletants, conservent encore assez de sang-froid pour éviter les abordages, qui ne seraient pas sans danger, et, en dix minutes, nous voilà au bas de la colline.

N'ayant qu'une faible confiance dans les cordons bleus de ce ravissant, mais primitif séjour, nous revînmes à bord pour l'heure du dîner et nous apprîmes une grande nouvelle : la *Junon* appareillerait le lendemain matin... Ouais ! Et nos trois jours de relâche ! On nous rassura bien vite. La *Junon* appareillerait, mais non pour prendre la haute mer ; elle aurait l'honneur de recevoir à son bord M. le gouverneur civil des îles Madère, le conduirait à l'île de Porto-Santo, à deux heures d'ici, et le ramènerait dans la même journée.

Il s'agissait donc d'une simple excursion, que nous pouvions à notre gré faire ou ne pas faire. On nous disait que Porto-Santo n'avait pas été visitée par un navire étranger depuis cinq ou six ans, et que le gouverneur lui-même ne s'y rendait guère qu'une fois tous les deux ans, n'ayant pas de navire convenable pour l'y mener.

Il y avait là de quoi piquer notre curiosité. Déjà notre imagination découvrait les choses les plus invraisemblables dans cette colonie genre

Robinson suisse, située à soixante heures de Lisbonne et à cinq jours de l'Exposition universelle.

Mais pourquoi cette promenade ? Voici.

Le groupe des îles Madère est administré par deux gouverneurs : l'un civil, don Alfonso de Castro ; l'autre militaire, le colonel Alex. Cesar Mimoso, se partageant assez inégalement les attributions du pouvoir exécutif. Le premier a tout le poids des affaires locales ; le second, le commandement des troupes, véritable sinécure. Le territoire est divisé en municipalités, à la tête desquelles sont placés des maires nommés par le roi, sur la proposition du gouverneur civil. L'île de Porto-Santo, située à vingt-cinq milles environ nord-est de Madère, forme l'une de ces municipalités et concourt avec elles pour la nomination des trois députés que la colonie envoie au Parlement portugais.

Tandis que, sous les rayons d'un ardent soleil, nous gravissions les pentes caillouteuses qui conduisaient à la fête villageoise, notre commandant, strict observateur des formalités, était allé mettre des cartes chez les gouverneurs et, quelques instants après, recevait à bord la visite d'un aide de camp du colonel Mimoso.

Après l'aide de camp, arrive un abbé. C'est le tuteur d'un jeune Français qui habite Madère avec sa famille. M. Goubaux, — notre aimable compatriote, — ayant aperçu du haut de sa villa, située sur une des collines qui dominent la rade, la *Junon* portant le pavillon du pays natal, avait député en toute hâte son aumônier pour nous transmettre, avec ses compliments de bienvenue, la plus cordiale invitation.

On cause de choses et d'autres : de la France d'abord, puis de notre expédition, puis de l'île, de ses habitants, de ses mœurs ; enfin on en arrive, — il y avait cependant deux abbés dans le groupe, — à dire un peu de mal du prochain :

— Vous venez de recevoir la visite de l'aide de camp du gouverneur militaire ; c'est un homme charmant, — dit le visiteur ; — l'autre, quoique *civil*, n'est, assure-t-on, pas de même. Il ne rend point les visites, et, tout dernièrement, nous avons eu ici une frégate française dont le commandant a laissé sa carte chez lui ; il paraît qu'il n'a même pas renvoyé la sienne. Je vous préviens, afin que vous ne soyez pas surpris si vous avez le même sort.

— Commandant, annonce aussitôt le timonier de service, une embarcation portant pavillon portugais se dirige vers le bord.

Les longues-vues sont braquées sur le nouvel arrivant.

— Eh mais ! c'est le gouverneur, s'écrie l'abbé, du ton d'un homme surpris en flagrant délit de jugement téméraire.

C'était, en effet, le gouverneur *civil*, en personne. Remue-ménage, coups de sifflet, quatre hommes à la coupée pour rendre les honneurs. Don Alfonso de Castro monte à bord et souhaite la bienvenue au commandant. La conversation, d'abord banale, comme les débuts de toute entrevue officielle, se trouva, sans qu'on sache comment, amenée sur la situation générale de l'île et de ses dépendances. On parla donc de Porto-Santo. Ce coin de terre, un peu déshérité, avait été plus malheureux cette année que les années précédentes, la récolte du raisin, peu importante, avait assez bien réussi, mais le maïs avait complètement manqué ; bref, une famine s'en était suivie. Le gouverneur avait envoyé des embarcations avec des vivres, et les rapports des derniers jours étaient satisfaisants ; mais « il regrettait bien de ne pouvoir juger par lui-même de la situation ; il aurait voulu rassurer par sa présence toute cette population presque abandonnée ; — de plus, le moment des élections approchait, et on pouvait craindre... un mauvais résultat. »

Ah ! politique, ma mie, nous te retrouverons donc partout, et toujours... et la même !

Bref, le commandant offrit à M. le gouverneur de le conduire à Porto-Santo pour relever le moral de ses administrés, et de leur fournir des vivres s'ils en avaient besoin.

Son Excellence était homme trop bien élevé et trop diplomate pour demander un service de cette nature, mais trop bon administrateur aussi pour ne pas l'accepter. Après toutes les hésitations obligatoires, il fut donc convenu que la *Junon* ferait ce petit voyage.

Le lendemain, à l'aube, le gouverneur, accompagné de quelques notables, embarque. Tout est paré. Le pavillon portugais est hissé au grand mât. — « Machine en avant ! » — Vers dix heures nous mouillons devant Baleria, petite ville de 1,200 habitants, et tout aussitôt nous descendons à terre. Je pensais, en arrivant dans cette île si peu fréquentée, faire ample moisson d'observations intéressantes. Erreur ! J'ai retrouvé là Madère, mais Madère stérile et desséché, Madère sauvage et déguenillé ; des ruines sans caractère, des costumes sans couleur, un soleil dur et sans reflets, se répercutant sur des roches aux arêtes banales. Quant aux notables, que la redingote noire et le chapeau à haute forme étaient loin d'embellir, on eût pu les confondre avec quelque députation d'un petit bourg du midi de la France.

Revenons donc bien vite avec la *Junon* à Funchal. Le gouverneur est enchanté ; il a rempli sa mission, il a constaté qu'il n'est point nécessaire de recourir à nos vivres, attendu que nul ne meurt de faim dans l'île, que le conseil municipal est respectueux et que la population semble animée d'un fort bon esprit. Que peut être, auprès de satisfactions aussi légitimes, l'ennui de n'avoir pu, par la faute de Neptune, faire honneur au déjeuner et au dîner succulents que lui avait préparés notre chef !

Le lendemain matin, au moment où nous partions en cavalcade pour le Grand Corral, le commandant recevait la très aimable lettre de remerciements que voici :

Funchal, le 13 août 1878.

Monsieur le commandant,

Je viens vous faire mes remerciements les plus sincères du grand service que vous venez de rendre à l'administration supérieure de ce département, en mettant le navire de votre commandement à ma disposition pour me conduire à l'île de Porto-Santo, qui lutte avec de grandes difficultés et qui est menacée de la famine.

Convaincu de la nécessité de m'informer par moi-même de l'état de l'île, et voyant que ma présence donnerait un peu de courage à ces pauvres gens, j'ai accepté volontiers l'offre si aimable que vous avez bien voulu me faire, et qui atteste si bien les sentiments de philanthropie qui sont l'apanage de la grande nation française.

La manière dont j'ai été reçu par vous, les attentions dont j'ai été l'objet de la part de tous ces messieurs qui composent l'expédition française autour du monde m'imposent le devoir de vous manifester les sentiments de ma reconnaissance la plus profonde.

Du service que vous m'avez rendu en me conduisant à Porto-Santo, et des offres généreuses que vous m'avez faites de transporter des vivres ou de les fournir vous-même des provisions de la *Junon* aux habitants de cette île, je m'empresserai de rendre compte à mon gouvernement par le premier bateau, et je suis bien sûr qu'il vous remerciera de toutes ces marques d'attention et de bienveillance envers son délégué dans ce département, et envers les malheureux habitants de Porto-Santo.

En vous priant de présenter à vos compagnons de l'expédition l'expression de ma gratitude, veuillez agréer, monsieur le commandant, avec mes vœux pour votre bon voyage, les assurances de la haute considération avec laquelle j'ai l'honneur d'être

Votre dévoué serviteur,

Le gouverneur civil,
ALFONSO DE CASTRO.

La presse locale, écho un peu emphatique de la politesse officielle, joignait ses remerciements à ceux du gouverneur et insérait en première colonne, dans le *Jornal do Commercio*, un article d'une extrême amabilité.

La lettre et l'article étaient rédigés en français.

Il n'était pas possible d'être plus gracieux, et vous voyez que les Madériens, en somme, sont loin d'être des sauvages.

Je vous ai dit que nous avions organisé une excursion pour aller en bande au Grand Corral. *Corral*, vous le savez, signifie col, défilé, et le Grand Corral est le plus imposant, le plus pittoresque des passages qui, tournant le pic Ruivo, ancien cratère de 1,800 mètres de hauteur, permettent de se rendre sur le versant nord de l'île. C'est la promenade obligée des nouveaux arrivants.

De telles excursions, faites en groupe, gaiement, par un jour clair et un temps sûr, avec quelque bonne cantine, pourvue des éléments d'un pique-nique sagement ordonné, sont charmantes, mais indescriptibles. On admire, on s'exclame à chaque tournant de route, à chaque point de vue nouveau ; on plaisante les cavaliers novices ; dans les haltes, chacun suit son penchant ou sa fantaisie ; les chasseurs s'enfoncent dans les fourrés, les botanistes butinent çà et là ; l'un prend un croquis ; l'autre, armé du petit marteau, se charge d'échantillons géologiques. Si on se fatigue, on ne s'en aperçoit qu'après, et d'ailleurs un bon souvenir ne passe pas si vite qu'une courbature.

A la tombée de la nuit, quelques-uns d'entre nous sont allés rendre visite à l'hospitalier compatriote qui nous avait, l'avant-veille, transmis une si aimable invitation. Ils furent, bon gré mal gré, retenus à dîner et, après quelques heures de cordiale causerie, s'en revinrent à bord. Nous partions le soir même à dix heures, malgré tous les efforts du gouverneur pour nous garder un jour ou deux de plus.

Ainsi se passa notre relâche à Madère. De ce coin du monde, enchanteur, exceptionnel, on ne connaît que la douceur de son climat et la bonté de son vin. Encore ne connaissons-nous guère l'un et l'autre que par ouï-dire. Le séjour de Madère est très recommandé aux phtisiques ; mais, jusqu'à présent, les Anglais et les Allemands ont presque seuls utilisé les admirables ressources hygiéniques de cette île. Cela est fâcheux, et pour nous, qui sommes bien loin de trouver à Nice, voire même en Algérie, des conditions aussi favorables, et pour Madère, où, malgré les splendeurs d'un paysage unique au monde, on s'ennuie comme dans un désert.

Il est curieux de remarquer que les gens du pays gagnent la phtisie à Madère au moins aussi facilement que les étrangers s'en guérissent. Il y a là un mystère dont l'éclaircissement n'est pas de notre compétence et ne nous a pas été donné.

Mais parlons un peu du vin. On croit généralement que Madère n'en produit plus, que les vignes sont arrachées et qu'il n'existe plus d'autre vin de Madère que celui que l'on confectionne si habilement à Cette et dans d'autres endroits. Moitié vérité, moitié erreur, comme dans la plupart des « on dit ». Madère a vu ses vignes détruites par l'oïdium de 1852 à 1854 ; elle les a replantées en partie vers 1864, et, depuis cette époque, le phylloxera, gagnant de plus en plus, a, chaque année, réduit les récoltes. On a recommencé l'arrachement, et on cherche là, comme partout, un remède à ce fléau dont souffre le monde entier depuis quelque dix ans.

Cela étant, y a-t-il du vin à Madère ? Et des touristes comme nous peuvent-ils avec certitude emporter un échantillon bien authentique de ce vin dont bientôt on niera l'existence ? — Je vous dirai d'abord que nous en avons bu d'excellent, et les pauvres vignerons se plaignent de ce qu'il n'y a que trop de vin à Madère. Depuis celui de l'an dernier, qui vaut 25 sous la bouteille, jusqu'à celui de l'année 1842, qui vaut 25 francs, c'est par quarante et cinquante mille litres qu'il faut compter le stock en magasin. C'est l'acheteur qui fait défaut, et une légère baisse de prix ne suffirait pas à le ramener. Le madère, en effet, n'est guère buvable qu'après quatre ans ; il n'est bon qu'après huit ou dix ans, et n'a tout son parfum qu'à sa majorité.

On ne peut avoir une bouteille de madère de dix ans à moins de 8 francs ; sa valeur augmente de près de 1 franc par année. Comment lutterait-il avec les savantes combinaisons de nos chimistes modernes ? La différence est trop grande. Il n'y a donc qu'à s'incliner devant la puissance industrielle de notre époque, cultiver l'orge, la canne et le blé, laisser les vieux fûts de Funchal vieillir dignement dans leurs caves, et piocher la chimie organique et alimentaire, qui nous réserve bien d'autres perfectionnements.

DE MADÈRE A RIO-DE-JANEIRO

Embarras du choix. — Aspect de l'île Saint-Vincent. — Excursion à terre. — Les costumes et les mœurs. — L'archipel des îles du Cap-Vert. — Enthousiasme des collectionneurs. — La *Tactique*. — En mer. — Le postillon du Père Tropique. — Baptême de la ligne. — Le matelot d'aujourd'hui. — Récréations astronomiques. — Une soirée intime. — Brumes et courants. — Arrivée à Rio-de-Janeiro.

En mer, 17 août.

Nous avions reçu à Madère une dépêche annonçant que la fièvre jaune venait de se déclarer à Dakar, notre prochaine relâche. Impossible donc d'y aller ; et nous voilà comme des gens qui, n'ayant pas trouvé de place au Théâtre-Français, cherchent à se rabattre sur le Gymnase, le Vaudeville ou l'Odéon.

Le commandant fit en cette occasion une petite expérience qui ne réussit point. Il s'y attendait, je suppose. La *Junon* pouvait choisir entre les îles Canaries (Ténériffe) et les îles du Cap-Vert (Saint-Vincent ou la Praïa). Ténériffe était plus séduisant ; mais de là à Rio-de-Janeiro, il faut compter quinze à seize jours de mer, tandis que, des îles du Cap-Vert, c'est environ trois jours en moins. Les avis étaient fort partagés ; les Capulets Ténériffe et les Montaigus Saint-Vincent ne semblaient pas disposés aux concessions, et, comme il arrive en bien d'autres controverses, ils paraissaient d'autant mieux affermis dans leurs opinions, qu'aucun d'eux ne connaissait le pays qu'il honorait de ses préférences.

M. Biard, tout en maintenant son droit indiscuté de relâcher au point qui lui conviendrait le mieux, nous fit savoir que, si nous nous mettions d'accord, la *Junon* se rendrait au point que désignerait l'unanimité des suffrages.

L'entente n'ayant pu se faire, le commandant trancha cette minime difficulté, et nous sommes en route pour Saint-Vincent, que sans doute nous atteindrons demain vers midi.

Le temps est magnifique ; les vents alizés nous ont poussés rondement. Dans la nuit du 14 au 15, nous avons passé au milieu de l'archipel des îles Canaries, les sept îles Fortunées des anciens. A peine avons-nous entrevu, par tribord, le phare de Palma et « deviné » de l'autre côté le fameux pic de Teyde. Je me console de ne pas le voir en songeant qu'il y a quelques mois à peine il m'était donné de contempler longuement le superbe Ararat…, et je me console encore davantage en relisant l'admirable description qu'a faite M. de Humboldt du pic et de son cratère.

Hier, nous sommes entrés dans la zone tropicale ; la brise mollit un peu, et la température s'élève assez vite. A Funchal, nous avions de 18° à 22° centigrades ; la moyenne maintenant est de 27°.

22 août.

Enfin, lecteur, qui m'avez si obligeamment suivi jusqu'aux confins de l'hémisphère boréal, je puis donc vous remercier de votre patience en vous rendant un signalé service ; je vais vous donner un conseil, non pas de ces conseils qu'on appelle banalement un conseil d'ami, mais un vrai, un bon, un excellent conseil : N'allez jamais à Saint-Vincent !

Nous avons quitté ce rocher tondu et pelé, il y a plus de trente heures, et nous en sommes encore ennuyés, presque grincheux. Viennent bien vite les horizons grandioses de la baie de Rio-de-Janeiro, les ombres magnifiques des forêts brésiliennes, pour nous faire perdre le souvenir de ce paysage terne, sec et roussâtre, qu'il nous a fallu supporter pendant deux jours.

Entendre parler d'un pareil endroit n'est peut-être pas aussi désagréable que d'y être, et puis, je voudrais justifier à vos yeux ma sévérité. L'enthousiasme seul a droit à l'indulgence.

J'en dirai donc quelques mots.

Le 18, à dix heures du matin, nous avons aperçu les îles du Cap-Vert, San-Antonio à droite et Saint-Vincent à gauche. Elles sont fort élevées et le paraissaient d'autant plus que toute leur partie supérieure nous était cachée par les nuages. Point de végétation, quelques formes bizarres, des tons durs et comme plaqués sur le flanc des montagnes.

A deux heures, nous entrons dans la baie « Porto-Grande », et bientôt nous sommes mouillés en face de la petite ville de Mindello, à côté d'un paquebot anglais qui va partir pour l'Europe. Devant nous s'étalent des collines rocheuses, sans grâce, sans grandeur et sans caractère ; au-dessus ondulent quelques montagnes, dont les teintes grises se détachent d'une façon triste sur le ciel pur.

La ville est située tout au fond de la baie ; une assez grande construction, la maison du gouverneur, et, à côté, l'église, émergent parmi des lignes de toitures sombres recouvrant des murs blancs. Au bord de la plage, on remarque les longs toits noirs des dépôts de charbon des compagnies anglaises. Mindello ne doit son existence qu'à sa baie, la seule sûre de tout l'archipel, et qui sert de point de relâche et de ravitaillement aux vapeurs qui font le service du Brésil et celui du Cap de Bonne-Espérance. Nos paquebots des messageries cependant n'y touchent pas et ont, jusqu'à présent, conservé Dakar, sur la côte africaine, comme point d'escale régulière.

Ce petit port de Saint-Vincent ne vit donc que du charbon et par lui seul ; aussi le pavillon portugais, qui flotte au sommet d'un poste d'observation dominant la ville, est-il moins remarqué que les pavillons tricolores — rouge, bleu, blanc — des charbonniers anglais. Là, comme à Gibraltar, comme à Madère et à Ténériffe, l'Angleterre, grâce à ses « Indes noires », semble régner ; le commerce est entièrement entre les mains des Anglais ; un voile de poussière salissante s'étend le long de la plage et sur la rade elle-même, et en partant on éprouve le besoin de se débarrasser bien vite de la houille qui a envahi votre visage et vos vêtements.

Le siège du gouvernement des îles du Cap-Vert est à La Praïa, dans l'île Santiago ; mais le climat en est malsain et l'ancrage assez dangereux pendant l'été ; aussi est-il question d'ériger Mindello en capitale du groupe, malgré la stérilité presque complète de toute l'île Saint-Vincent, encore inhabitée il y a seulement une vingtaine d'années. On m'a montré à Mindello le premier habitant de l'île, un nègre de soixante-dix ans.

Autour de nous sont mouillés plusieurs navires, dont la présence donne un peu d'animation à un tableau dont l'ensemble est assez décourageant. Depuis notre départ de Madère, nous n'avons rencontré que des oiseaux de mer, et une pauvre hirondelle qui après nous avoir suivis pendant deux jours a pris son vol en avant en apercevant la terre. Aussi, malgré le triste horizon des montagnes arides, la vue de tous ces bateaux et des maisons blanches du rivage a-t-elle le pouvoir de nous distraire énormément ; la découverte de deux ou trois palmiers rabougris et de quelques touffes de tamarins nous fait espérer la rencontre d'une oasis, et nous nous précipitons dans les canots des indigènes avec un empressement et une ardeur tout à fait juvéniles.

Nous sommes assaillis à terre par une nuée de petits mendiants noirs et nus ; quelques-uns nous sont présentés par leurs mères, qui paraissent enchantées quand nous leur offrons du tabac pour « charger » les affreux brûle-gueule qui pendent à leurs lèvres.

Est-ce bien une colonie portugaise, une île de l'océan Atlantique ? Non, c'est la côte africaine assurément. Les pauvres indigènes ! Tous nous demandent l'aumône pendant que nous parcourons la ville, en dépit d'une chaleur accablante. Et quelle ville ! Une demi-douzaine de rues toutes parallèles et tirées au cordeau, bordées de longs rez-de-chaussée uniformes, divisés en un certain nombre de cases malpropres, dont les quatre murs abritent parfois toute une famille... Rentrons vite nous reposer à « l'hôtel de France et d'Italie », l'unique refuge des voyageurs, misérable auberge, située au bord de la mer, sur une plage ombragée d'un seul et unique cocotier maladif.

Cette lande brûlée est ce qu'on nomme pompeusement la promenade.

Mindello compte environ 1,200 nègres et 150 blancs, Portugais et Anglais. La population de l'île est évaluée à 3,000 âmes. Jusqu'à l'âge de dix à douze ans, les enfants sortent nus ; les femmes sont à peine vêtues d'une simple jupe et d'une camisole plus que décolletée. Leur coiffure est formée d'un morceau d'étoffe qu'elles ramènent souvent en écharpe autour de la taille. La misère leur fait ignorer le sens des mots pudeur et modestie. Nous avons pu nous en assurer en assistant à un divertissement chorégraphique organisé par notre hôtelier, auquel ont pris part une quarantaine de ces indigènes. Mais, au lieu des danses nationales, sur lesquelles nous comptions, il nous fallut nous contenter d'une sauterie vulgaire et ridicule dans le genre de celles des plus gais..., ou, si vous aimez mieux, des plus tristes établissements publics de la vieille Europe.

Le lendemain, nous allons explorer les alentours de la baie. Maigre exploration ! Le poste sémaphorique, élevé au sommet d'un rocher, et qui a peut-être encore la prétention de défendre la ville, est armé de quatre vieux canons rouillés, mollement étendus sur le sable. Un être, un seul, au teint bronzé, fait bonne garde auprès de cette inoffensive artillerie. En bas, au bord de la mer, une petite construction abrite les appareils du câble sous-marin transatlantique qui relie l'Europe avec l'Amérique du Sud. Quel étrange contraste ! A deux pas de cette nudité sauvage, de cette corruption, de cet abrutissement, le plus surprenant triomphe de l'intelligence humaine ; la pensée franchissant en une seconde les abîmes de l'Océan, s'arrêtant là où elle est attendue, sans un effort, sans un doute, sans un retard ! Dans ce contraste choquant entre l'asservissement de la matière et l'asservissement de l'homme pour le même but, dans cette comparaison, qui s'impose brutalement, entre le nègre déguenillé qui embarque le charbon et la brillante mécanique qui en prévient l'armateur à mille lieues de distance, n'y a-t-il pas le germe d'un doute sur le véritable sens de ce mot : Progrès, qui est devenu la raison d'État de tous les peuples et le prétexte respecté de tous les individus ?

Nous continuons notre excursion, et bientôt nous rencontrons une des rares sources qui alimentent la ville ; à côté, près des citernes, des négresses, vêtues (je ne trouve pas d'autre mot) d'un foulard sur la tête et d'un simple mouchoir sur le dos, lavent du linge et ne semblent pas s'effaroucher de notre présence ; les plus jeunes se contentent de retirer le tissu qui recouvre leurs épaules pour se l'enrouler autour de la taille en guise de pagne, pendant que leurs aînées, sans rien déranger de leur « costume », viennent nous demander des cigares et du tabac. Nous bourrons gravement les pipes de ces dames, très galamment nous leur offrons du feu, et nous nous remettons en route pour atteindre l'extrémité de la baie.

En face de nous, à quelques kilomètres seulement, se dressent les hautes montagnes de l'île San-Antonio, séparée de Saint-Vincent par un bras de mer de sept à huit milles (13 kilom.) de large. Elles semblent aussi dénudées que celles que nous parcourons en ce moment ; cependant l'île San-Antonio est de beaucoup la plus petite de l'archipel ; elle produit du café, du vin, du sucre, enfin des fruits et des légumes, que chaque jour les bateaux du pays apportent à Mindello pour le ravitaillement des navires. La population est d'environ 25,000 habitants, mais, comme celle de Saint-Vincent, vivant presque à l'état sauvage, sans instruction et, pour ainsi dire, sans religion.

Les îles de San-Antonio et de Saint-Vincent forment, avec six autres îlots moins importants, un groupe connu sous le nom de « Barlavento », ou îles du Vent. Un autre groupe, dont fait partie l'île de Santiago, où réside le gouverneur, est nommée « Sotavento », ou îles sous le Vent. Cette désignation est la conséquence de la position des deux groupes par rapport aux vents alizés qui soufflent constamment du nord-est et atteignent d'abord les îles dont la latitude est la plus élevée.

Quelques-unes des îles du Cap-Vert, et particulièrement l'île de Santiago, sont infestées par des singes de grande taille et très sauvages, qui dévastent les plantations.

Les invasions de sauterelles y sont fréquentes et concourent, avec les pluies torrentielles, qui durent de septembre à novembre, à occasionner d'horribles famines. On cite celle de 1831, qui causa la mort de 12,000 personnes dans l'archipel, qui ne comptait alors guère plus de 50,000 habitants. Dans cette même saison des pluies, le climat est très malsain ; les fièvres pernicieuses, parfois la fièvre jaune, y causent de grands ravages, et des épidémies de petite vérole déciment en quelques semaines la population noire.

Seuls, les amateurs d'histoire naturelle ou de géologie ont pu trouver quelque intérêt en explorant les côtes de ces îles désolées. Sans parler de notre savant compagnon, M. Collot, dont les courses interminables n'altéraient ni la santé ni la bonne humeur, quelques-uns d'entre nous, parmi lesquels M. A. A... et M. E. B... étaient les plus ardents, s'étaient épris déjà de l'intelligente manie des collections. Le soulèvement volcanique qui a donné naissance aux îles du Cap-Vert et l'incroyable richesse de la flore sous-marine de ces parages étaient pour eux l'objet d'intéressantes recherches.

A l'heure de la marée basse, pendant que nous, profanes, allions en quête de quelque point de vue, nos jeunes naturalistes, les pieds dans l'eau, la tête à peine couverte, malgré les prudentes recommandations du docteur, allaient à la recherche des algues, des mollusques, des zoophytes, des coquilles de toute espèce et nous revenaient à la tombée de la nuit, harassés, affamés, mais enchantés, montrant avec orgueil leurs découvertes. Peut-être eussent-ils profondément dormi en assistant dans un amphithéâtre au cours de quelque éminent professeur ?

Nous eûmes, avant de quitter cette relâche peu divertissante, une surprise agréable. Le 20, jour de notre départ, on signale vers quatre heures de l'après-midi un petit vapeur portant pavillon français. C'était la canonnière la *Tactique*, qui bientôt arriva au mouillage et prit place à une encâblure de la *Junon*. Nous la saluons de notre pavillon, élevant nos chapeaux et agitant nos mouchoirs. Notre chef retrouve dans le commandant du navire de guerre une vieille connaissance, lieutenant de vaisseau comme lui. Une heure après, le commandant La Bédollière et deux de ses officiers venaient dîner à bord. C'était la première fois que nous voyions les couleurs françaises depuis notre départ ; cette rencontre fut une véritable fête pour nous, d'autant plus gaie que ces messieurs de la *Tactique* se montrèrent pleins de cordialité et d'entrain. On but à la France, à nos voyages et à l'espoir de se revoir bientôt, car la canonnière se rendait à la station de La Plata, où elle pouvait arriver presque en même temps que nous.

A neuf heures du soir, il fallut se séparer ; mais ce ne fut qu'au dernier moment, et déjà l'hélice ébranlait l'arrière de la *Junon* de ses premiers coups d'aile, que nous échangions encore avec nos compatriotes, devenus des amis, nos meilleurs souhaits de bonne santé et d'heureuse navigation.

2 septembre.

Nous sommes en mer depuis treize jours. Demain soir, nous serons à Rio-de-Janeiro. Reviendrai-je sur ces deux semaines passées entre le ciel et l'eau, et ne ferais-je pas mieux de vous dire que, n'ayant pas fait naufrage, n'ayant été ni capturés par des pirates, ni incendiés en pleine mer, ni désemparés par quelque horrible tempête, je n'ai rien à vous raconter ? Ce serait mentir, et je ne veux pas fermer mon journal de bord sans que vous ayez, en mer comme à terre, vécu avec nous et vu ce que nous avons vu. Mes récits vous ennuieront-ils ? Peut-être. Mais vous êtes parti avec moi, il faut donc, de toute nécessité, que nous nous ennuyions ensemble.

Et d'abord, croyez que nous n'avons fait à l'ennui qu'une part modeste. Pendant les deux jours qui ont suivi notre appareillage de Saint-Vincent, nous avons joui du plus beau temps du monde, et c'est là une douceur à laquelle le passager n'est jamais insensible. Moins insensibles, hélas ! avons-nous été aux orages, tourbillons, pluies, grosses mers et vents de bout qui sont venus après.

Assez amariné cependant pour lutter contre les tendances somnolentes que m'inspiraient les mouvements trop accentués de la *Junon*, je pus trouver le courage d'admirer la colère de l'Océan, que, jusqu'alors, je m'étais contenté de maudire. Je regardais venir les grains sombres et violents avec un mélange de crainte et de plaisir, et chaque fois que l'avant plongeant dans la lame se relevait couvert d'une nappe d'eau écumante, ruisselant joyeusement sur le pont et se déversant traîtreusement jusque dans les salons, je ne pouvais m'empêcher de trouver ce spectacle plein d'imprévu et d'originalité.

Un matin, après deux ou trois coups de tangage plus rudes que les précédents, et comme notre arrière, brutalement secoué par la trépidation folle de l'hélice sortant de l'eau, semblait devoir se disloquer, j'avisai notre chef descendant tranquillement de la passerelle :

— Eh bien ! commandant, voilà un assez mauvais temps.

— Comment, mauvais temps ? Mais pas du tout. C'est la mousson. Elle n'est pas très forte cette année.

— La mousson ?

— Sans doute. De juin à septembre, ces vents de sud-ouest règnent sans discontinuer. Mais nous n'en avons pas pour longtemps. Nous les trouverons, sans doute, jusqu'à la ligne, et après cela…

— Après cela, nous aurons beau temps ?

— Beau temps, probablement. Mauvais temps, peut-être.

Je rentrai dans ma cabine, parfaitement renseigné. Soyons philosophes.

Dans la soirée de ce même jour, nous avons remarqué un va-et-vient inaccoutumé dans l'entrepont occupé par l'équipage. Les matelots nous ont paru distraits et affairés. Que se passe-t-il ?

....

La mer s'était un peu apaisée, le vent avait tourné au sud-est en mollissant ; quelques voiles dehors nous appuyaient au roulis, et nous étions tranquillement à table, lorsque tout à coup un son prolongé de cornet à bouquin nous fait dresser les oreilles :

— Un tramway ! s'écrie mon joyeux ami, J. C…

Soudain, la porte du salon s'ouvre, et un postillon joufflu, haut botté, la veste chamarrée, le chapeau à rubans sur l'oreille, le fouet en main, remorquant un objet à quatre pattes, roulé dans deux peaux de mouton, un énorme faubert en guise de queue, fait irruption parmi nous :

— Ous' qu'est le commandant ? J'ai une lettre pour lui de la part du Père Tropique.

Et il s'avance gravement.

— Le commandant ? Voici. Qu'y a-t-il pour toi, mon garçon ? Ah ! de cet excellent M. Tropique. Très bien. Veuillez vous asseoir, postillon. Mais quel est cet animal que vous nous avez amené ?

— C'est mon ours, commandant.

— Il doit avoir bien chaud... Je pense qu'il vous sera agréable à tous deux de vous rafraîchir... Pendant ce temps, je vais prendre connaissance de la lettre de votre maître. Lisons :

Royaume de Neptune, département du Père la Ligne, au fond de la mer, 4e jour du Ve cycle de la gestation de la baleine franche, an 4878, ère vraie.

« Illustre nautonier,

» Ma vigie vient de me signaler qu'une nef à plumet noir, se mouvant sans ailes et portant pour enseignes les couleurs azurées, blanches et vermeilles, se présentait dans les eaux de mon royaume.

» Après compulsion faite de nos registres de l'état civil, nous n'avons trouvé aucune trace du passage d'une nef à plumet noir de ce gabarit[1]. Avons constaté de plus qu'il se mouvait à bord une quantité de profanes, n'ayant pas été baptisés et, par conséquent, n'ayant pas prêté le serment d'usage.

[1] Gabarit signifie ici patron, échantillon. Le gabarit est une forme en bois, qui sert à façonner la courbure exacte des pièces de construction.

» En votre qualité de vieux loup de mer, vous n'ignorez pas qu'il faut que chacun paye son tribut, lors de son passage dans nos États.

» Avons, en conséquence, décrété et décrétons ce qui suit :

» ARTICLE PREMIER. Ce jour, notre envoyé diplomatique et plénipotentiaire, le Père Tropique, après avoir éteint son fanal de jour, vous informera de l'entrée de votre nef dans nos eaux.

» ART. 2. Il vous hélera, demandera le nom de la nef profane, ainsi que les noms des passagers à bord.

» ART. 3. Les grands dignitaires de notre cour prendront ensuite telles dispositions qu'ils jugeront nécessaires pour que la cérémonie soit à la hauteur des circonstances.

» ART. 4. La force publique sera sur pied pour empêcher toute infraction à nos lois et coutumes.

» ART. 5. Les punitions seront levées, à cause qu'il n'y en a pas beaucoup qui soient punis.

» ART. 6. L'illustre Père Tropique et sa suite, l'ours compris, sont spécialement chargés de l'exécution du présent décret.

» Fait et scellé du sceau de nos armes, en notre palais de verdure, au fond de la mer.

» *Signé* : NEPTUNE. »

Et plus bas :

» *Le secrétaire aux affaires humides*,
» Baron DE L'AMURE DE BONNETTE. »

Lecture faite de cette bizarre épître, l'envoyé, toujours grave, se retire en emportant la soumission complète du commandant aux volontés de son maître et suivi de son ours, tous deux lestés d'une bouteille aussitôt bue que versée.

Un tapage infernal accompagne leur sortie et nous amène tous sur la dunette. Une voix de Stentor part de la grande hune ; nous levons les yeux, et nous apercevons un respectable vieillard à barbe blanche, qui hurle dans le grand porte-voix :

— Oh ! De la nef blanche ! Oh !...

Le second, M. Mollat, alors de quart, répond :

— Oh !

— Votre nom ?

— La *Junon*.

— Bien. Le nom du commandant ? D'où venez-vous ? Où allez-vous ? Combien de passagers ?

On répond à toutes ces questions.

— Y en a-t-il beaucoup qui n'ont pas passé par ici ?

— Une trentaine.

— Ah ! ah ! Dis-leur que demain je les induirai aux mystères, et qu'ils soient bien sages, ou bien il pleuvra tempêtes, vents contraires, avaries et tout le tremblement. En attendant, je *vas* leur rendre mes devoirs. Attention !

Nous avions tous le nez en l'air. Le cornet du tramway résonne de plus belle, et nous sommes assaillis par une grêle de pois secs et de haricots. Un matelot, déguisé en meunier, saute sur la dunette et en un instant nous couvre de farine à pleines poignées, pendant que ses deux aides, faisant mine de nous faire échapper, nous cernent fort adroitement, jusqu'à ce que nous soyons transformés en pierrots de carnaval.

Un signe de l'officier de quart fait alors disparaître le meunier, et nous allons incontinent nous donner un sérieux coup de brosse, prévoyant pour le lendemain un lessivage dans toutes les règles.

Le commencement de la burlesque cérémonie fut annoncé, le 25 août, à midi, par une clameur formidable, accompagnée de coups de sifflet, de trompe et de cloche. Je n'assurerai pas que bon nombre des casseroles du maître coq n'aient été réquisitionnées pour donner plus de « solennité » à la fête. Le charivari est assourdissant.

Nous voyons alors un étrange cortège se diriger de l'avant à l'arrière : en tête se présente le *postillon*, dont le fouet claque avec tout le retentissement possible, accompagné de l'*ours*, son inséparable ami ; viennent ensuite le *meunier* et le *notaire*, l'un de nos garçons de service, correctement vêtu d'un habit noir, gilet en cœur et cravate blanche, coiffé d'un gibus à larges ailes, au-dessous duquel on n'aperçoit qu'une énorme paire de lunettes et de longs cheveux blancs ébouriffés ! Il tient à la main le registre de l'état civil, et est chargé d'appeler les profanes à tour de rôle.

Puis, monté sur *Ernest*, — mais, pardon, vous ne connaissez pas Ernest ; — j'ouvre donc une parenthèse pour vous le présenter : Ernest est un de nos compagnons de voyage, d'un caractère doux et pacifique, vigoureux cependant. Ernest se tient toujours à sa place, tranquille et discret, ne faisant jamais une réclamation quoique étant le plus mal logé du bord ; il a su conquérir toutes les sympathies. On sait, ou plutôt on craint qu'il n'achève pas le voyage, et lui-même semble en avoir quelque pressentiment. Nous ne connaissons à Ernest qu'un seul défaut : il a l'air bête ; mais sa qualité de bœuf en est une suffisante excuse, et nul n'a songé à lui faire un reproche de cette infirmité, sans doute héréditaire.

Donc, monté sur Ernest, un majestueux personnage s'avance, enveloppé dans une longue robe bleu de ciel semée d'étoiles, le front paré d'une couronne, la barbe et les cheveux complètement blancs, tenant d'une main une fouine en guise de trident, de l'autre une corne d'abondance figurée par un vase d'une forme bien connue. C'est *monsieur Tropique*, que les matelots appellent irrévérencieusement le Père Tropique. Son *chapelain* est à sa droite, son *astrologue* à sa gauche ; tous deux portent le costume de leur emploi ; le second est chargé d'un sextant monumental, dont la lunette est remplacée par une bouteille vide. *Mme Tropique* les suit, nonchalamment étendue dans un char traîné par deux ânes, ou, plus exactement, par deux jeunes marins encapuchonnés dans des couvertures grises. L'opulente chevelure de cette dame est figurée par plusieurs fauberts soigneusement nattés ; son vaste corsage, témoignage de fécondité, abrite deux pastèques inégales, convoitées par quelques spectateurs ; les autres « appas » se dessinent sous un assemblage de mouchoirs de diverses couleurs. Elle joue de l'éventail et de la prunelle avec une grâce toute particulière. Les deux plus beaux gabiers du bord, déguisés en *gendarmes*, accompagnent la calèche de la princesse, le sabre au poing.

Voici le *barbier*, personnage influent, portant sur son épaule un gigantesque rasoir en bois ; son aide, muni de deux seaux, l'un plein de farine et l'autre de charbon, le suit de près. Une bande de sept ou huit *diables* et *diablotins*, tous enduits de goudron, roulés dans la suie ou dans le duvet des poules défuntes depuis le départ, brandissant les outils de la chaufferie, conduisent, enchaîné au milieu d'eux, un individu maigre et malpropre, qui n'est autre que *Lucifer* en personne ; puis une demi-douzaine de *sauvages*, aux costumes fantaisistes, se livrant à des danses de caractère ; enfin, un certain nombre de ces « bons à riens » des cours, ministres sans portefeuille ou fonctionnaires sans fonctions, ferment la marche.

Le cortège se groupe sur l'arrière. Le Père Tropique et son astrologue montent sur la dunette ; pendant que ce dernier mesure avec son sextant la hauteur du soleil, pour déterminer l'instant précis où le navire passera la ligne, la *Cour* s'installe sur une sorte d'estrade ornée de quelques toiles et de pavillons de signaux, qui ne cachent qu'imparfaitement un canot placé en travers sur le pont. Mme Tropique se fait apporter des rafraîchissements ; le notaire prend ses aises pour appeler commodément les profanes ; les gendarmes se tiennent prêts à courir sus aux délinquants, et les *anciens*, accoudés sur les bastingages, s'apprêtent à rire à nos dépens.

Je ne vous redirai pas le sermon du chapelain, dont le seul mérite fut d'être court, ni les commandements grotesques du Père Tropique, nous n'en avons pas saisi la drôlerie, mais ils furent trouvés du plus haut comique par l'équipage.

Il vous suffira de savoir que, du premier jusqu'au dernier, nous avons été bel et bien blanchis, noircis, rasés et saucés. Que de cris, de contorsions, de grimaces ; mais aussi, que de rires ! Bon gré mal gré, il nous a fallu, levant la main gauche et le pied droit, prêter le serment traditionnel : « Je jure de ne jamais dire du mal d'un matelot et de ne pas faire la cour à sa femme ! » Après quoi, chacun de nous fut traîtreusement plongé dans le canot rempli d'eau, dernière et principale formalité de cette originale pasquinade.

Notre maître d'hôtel, caché dans une soute où il se croyait introuvable, s'est vu appréhendé au corps par tous les diables du cortège. Quelle barbe et quelle noyade ? Barbouillé de farine et de poussière de charbon sur la figure, avec un complément de goudron sur diverses parties du corps, il n'en fut quitte qu'après trois plongeons dans le canot !

Au dénouement, un baptême général, où figuraient officiers et matelots, passagers et serviteurs, dieux et diables, ours et sauvages, tous se bousculant et s'inondant à l'envi. L'eau pleuvait même de la grande hune. J'eus pendant un moment le bonheur de saisir le manche de la pompe à incendie et d'accomplir des prodiges de valeur.

A deux heures et demie, le coup de sifflet : « Bas les jeux ! L'équipage à prendre la tenue de jour ! » — mit un terme à cette bataille aquatique, et quelques minutes après la *Junon* avait repris sa physionomie habituelle.

Cette fête du baptême de la ligne, dont l'usage se perd, et qui, sans doute, disparaîtra tout à fait comme tant d'autres coutumes du vieux temps, m'a donné l'occasion d'étudier un peu le matelot actuel, qui est déjà bien loin du matelot légendaire, dont mes lectures de la *France maritime* m'avaient laissé le souvenir.

Le jour du baptême, cependant, la marine revient un peu aux traditions d'autrefois. Ce sont les vieux baleiniers, les anciens du commerce ou de l'État, les gabiers, qui ont le pas ce jour-là et qui sont les arrangeurs de la fête. Ceux qui ont vu le plus de baptêmes sont les moins blasés, ils soignent les détails et prennent au sérieux ce que les jeunes marins et les mécaniciens paraissent considérer comme une plaisanterie d'un goût douteux. Ainsi qu'il arrive souvent ailleurs, ce sont les expérimentés qui semblent les naïfs ; ils sont là dans leur élément, et ne renonceraient qu'avec peine à cette farce qui les fait maîtres du bord pendant quelques heures.

La faculté de se venger, si peu que ce soit, de ceux qui ont eu le tort de lui déplaire entre pour quelque chose dans la satisfaction qu'éprouve le matelot en cette circonstance. Il barbouille de suie ou de goudron la figure de sa victime, avec une bonhomie ricanante ; il lui tient pendant ce temps des discours pleins de politesse, et sans brusquerie, mais non sans vigueur, il la pousse dans la baille, l'y maintient quelques instants, comme sans faire exprès ; elle en sort, il l'y *laisse* retomber maladroitement et puis feint de ne plus s'en occuper, tandis que, toussant, crachant, essoufflé, demandant grâce, le nez, les oreilles, la bouche et les yeux pleins d'eau salée, le patient s'éloigne aussi vite qu'il le peut.

Il est rare que les officiers ou les passagers de l'arrière soient l'objet de semblables rigueurs ; elles sont généralement réservées aux maîtres commis, cambusiers, agents de service, capitaines d'armes, tous gens pour lesquels le matelot a peu de considération, ou dont les fonctions ne contribuent pas toujours à son bonheur, du moins tel qu'il le comprend.

S'il a ses petites haines, il a aussi ses préférences, et sa brutalité n'est pas involontaire. Il sait fort bien abréger les formalités en faveur d'un officier qui lui plaît ou d'un passager bon garçon ; s'il s'agit d'une dame, il saura aussi, sans qu'on le lui dise, substituer au plongeon réglementaire quelques gouttes d'eau de Cologne dans la manche et remplacer les poignées de farine en pleine figure par un léger nuage de poudre de riz.

L'un d'entre nous, cependant, était allé la veille trouver le Père Tropique, organisateur de la fête, et, moyennant un louis, avait obtenu la promesse d'être épargné. Le louis fut empoché de bonne grâce ; mais notre camarade fut si vigoureusement saucé, qu'il fallut l'intervention d'un officier pour le tirer des fonts baptismaux, où une main peu légère le roulait consciencieusement.

J'ai dit que la coutume de cette fête s'en allait. Est-ce un bien ? Est-ce un mal ? La chose est de peu d'importance en elle-même, et si je suis tenté de lui en accorder un peu, c'est que je vois là un symptôme, une conséquence du changement d'esprit et de mœurs de nos marins. Avec ces vieux débris d'habitudes dont la signification nous échappe s'en vont aussi la naïveté, l'insouciance, le don de s'amuser avec rien et d'une manière originale que possédaient les hommes de mer d'autrefois. N'est-ce que cela ? Peu de chose, en vérité. Oui, peu de chose ; mais n'est-ce bien que cela ? — Dans la manière d'être de l'homme, dans l'esprit d'une profession, les travers, les tendances, les idées, les qualités se touchent et se tiennent, et s'il était vrai que les sentiments de dévouement et de désintéressement, la franchise, la hardiesse, l'amour du métier et l'amour-propre du bateau, l'idée de l'honneur national, s'en allaient aussi, si peu que ce soit, cela ne serait-il pas grave et dangereux ?

Cela est malheureusement vrai. — Vous entendez bien que je ne parle plus du baptême de la ligne, et vous ne supposez pas que je m'appuie sur mon expérience personnelle pour apprécier l'esprit de nos matelots. J'ai beaucoup causé de cette question avec les officiers du bord, auxquels leurs longs services donnent une réelle compétence, et mes remarques ont confirmé leurs observations. Le marin d'aujourd'hui a perdu beaucoup des qualités et aussi des défauts du marin d'autrefois. Il a cessé ou cessera bientôt d'être un type à part, pour devenir un ouvrier spécialiste, comme les autres ouvriers. Il continuera d'avoir des talents, parce que les talents rapportent ; mais comme matelot, sinon comme homme, il cessera d'avoir des sentiments et des idées, parce que cela n'est pas d'un bon placement. Il a jeté par-dessus le bord ses préjugés et ses coutumes ; il fait, aussi avantageusement qu'il le peut, une balance entre ses droits et ses devoirs, tâchant de grossir les uns et de diminuer les autres ; c'est là sa grande préoccupation.

Le voilà donc commerçant, comme le marin mécanicien, qui lui a montré la voie, d'ailleurs, et l'y précédera encore longtemps. Le pays y a-t-il gagné ? Assurément non. Quoique la marine militaire ait de moins en moins besoin du personnel formé au commerce, elle est bien loin de pouvoir s'en passer et ne le pourra peut-être jamais. La marine marchande et le matelot lui-même y ont beaucoup perdu, car cette fâcheuse transformation les ont atteints profondément. Le matelot ne s'est pas aperçu qu'en se débarrassant d'un bagage d'idées qui lui paraissaient surannées et inutiles, il perdait cette solidité, cette vigueur, cette ardeur au travail qui inspiraient la confiance et lui donnaient une valeur *réelle*, qui s'en va décroissant, à mesure qu'il se civilise à sa manière. Il a oublié qu'un marin n'est pas seulement un homme adroit, comme un serrurier, un tisserand ou un sellier, et qu'en certaines circonstances, fréquentes dans la navigation, dans les tempêtes, les abordages, les incendies, les naufrages, il n'y a que les hommes de cœur qui comptent, et que les armateurs le savent bien. En passant d'un navire à un autre navire, d'une compagnie à une autre compagnie, suivant qu'ils trouvent une différence de cinq francs par mois en plus ou en moins sur leur solde, les matelots d'aujourd'hui perdent le véritable fruit de leurs services antérieurs ; ils deviennent des journaliers ; après avoir cherché qui achètera le plus cher leur dévouement, ils se laissent aller à croire qu'ils ne le doivent pas, pour que le marché soit meilleur encore. La vieille habitude de donner au navire tout son temps, toute sa force se perd, et quand l'heure critique arrive, la volonté de bien faire, si elle existe, ne suffit plus.

Qu'arrive-t-il ? A mesure que l'industrie perfectionne les constructions, que l'hydrographie corrige les cartes, que les côtes s'éclairent, que les procédés de navigation s'améliorent, les accidents ne diminuent pas en nombre et augmentent en gravité. C'est que l'homme de mer a oublié aussi que *presque tous* les accidents proviennent d'une négligence, et qu'un service correct, ayant pour résultats un matériel bien entretenu et une surveillance parfaite, en éviterait plus de la moitié.

Les voyages restent donc dangereux ; le matériel des navires et les navires eux-mêmes ne durent pas ce qu'ils devraient durer, ou, ce qui est pis encore, même hors d'état de servir, on les fait naviguer quand même ; les armateurs dépensent davantage, le taux des assurances s'accroît au lieu de diminuer, la marine périclite. Quant au marin, d'autant moins recherché qu'il y a moins de navires, pressé par le besoin, les dettes, la famille, mécontent et mal payé, il embarque parce qu'il le faut.

Pardonnez-moi, lecteur, cette longue digression. Le sujet m'en a paru intéressant, et je me suis trouvé si bien placé pour prendre mes renseignements à bonne source, que je n'ai pu m'empêcher de transcrire ici des appréciations dont la justesse ne me semble que trop prouvée.

....

Le fameux « pot-au-noir », — les marins nomment ainsi la zone des calmes de l'équateur, dans laquelle le temps est presque toujours orageux, sombre et pluvieux, — a été traversé sans autre incident que quelques éclairs à l'horizon ; après cela le temps s'est mis tout à fait au beau, et nous avons pu faire connaissance avec les étoiles de l'hémisphère austral.

Le 28, on a aperçu pour la première fois la fameuse Croix du sud, dont la réputation me semble être un peu surfaite. Elle se détache fort bien dans le ciel de ces parages, mais serait assurément moins remarquée dans notre hémisphère, où les constellations sont beaucoup plus nombreuses et plus brillantes.

Chercher dans un ciel pur, par une nuit bien claire et bien calme, le Centaure, la Balance ou le Poisson austral est certainement une occupation pleine d'intérêt, mais que des Parisiens comme nous trouvent bientôt monotone. Quand on n'a eu, durant toute une journée, d'autre distraction que d'avoir suivi d'un regard blasé les bandes de poissons volants, sautillant d'une vague à une autre, entendu une conférence sur la composition géologique du bassin de l'Amazone et lu quatre chapitres des voyages de Mme Ida Pfeiffer, le plus splendide coucher de soleil et la contemplation d'étoiles arrangées d'une manière nouvelle ne suffisent pas à remplir la soirée. On a des ressouvenirs d'Opéra, de lumières, de flâneries sur le boulevard, de flonflons d'opérettes, qui, à la longue, deviennent agaçants. Nous avons eu l'idée de lutter contre ces revenants, qui nous venaient bien, ma foi, de l'autre monde, et de les battre avec leurs propres armes ; puisque nous ne pouvions aller chercher l'esprit des autres et entendre la musique des autres, nous nous sommes donné une soirée à nous-mêmes, dont notre musique et notre esprit ont fait tous les frais. Ce projet, accepté avec enthousiasme, a été exécuté avant-hier. Un programme des plus fantaisistes, où les chansons de café-concert se rencontraient avec les sonates de Beethoven et les odes de Victor Hugo, fut rédigé dans l'après-midi, et, le soir du même jour, le salon arrière, comme Venise la belle, « brillait de mille feux ». L'état-major, convié non seulement à assister, mais aussi à concourir à cette petite fête, y prit une part très active et seconda fort utilement les efforts louables, mais justement modestes de la plupart de mes compagnons.

La soirée commença par une improvisation très brillante de M. P. S..., excellent musicien, grand ami et admirateur de Richard Wagner, artiste s'il en fut, original en tous points, qui réclama l'indulgence du public en des termes demi-sérieux, demi-comiques, qui mirent tout le monde en gaieté. Chacun paya son écot, soit avec une romance, une pièce de vers, ou une historiette quelconque. A onze heures du soir, le punch final achevait de dérider les plus sérieux ; le répertoire d'Offenbach et celui de Lecocq tenaient la corde ; des gens qui avaient à peine échangé quelques mots depuis le départ s'extasiaient ensemble sur les mérites de Mlle Granier, tandis que des amis intimes discutaient chaudement les idées littéraires de M. Zola. On ne se sépara guère qu'à minuit, après un dernier toast en l'honneur des absents, et se promettant bien de recommencer à la première occasion.

4 septembre, Rio-de-Janeiro.

Nous sommes au mouillage depuis un quart d'heure. Avant de quitter le bord, et pendant que mon domestique boucle ma valise, je vais vous dire comment nous sommes arrivés et quelle fut notre impression en entrant dans cette rade qui passe pour la plus belle du monde.

Hier, à cinq heures du soir, nous étions tout près du cap Frio, aperçu depuis midi, et qui n'est qu'à soixante milles de la capitale. Nous marchions à toute vitesse, poussés par une forte brise qui menaçait de tourner au coup de vent. Le soleil, en se couchant, avait une mauvaise couleur rougeâtre, aucun de ces rayons éclatants, qui mettent une frange de feu aux contours arrondis des nuages ; près de l'horizon, ce n'était plus qu'un gros vilain pain à cacheter, et nous répétions cette phrase banale si souvent et si justement redite : « Si un peintre mettait ça dans un tableau, on crierait à l'absurde. »

Certes, un peintre eût eu grand tort de chercher à reproduire cet effet de lumière diffuse, indécise, d'un ton bizarre et presque faux ; il eût eu, je crois, grand'peine aussi à y arriver, bien plus, à coup sûr, que pour rendre le lourd et épais brouillard dont nous fûmes bientôt enveloppés. Point d'étoiles, point de lune, pas une lueur ; la terre, dont nous n'étions pas à plus de dix milles, le phare de Frio, tout avait disparu.

L'atterrissage de Rio-de-Janeiro, dès qu'on a reconnu la terre, est rendu très facile par la présence d'un îlot situé devant l'entrée de la baie, et sur lequel on a placé un feu, visible d'assez loin. Le commandant, peu soucieux de se promener le long de la côte toute la nuit, d'autant que le vent tenait bon, ne ralentit pas et courut droit sur le feu de l'îlot Raza. Les hommes de veille sont doublés, les voiles serrées, et vogue la galère ! On devait voir ce phare vers neuf heures ; à dix heures et demie, on n'avait rien vu. Où était-on, puisqu'on n'était pas là où on devait être ? Il n'y avait que deux partis à prendre : s'en aller au large et attendre le matin, au risque de perdre la journée du lendemain à revenir sur ses pas, ou bien chercher à tâtons ce phare introuvable, en s'aidant des indications données par les sondes.

Ce dernier moyen fut adopté et réussit. Vers une heure du matin, malgré la persistance de la brume, nous avions déterminé notre position et regagné tout ce qu'un violent courant portant au sud nous avait fait perdre. Le phare de Raza apparaissait tout près de nous, comme l'unique étoile perdue dans un ciel d'orage ; mais ne pouvant songer, par une obscurité pareille, à choisir une place convenable dans une rade encombrée, nous laissâmes tomber l'ancre dans une petite baie voisine, fermée par deux gros îlots qui nous abritaient du vent de mer.

Au point du jour, nous étions tous sur le pont. Les ombres de la nuit se dissipaient peu à peu, les contours des hautes terres parurent d'abord, puis les grandes teintes, puis les nuances indécises des forêts et des plantations ; enfin, un radieux soleil se leva. Les détails d'abord confondus semblèrent se séparer, la nature, se dégageant doucement du voile qui avait protégé son repos, offrait, indifférente et majestueuse, à nous, derniers venus, le même spectacle grandiose qui dut faire tressaillir d'orgueil et d'admiration les découvreurs du nouveau monde.

Le ciel n'était pas assez pur, l'atmosphère assez transparente pour nous permettre d'embrasser d'un coup d'œil l'ensemble de ce splendide paysage ; mais, à mesure que nous avancions vers l'entrée de la baie de Rio, nos regards s'arrêtaient sur de nouvelles beautés. Après avoir dépassé quelques îles toutes verdoyantes, nous pûmes distinguer nettement à notre gauche le sommet aigu du Corcovado, puis cet étrange bloc de granit dénudé, en forme de cône, haut de mille pieds, inaccessible par tous côtés, le Pain-de-Sucre. La chaîne côtière, dont le Corcovado et le Pain-de-Sucre sont les dernier pics, présente des contours pleins d'imprévu et de variété ; ses flancs rapides et le plus souvent escarpés lui donnent un caractère de grandeur imposante, bien que ses sommets les plus élevés ne dépassent pas six à huit cents mètres.

Partout où la paroi du rocher n'est pas absolument verticale, une végétation puissante et touffue, d'un vert sombre, couvre les versants de ces belles collines ; des arbres qui nous paraissent d'une taille extraordinaire en couronnent le faîte et s'avancent sur le bord de l'abîme, se penchant sur lui, comme pour en contempler la profondeur.

A droite, le pays est moins accidenté ; les sinuosités capricieuses de la côte nous laissent entrevoir de paisibles vallées, sillonnées de routes, piquetées de coquettes maisons blanches, couvertes de plantations et de jardins.

L'entrée de la rade est un passage d'environ un demi-mille de large, entre deux pointes ; sur celle de gauche, le vieux fort de San-Joaô et le fort Laage ; sur l'autre, la citadelle de Santa-Cruz, magnifique forteresse, dont les trois plates-formes superposées sont disposées pour recevoir soixante-dix pièces de canon. L'usage, ou, pour mieux dire, le règlement veut que les navires, en arrivant à cet endroit, ralentissent leur vitesse et passent tout près de la citadelle pour répondre aux questions, d'ailleurs inintelligibles, qui leur sont adressées à l'aide du porte-voix.

La pensée ne nous est pas venue de maudire ce léger retard. La rade se déployait devant nous comme un lac immense, dont à peine nous pouvions entrevoir l'extrémité. Un peu à droite, émergeant de hautes collines, s'élevaient les bizarres aiguilles de la chaîne des *Orgues* ; des îles couvertes de bois surgissaient çà et là. A notre gauche, la ville de Rio-de-Janeiro, la capitale de cet empire dont chaque province est aussi grande que la France, la reine des mers australes, encore enveloppée d'une légère brume, éparpillait ses faubourgs, ses villas, ses palais et ses parcs sur le versant des contreforts de la grande chaîne et jusqu'au pied du majestueux Corcovado.

Entre elle et nous, et plus loin encore, une forêt de mâts. Autour des îles et dans les baies que forme l'immense havre, d'autres navires sont mouillés. Une faible brise gonfle les voiles des légères embarcations brésiliennes, fait flotter les pavillons des bâtiments de guerre et nous amène par instants, comme un murmure harmonieux, le son des cloches matinales.

Nous voici près du fort Villegagnon, construit au XVIe siècle par un de nos compatriotes. C'est là qu'il faut recevoir les visites de la santé et de la douane, avant de pouvoir communiquer avec la terre… On vient nous dire que des ordres ont été donnés pour nous épargner les formalités minutieuses auxquelles tous les nouveaux arrivants sont soumis. Nous sommes donc libres. Voilà une aimable prévenance, qui nous évite bien des ennuis, car la douane de Rio est d'une sévérité extrême. Je vous laisse donc, lecteur, pour quelques jours ; et toi, bonne *Junon*, repose-toi de tes fatigues.

RIO-DE-JANEIRO

Le débarcadère. — Visite au marché. — Promenade en ville. — Les tramways. — L'éclairage. — Un dîner de 32,000 reis. — Au théâtre. — Le palais de la Belle au bois dormant. — La toilette de cour de M. de Saint-Clair. — Présentation à l'empereur et à l'impératrice. — Les trésors du Brésil. — Bizarreries.

Rade de Rio. 12 septembre.

Toutes les relations de voyage au Brésil s'accordent à dire que l'aspect de Rio-de-Janeiro, au moment où l'on met le pied à terre, cause une désillusion aussi profonde que l'arrivée dans la plupart des villes d'Orient. Peut-être un homme ainsi prévenu est-il doublement bienveillant, peut-être les souvenirs de Saint-Vincent me disposaient-ils à voir tout en beau ; quoi qu'il en soit, je n'éprouvai pas cette impression aussi vive que je m'y attendais. Certes, le débarcadère est assez mal tenu, jonché de débris et semé de fondrières, mais on arrive bientôt sur une grande place dont le milieu est arrangé en *square* assez élégamment dessiné ; les édifices qui l'entourent sont, je l'avoue, peu artistiques, cependant convenables, et l'animation qui règne en cet endroit, le beau soleil qui l'éclaire concourent à produire une sensation plutôt agréable.

Si, d'ailleurs, on était sévère pour les lieux de débarquement, on n'aurait que trop souvent à exercer cette sévérité. Au point de vue du touriste, le quai de Rio-de-Janeiro n'a rien à envier à ceux de Marseille, de New-York ou de Liverpool, bien que ce dernier port ait le plus beau *wharf* flottant qui existe au monde, et je souhaiterais à l'opulente capitale de l'Angleterre de présenter au visiteur qui arrive par la gare d'Euston ou de Fenchurch un aspect aussi gai que celui du débarcadère de Rio.

A deux pas de là, la vue d'un marché nous réjouit par sa couleur locale ; de plantureuses négresses, col et bras nus, coiffées d'un énorme turban de couleur ou de mousseline blanche, nous offrent des oranges, des mangos, des bananes et des ananas. Pourquoi ces fruits, que le Brésil et les environs mêmes de Rio produisent en abondance, coûtent-ils aussi cher qu'à Paris ? Pourquoi le mango lui-même, l'affreux mango, paquet de filasse trempé dans de l'essence de térébenthine, qu'on paye trois sous à la Martinique, vaut-il trois francs à Rio ? Espérons que ce sont là des prix d'amateurs, de nababs en villégiature, et que notre cuisinier saura trouver, auprès de ces belles campagnardes, de plus douces conditions. Un peu plus loin, des nègres viennent à leur tour nous exhiber des singes, des perroquets et de ravissants petits oiseaux. Le moment des emplettes n'est pas encore venu ; nous résistons à la tentation de convertir prématurément la *Junon* en ménagerie, et après avoir regardé quelques minutes les splendides poissons que les pêcheurs de la rade débarquent et empilent sous nos yeux, nous entrons dans la ville.

Les rues sont assez étroites, sans trottoirs et pour la plupart tracées à angle droit. La vieille ville, de forme carrée, est le centre de tout le commerce ; elle rappelle un peu les anciennes cités espagnoles des colonies intertropicales. Dans quelques rues et principalement dans la rue Ouvidor, il y a de beaux magasins ; mais sauf ceux des marchands de fleurs en plumes et des débitants de cigares, nous ne voyons rien qui paraisse provenir de l'industrie locale : bijoux, modes et meubles de France, porcelaine et quincaillerie anglaises, viandes fumées des États-Unis, fusils de Liège, montres de Genève, soieries de Lyon..., il y a là des produits de tous les pays du monde, à l'exception du Brésil.

Les maisons sont petites, construites à l'européenne, tout en granit, mais élevées pour la plupart d'un seul étage, avec de petits balcons en bois, comme suspendus aux murs. En s'éloignant du centre de la ville, on traverse des rues entières dont les constructions ne comprennent que de simples rez-de-chaussée.

Les édifices publics, que l'on rencontre surtout dans la rue Diretta, la voie principale avec celle d'Ouvidor, ont de vastes proportions, mais l'art architectural leur fait absolument défaut ; tels sont la Douane, la Bourse et le Palais impérial lui-même. On voit cependant dans les constructions les plus récentes une recherche de simplicité et d'intelligence dans les dispositions qui est un signe évident de progrès. Je ne citerai pour exemple que le bâtiment de la poste, dont l'arrangement intérieur, copié sur les modèles américains, est assurément plus confortable et plus pratique que celui de notre hôtel des postes... de Paris.

Les églises, assez nombreuses, sont édifiées dans un mauvais style espagnol, peu ou point entretenues, surchargées à l'intérieur de dorures maladroitement appliquées. Aucune d'elles ne respire cette grandeur calme, froide, mais sereine de nos vieilles cathédrales gothiques ou romanes, et les injures du temps, qu'on prend là peu de soin à faire disparaître, n'y ajoutent pas ce caractère respectable dont elles revêtent presque toujours les choses et les hommes.

Il y a peu de places publiques. L'étroitesse des rues et le peu de hauteur des maisons les font paraître d'une étendue disproportionnée.

En somme, c'est une ville à refaire, mais elle se refera sans doute et sa transformation est déjà commencée. Combien y a-t-il d'années que notre superbe Paris, alors malpropre, mal éclairé, mal pavé et mal gardé, n'avait pour justifier ses orgueilleuses prétentions que deux ou trois kilomètres de boulevards et quelques antiques monuments qu'il se fût senti incapable de reconstruire ? Comme Paris, Rio dégage ses abords, entoure la vieille cité de belles avenues, de villas et d'hôtels, crée et développe des services publics qui poussent la vie du centre au dehors ; et le temps viendra où de larges percées, trouant les anciens quartiers, jadis aristocratiques, apporteront l'air, la lumière, la santé, les communications faciles dans ces rues d'aspect vieillot et malsain, où circule difficilement la foule toujours pressée des gens d'affaires.

Parmi ces services publics dont je viens de parler, il en est deux qui frappent l'étranger dès le premier moment, car ils sont déjà organisés et installés d'une manière parfaite. Ce sont les tramways et l'éclairage de la ville.

Les voitures sur rails ont presque fait disparaître les autres. Comme à New-York, le tramway se trouve partout et sert à tout le monde. Il n'est pas possible de faire cent pas sans en rencontrer un. La femme du monde y coudoie l'ouvrière, un petit commis de magasin s'y assoit en face d'un ministre. Les départs sont fréquents, l'allure est rapide. Jusqu'à une heure avancée de la nuit, ils parcourent non seulement la ville et les faubourgs, mais leur réseau s'étend bien au delà, à plusieurs kilomètres dans les environs, contournant les collines à travers les gorges. Les voitures sont entièrement ouvertes et disposées comme les impériales de nos chemins de fer de banlieue ; on y entre donc et on en descend par le côté, sans avoir, comme dans nos omnibus parisiens, l'ennui de marcher sur les pieds d'une douzaine de compagnons inoffensifs, qui se promettent bien de vous rendre la politesse à l'occasion, pendant que, cramponné à la main courante placée au-dessus de votre tête, vous balbutiez de timides excuses.

Les « abordages » des tramways de Rio sont assez fréquents, malgré toutes les précautions prises, à cause de l'étroitesse des rues et des tournants brusques, mais le public semble y être habitué ; il trouve fort agréable de payer cinq sous une course pour laquelle un cocher de place lui demanderait dix francs et ne pense guère à se plaindre de ce qui est devenu son unique et presque indispensable moyen de locomotion.

J'ai dit encore que la ville de Rio-de-Janeiro était très bien éclairée ; rien n'est plus vrai, et si on comprend dans la ville les immenses faubourgs qui en dépendent, on pourrait dire sans exagération qu'elle l'est mieux que toute autre ville du monde. Notre cher Paris lui-même ne prendrait tout au moins que le second rang, malgré l'éclairage électrique de l'avenue de l'Opéra, les numéros lumineux des maisons dans certains quartiers élégants et les réverbères à cinq foyers. C'est qu'il en est à Paris de la lumière comme des sergents de ville : on en trouve à profusion là où il en est le moins besoin, mais il s'en rencontre de moins en moins à mesure qu'en s'éloignant du centre les voies deviennent plus désertes. La campagne de Rio est éclairée jusqu'à une très grande distance de la ville, et cette masse de lumière est telle que sa réverbération sur les nuages permet souvent aux navires de reconnaître leur position à trente ou quarante lieues de la baie.

Je ne voudrais pas entreprendre une étude descriptive complète de la ville de Rio ; cependant il me paraît difficile de passer sous silence la remarque que j'ai faite d'une absence presque complète d'égouts. Peut-être des travaux sérieux sont-ils commencés ; il serait à souhaiter qu'ils fussent bientôt finis, car c'est là, m'a-t-on dit, la source de bien des désagréments pour les habitants et l'une des causes qui favorisent le développement de certaines maladies. Cela est d'autant plus probable que dans la saison malsaine, l'été, qui correspond à notre hiver (de décembre à mars), il y a des pluies subites et diluviennes. La ville est alors inondée en quelques minutes, les communications interrompues, et les eaux, n'ayant d'autre écoulement que les ruisseaux tracés au milieu des rues, entretiennent ainsi une humidité qui, sous un pareil climat, ne peut être que fort dangereuse.

Aucune rivière ne passe à Rio, aucun cours d'eau important ne se jette dans la baie, qui n'a reçu son nom (Rivière de Janvier) que par le fait de la méprise de Souza, lorsqu'il la découvrit le 1er janvier 1531 et crut que cette magnifique rade devait être l'estuaire de quelque grand fleuve. Cette respectable erreur se retrouve dans le *Dictionnaire de la conversation.*

L'eau douce employée dans la ville vient des cascades supérieures du Corcovado ; elle est excellente et d'une limpidité parfaite. L'aqueduc de la Carioca, qui la distribue à un grand nombre de fontaines publiques, est une solide et massive construction dans le genre romain. C'est le premier grand travail achevé à Rio ; il date de 1740.

Quelques heures de flânerie dans les rues commerçantes suffirent à me prouver l'incroyable et cependant réelle cherté de toutes choses. Les prix me paraissaient d'autant plus fantaisistes que la monnaie brésilienne a pour point de départ une unité en quelque sorte imaginaire.

Cette unité est le *reis* (réal). Cent reis valent environ vingt-sept centimes ; encore le cours est-il très variable.

Tous les payements, sauf pour de petites sommes, se faisant en papier, le rapport de ces billets avec la monnaie européenne d'or ou d'argent donne lieu à un agiotage continuel, dont les voyageurs, naturellement, supportent les conséquences. Quoi qu'il en soit, lorsqu'on a changé quelques louis chez le premier « honnête » homme venu, et qu'en a en portefeuille une liasse de papiers de toutes couleurs, ornés du portrait de S. M. dom Pedro, on ne sait plus du tout ce qu'on possède, et on ignore absolument ce qu'on paye. Pendant que l'arithmétique de l'imagination vous dit que, puisque le *reis* n'est à peu près rien du tout, dix reis, cent reis, mille reis ne sont pas grand'chose, la vieille habitude vous souffle à l'oreille que le *billet de banque* est une chose précieuse et intéressante, et que vous êtes bien heureux d'en avoir autant dans votre poche.

Bref, le soir de notre arrivée, nous étions six à dîner, nous achevions un repas modeste et mauvais ; nous demandons « l'addition » ; le garçon nous apporte une note de 32,000 reis... Était-ce cher ou bon marché ? Répondez, lecteur... Vous n'en savez rien ? Eh bien ! nous n'en savions pas davantage, tout en couvrant ce serviteur de bank-notes ; longtemps après, nous avons reconnu que nous avions payé notre dîner à peu près 80 francs. C'était donc cher ? Pas du tout. C'était (relativement) bon marché, parce que ce jour-là le franc valait 410 reis, tandis que quelque temps avant il n'en valait que 315.

Il y a quatre théâtres à Rio, dont le principal, construit en 1812, est, dit-on, plus vaste que la Scala de Milan. Ce théâtre était fermé, je n'ai pu le voir. Le théâtre de dom Pedro II, situé sur le chemin de Botafogo, donnait *Faust* le jour de mon arrivée ; n'ayant rien de mieux à faire, nous tentâmes l'aventure, et, après avoir payé un nombre invraisemblable de *mil reis*, j'eus la jouissance d'un fauteuil d'orchestre, lisez « chaise » d'orchestre, dans une très grande et haute salle, toute blanche et garnie des deux tiers des spectateurs qu'elle pouvait contenir.

Comme dans les théâtres espagnols, les loges ne sont séparées que par une cloison à hauteur d'appui ; le devant de la loge est aussi plus bas que dans nos théâtres. On voit mieux, et surtout on est mieux vu ; l'aspect général est plus gai, plus vivant, bien que l'ornementation soit à peu près nulle. Il n'est pas nécessaire, comme à notre nouvel Opéra de Paris, d'être dans le lustre pour voir les toilettes des femmes qui sont dans les loges, dont les gens placés à l'orchestre n'aperçoivent, vous le savez, que la coiffure.

Ce que nous appelons balcon et galerie n'existe pas, ou plutôt n'existe qu'au rez-de-chaussée, faisant une ceinture au pourtour de l'orchestre. Les dégagements sont commodes, suffisamment larges ; on peut quitter et regagner sa place sans obliger ses voisins à monter sur leur siège pour vous livrer passage.

S'habille-t-on pour aller au théâtre à Rio ? Je ne saurais le dire. Les hommes n'ont assurément pas, comme chez nous, le culte de la cravate blanche. Quant aux toilettes, j'en ai peu remarqué de vraiment élégantes ; beaucoup de fleurs, quelques diamants, mais peu de robes. Pas autant de mauvais goût que je pensais en trouver.

L'interprétation de l'œuvre de Gounod, comme chant et comme mise en scène, était un peu au-dessous du médiocre ; ce fut du moins mon impression ; mais remarquez que c'est un Parisien qui parle, et M. Halanzier pourra vous dire que les Parisiens sont très difficiles.

Pendant que nous nous laissions aller à l'enivrement de ces plaisirs mondains, le *Theatro Phenix Dramatico* donnait sa 93e représentation de *Os*

Sinos de Corneville, et le *Theatro Cassino* réjouissait un public plus littéraire avec *O afamado drama O Correio de Lyaô.*

Inutile de traduire, n'est-ce pas ?

Le même jour, une dépêche annonçant la mort de la reine Marie-Christine, sœur aînée de l'impératrice du Brésil, était arrivée à Rio. La cour avait immédiatement pris le deuil, et la nouvelle s'était très vite répandue dans la population, qui a conservé beaucoup de respect et d'estime pour l'empereur et la famille impériale.

La première conséquence de cet événement fut de suspendre les audiences et les réceptions. Le ministre de France, M. Noël, avait informé notre commandant qu'il se mettait à sa disposition pour le présenter à l'empereur, ainsi que les membres de l'expédition qui lui en exprimeraient le désir ; mais le deuil de la cour, le départ prochain de Sa Majesté pour la campagne paraissaient rendre ce projet irréalisable.

Cependant, le 7 septembre, à la veille de quitter Rio, l'empereur ayant consenti à recevoir les hommages des chefs de service et des officiers de la garnison, la présentation put avoir lieu. J'avais disposé de mon temps pour ce jour-là, de sorte que je ne pus y assister. J'emprunte donc au journal de M. de Saint-Clair, secrétaire de l'expédition, le récit de cette entrevue.

« Je suis devenu aujourd'hui, — écrit notre aimable compagnon, — le courtisan malgré lui, et j'ai été présenté à l'un des plus puissants souverains du monde, dans des conditions déplorables pour mon amour-propre.

» L'empereur ne recevant pas, à cause de la mort de la reine Christine, sa belle-sœur, le commandant devait se borner à faire acte respectueux en s'inscrivant au palais. Nous descendîmes à terre tous deux, vers midi, lui pour aller rendre visite à M. Noël, et moi pour faire quelques emplettes. Comme il avait plu le matin, les rues de Rio s'étaient changées en marécages, et je me trouvai dans l'état le moins présentable au rendez-vous que Biard m'avait donné à deux heures pour rentrer à bord.

» Dans l'intervalle, notre ministre lui avait annoncé que, sans doute, l'empereur pourrait le recevoir le jour même : « Je regrette de ne pouvoir vous accompagner, lui avait-il dit, mais on est prévenu de votre visite ; prenez une voiture et ne perdez pas de temps. » L'après-midi était belle ; la promenade jusqu'au palais de San-Christovaô, à travers la campagne, me tentait un peu. Je me décidai à accompagner mon ami jusqu'au seuil impérial, distant de cinq kilomètres.

» Nous avons traversé d'abord un assez vilain faubourg, proche des abattoirs, au-dessus desquels planent des nuées de corbeaux. Après maints cahots dans ces parages peu poétiques, nous entrevoyons le château, et bientôt nous arrivons à la grille, que notre cocher mulâtre franchit sans la moindre hésitation.

» San-Christovaô, résidence d'hiver de Sa Majesté, est une grande construction, à laquelle on donne plus volontiers le nom de château que celui de palais, et que j'ai entendu des personnes irrévérencieuses qualifier de l'épithète peu aimable de bicoque. Je ne dirai pas de quel style est son architecture ; elle appartient au genre calme et froid. Ce n'est pas un édifice, c'est une bâtisse, à laquelle l'absence de prétentions donne un caractère simple, solide et honnête.

» On l'a entourée d'une espèce de bois de Boulogne en miniature, avec lacs, kiosques, cascades et le reste…

» Nous descendons de voiture. Un factionnaire, à la vue des épaulettes du commandant, présente les armes, et nous enfilons un couloir obscur ; point de suisses, de valets… personne ! Le factionnaire, voyant notre embarras, nous fait signe de prendre un escalier à gauche, et nous arrivons dans une assez vaste galerie de tableaux, que nous supposons être la salle de réception. En attendant que quelque âme charitable veuille bien nous demander ce que nous faisons là, nous passons en revue les tableaux. A part quelques portraits anciens presque effacés, mais d'une touche assez vigoureuse, je ne vois rien qui vaille « l'honneur d'être nommé. »

» Un monsieur en habit vert et boutons d'or traverse la galerie d'un pas majestueux. Est-ce un huissier ? un chambellan ? un ministre ? Dans le doute, nous saluons fort poliment.

» Le monsieur nous regarde très surpris et passe outre sans nous rendre le salut. Nous connaissons donc la livrée des domestiques. C'est un premier résultat.

» Avisant au fond de la galerie, à gauche, un petit salon, nous y trouvons une table, et sur cette table un registre. Un second monsieur, même habit vert et mêmes boutons dorés, y vient jeter un coup d'œil. Instruits par le malheur, nous nous gardons bien de saluer ; ce personnage nous considère d'un œil un peu moins surpris que celui du premier monsieur et s'en va. Il a la clef brodée dans le dos. Cette fois, c'est bien un chambellan.

» Biard inscrit son nom sur le registre, et, satisfaits de nos deux écoles de politesse, nous allions nous retirer, lorsque nous rencontrons sur le seuil M. S… V… L…, un de nos passagers, qui nous donne les plus exacts renseignements ; son ministre (M. S… V… L… est étranger) le présentera à l'empereur, car la réception va avoir lieu. Quoiqu'en petite tenue, le commandant se décide à rester, quitte à se présenter tout seul ou à ne pas se présenter, suivant les circonstances. Moi, j'attendrai dans la galerie.

» Heureux l'homme qui sait dire : non ! même à son ami, même à son commandant. Je n'ai pas osé, j'ai été faible, et bientôt j'allais en subir sans doute les humiliantes conséquences. En vain, considérai-je mes bottes recouvertes du limon jaune des rues de Rio, ma redingote mal brossée, mes gants de Suède d'une couleur douteuse, que je n'osais ni mettre à mes mains ni dissimuler dans ma poche ; je me sentais mal peigné, je devinais que mon col avait perdu sa fraîcheur et que ma cravate devait être de travers ; mais j'avais dit : Oui, je reste ! Il fallait rester. Et pendant que je réfléchissais à la gravité de cette décision mac-mahonienne, une foule chamarrée, dorée, sanglée, décorée commençait à se presser derrière nous et autour de nous. La fuite devenait impossible, et bientôt l'empereur lui-même allait remarquer tous les détails de ma toilette trop négligée...

» Comment ne lui sauteraient-ils pas aux yeux, ces misérables et ridicules détails qui faisaient un si piteux contraste avec le brillant et le clinquant de tous ces uniformes de généraux, d'amiraux, de consuls étrangers, de ministres !...

» J'en étais là de ces pénibles réflexions, lorsque parut à mon côté notre professeur d'histoire naturelle, M. Collot, correct, immaculé, irréprochable depuis le fin bout de ses souliers vernis jusqu'au nœud symétrique et soigné de sa cravate blanche. Tandis que moi...

» Le petit salon où nous étions donnait sur une galerie couverte, en bois peint, d'une simplicité excessive et contournant une cour intérieure. Une porte s'ouvre au fond de cette galerie : chacun se tait ; un personnage au port noble s'avance de notre côté, sans entourage, en simple redingote noire, pas une croix, pas un ruban. C'est l'empereur !... Il s'arrête à quelques pas du groupe. Je me sens de plus en plus embarrassé, je jette un regard d'angoisse sur le commandant : il ne bronche pas... Les ministres d'abord, puis les généraux, les amiraux s'avancent et saluent. Sa Majesté leur adresse quelques mots et les congédie. M. S... V... L..., qui n'a pas trouvé son diplomate, s'avance bravement, décline ses titres et sa nationalité. On entend alors une voix, celle de l'empereur, qui appelle Biard et lui fait signe de la main. Je regarde le plafond, espérant vaguement que cette contenance me fera passer inaperçu. C'était trop demander. J'entends mon nom, je m'approche, le commandant me présente, et à la vue de la physionomie avenante de Sa Majesté toutes mes terreurs s'évanouissent. L'empereur s'enquiert avec intérêt du succès de l'expédition et trouve un mot bienveillant pour chacun de nous : il parle à Biard de son père, qu'il a beaucoup connu et apprécié ; il me demande si c'est mon premier grand voyage et si j'ai souffert du mal de mer ; cause des zoophytes, des fossiles et des terrains tertiaires avec M. Collot ; nous exprime, enfin, tous ses regrets de ne pouvoir, à cause du deuil de la cour et de son départ immédiat, nous recevoir comme il comptait le faire et paraît très fâché d'apprendre que la *Junon* va quitter le Brésil dans quatre ou cinq jours.

» Après ces aimables reproches, Sa Majesté nous serre cordialement la main à tous et nous fait accompagner jusqu'aux appartements de l'impératrice, auprès de laquelle nous sommes admis.

» Donna Thérèse-Christine-Marie, fille de François Ier, roi des Deux-Siciles, impératrice du Brésil depuis 1843, est un peu plus âgée que l'empereur. Le caractère dominant de sa physionomie est la douceur jointe à une grande dignité ; son accueil, quoique fort réservé, est empreint d'une bonne grâce qui ne peut être que toute naturelle. L'impératrice est très aimée ; comme son mari, elle est fort instruite et douée d'un jugement très sûr ; elle s'occupe beaucoup d'œuvres de bienfaisance, et ses charités sont aussi nombreuses que considérables. Elle s'entretint longuement avec nous, parlant d'abord de notre expédition, puis de Paris et du séjour qu'elle y avait fait récemment, dans les termes les plus sympathiques pour notre nation et pour nous-mêmes.

» En traversant de nouveau la galerie pour nous retirer, nous avons aperçu l'empereur, qui répondit à notre révérence par un geste amical, et nous avons dû passer au milieu de la foule des fonctionnaires et militaires brésiliens attendant leur tour de présentation. Ces messieurs semblaient surpris, presque affectés de notre présence, peut-être en raison de l'accueil particulièrement aimable que Leurs Majestés avaient daigné nous faire. Me suis-je trompé en croyant lire dans leurs regards une sorte de dépit dédaigneux ? Je veux le croire ; mais, qu'il ait été traduit ou non, ce sentiment d'antipathie latente et comme involontaire pour l'étranger est malheureusement très répandu dans la société brésilienne. C'est un défaut qui ne peut s'accommoder, quant à présent, avec les nécessités économiques de ce pays, et il serait bon qu'on inscrivît au fronton de ses collèges le vieux dicton français, trop oublié, non pas seulement au Brésil : Quand orgueil chevauche devant, honte et dommage le suivent de près. »

Je reprends la plume, et puisque, à propos de sa présentation à l'empereur, notre camarade s'est permis sur le caractère brésilien une observation qui ne me paraît que trop juste, j'ajouterai quelques renseignements recueillis en causant avec des personnes qui ont une longue et impartiale expérience de ce pays.

Étrangetés, anomalies, contradictions, le splendide à côté du ridicule, la misère à côté de trésors incalculables, les préjugés les plus insoutenables, les idées les plus arriérées, se combinant avec le sentiment de l'indépendance et l'amour du progrès, forment au Brésil un surprenant contraste.

Je laisserai de côté les statistiques de sa population, de sa superficie, de ses cultures, qui présentent des écarts extraordinaires, pour ne rien dire que de ce qui frappe dès le premier jour quiconque regarde autour de lui, se renseigne à bonne source et prend la peine de penser à ce qu'il voit et à ce qu'il entend.

La richesse du Brésil dépasse les rêves de l'imagination. Ses forêts produisent en quantités *inépuisables* tous les bois utiles connus et inconnus : bois de construction, d'ébénisterie, de teinture, bois résineux, arbres à huile, à cire, à fibres textiles, arbres à fruit, arbres à pain, plantes médicinales, le tapioca, le cacao, le poivre, la vanille, etc. ; arrosées de magnifiques fleuves, elles couvrent toute la région de l'Amazone, environ cinq fois plus grande que la France, et confinent à la région des côtes, où se retrouvent les mêmes productions auxquelles il faut ajouter le café, le coton, le sucre, le tabac dans la partie voisine du tropique, et plus au sud, le thé, le froment, presque tous les farineux, enfin, d'excellentes races de bœufs et de mulets. L'immense plateau central est couvert de pâturages et de bois plus clairsemés ; mal connu, peu peuplé, pas cultivé, c'est pourtant dans le lit de ses torrents desséchés et sur le flanc de ses montagnes qu'on va chercher le diamant, l'émeraude, la topaze, le saphir, le rubis, les cornalines. Et à côté des pierres précieuses, les métaux précieux, l'or et l'argent, les métaux utiles, le fer, le plomb. Plus loin, des mines de houille, des gisements de salpêtre, des sources d'eaux minérales.

Que de trésors, non pas enfouis, mais pour la plupart à la portée de la main de l'homme ! Quel grenier d'abondance pour la vieille Europe, penchée sur son sol fatigué, sur ses mines bientôt épuisées, creusant sans relâche, consommant sans cesse et lançant déjà ses enfants à travers les nouveaux mondes pour y trouver ce pain quotidien qu'elle ne peut plus donner à tous.

Cependant l'empire du Brésil est pauvre *de fait* ; l'État y a toujours besoin d'argent et ne peut subsister qu'à la condition de prélever sur toutes les importations des droits si excessifs qu'ils en paraissent parfois ridicules.

Mais revenons à l'habitant. Au Brésil, on est hospitalier autant et plus que nulle part ailleurs, mais on craint l'étranger, on ne l'attire pas, on ne le recherche pas ; le Brésilien est fier, hautain, désireux de montrer un faste aussi brillant et aussi bruyant que possible, mais il aime à rester chez lui, attendant une occasion qu'il se gardera bien de faire naître ; malgré les splendeurs de la nature, il n'y a au Brésil ni un grand peintre, ni un amateur de tableaux ; le souverain est un libéral que combattent les libéraux. Enfin, il ne manquerait aux gens de Rio-de-Janeiro, pour que l'inconséquence fût complète, que de porter des redingotes noires et des chapeaux à haute forme, sous le climat que chacun sait ou devine, si déjà, et depuis longtemps, ils n'avaient adopté cette coutume extravagante.

Je n'entreprendrai pas de donner une explication satisfaisante à ces bizarreries, en apparence inexplicables. De pareilles questions ne sont, d'ailleurs, jamais simples ; la situation générale d'un peuple, sa manière d'être, constituent un tableau très varié, très complexe, et non une figure de géométrie. En continuant ma description du Brésil, tel qu'il nous est apparu, je ne chercherai donc à rien démontrer, mais j'ai la persuasion que, malgré les critiques que je viens de faire, il résultera de cette description un sentiment de confiance dans l'avenir de la nation brésilienne.

RIO-DE-JANEIRO
(Suite.)

La politique et la nature. — Revue historique. — La Constitution. — L'empereur règne et gouverne. — Procédés électoraux. — Le ministère actuel. — La question de l'esclavage. — L'instruction publique. — Les fêtes nationales. — Ascension du Corcovado. — Autres promenades. — Le départ.

En mer, 14 septembre.

L'état social d'un pays, comme son état politique, est un effet et non une cause, et ceux qui méconnaissent cette vérité élémentaire tirent de la constatation des faits actuels des conclusions toujours fausses et injustes. La question de savoir si les espèces se transforment n'est pas encore résolue ; mais quant aux peuples, cela est de toute évidence.

Il faut donc, avant de juger une nation, connaître, au moins en substance, quelle éducation elle a reçue et à quelle époque cette éducation a commencé. L'aperçu très sommaire et très incomplet que j'ai donné des richesses du Brésil suffit à faire comprendre combien les destinées de cet immense empire sont intéressantes pour l'avenir du monde civilisé ; un coup d'œil rapide sur son histoire montrera qu'il ne faut pas se hâter d'être sévère à son égard, car nul n'a été élevé à plus rude et à plus malheureuse école.

En l'an 1500, Pinson, l'un des anciens compagnons de Christophe Colomb, aborde au nord de Pernambouc et prend possession de cette terre au nom de la couronne de Castille. Trois mois après, Alvarez Cabral, Portugais, se rendant aux Indes, est jeté par une tempête au lieu qu'on nomme aujourd'hui Porto-Seguro. Il plante une croix, un gibet et l'étendard du Portugal sur ce sol dont il prend possession à son tour. Le pape, alors grand médiateur des querelles souveraines, trace une ligne de démarcation, et la découverte de Cabral, sous le nom de Santa-Cruz, reste acquise aux Portugais.

En 1501, Améric Vespuce, alors au service du Portugal, découvre la fameuse baie de Tous-les-Saints, aujourd'hui le port de Bahia. Pendant une quarantaine d'années, on se contente de déporter sur les côtes du Brésil des criminels et des juifs. A cette époque, on ne cherchait que l'or, et les premières explorations dans l'intérieur du pays n'en avaient pas fait découvrir.

Cependant, en 1549, un gouverneur général est envoyé, avec mission d'organiser la civilisation. Le redoutable dilemme, la croix ou le gibet, le baptême ou la mort, fut alors posé dans toute sa rigueur. Les indigènes ne se soumirent pas ; ils furent impitoyablement massacrés, incendiés, suppliciés. Exterminés ou refoulés dans les bois, on les remplaça par des milliers de noirs, plus dociles sous le fouet, et les premières plantations furent établies.

Je ne raconterai pas les premières expéditions de Villegagnon, envoyé par Coligny pour fonder à Rio une colonie de réformés, ni celles des Hollandais, qui de 1630 à 1645 avaient su se rendre maîtres de la moitié des provinces brésiliennes et en furent expulsés par la révolte ; mais on comprendra facilement que le théâtre de ces guerres continuelles, auxquelles prenaient part les pires aventuriers des deux mondes, ne pouvait être autre chose qu'un champ de bataille et qu'aucune nation n'y existait encore.

Lorsque le Portugal, réuni à l'Espagne vers 1580, eut recouvré son indépendance, que les Hollandais lui eurent définitivement vendu la renonciation de leurs droits sur le Brésil, ce malheureux pays retomba sous l'ancien joug, et peu de temps après on découvrait, c'était vers 1720, les premières mines d'or au Matto-Grosso et les premiers diamants dans le serro de Frio.

L'histoire des États-Unis, plus connue que celle du Brésil, nous montre dans quelle absurde sujétion la colonie anglaise était tenue par la Métropole ; celle de la colonie portugaise n'était pas moins servile. Aucun étranger n'y pouvait être admis. Les Brésiliens n'avaient le droit de faire de commerce qu'avec la mère patrie ; toute industrie leur était défendue, ainsi que la production de l'huile, du vin et du sel, qu'il leur fallait faire venir de Porto ou de Lisbonne.

Ainsi, ni liberté politique, ni liberté agricole, ni liberté commerciale, tel fut le régime sous lequel fut comprimé l'essor des bonnes volontés et des forces vives du pays.

Les armées françaises furent l'instrument inconscient de sa libération. En 1807, Jean VI, régent de Portugal, chassé par les conscrits de Junot, vient débarquer au Brésil ; en 1809, il se fixe à Rio ; la *première imprimerie* s'y établit, les ports sont ouverts aux étrangers. Avec un flot toujours croissant d'immigration pénètrent les idées de travail, de dignité, de progrès, et à leur suite les idées de liberté, d'émancipation, d'indépendance complète.

En 1815, le Brésil est érigé en royaume et réuni au Portugal ; mais cette satisfaction d'amour-propre ne suffit pas à détruire des aspirations déjà nettement formulées. En 1820, quelques troubles éclatent ; Jean VI est rappelé en Europe, les libertés conquises sont menacées ; le second fils de Jean VI, dom Pedro, alors âgé de vingt-trois ans, comprend qu'il est devenu nécessaire d'obéir à l'impulsion d'un peuple que rien ne pourra ramener à la sujétion ; le 7 septembre 1821, il proclame l'indépendance du Brésil ; le 12 octobre 1822, il est proclamé lui-même empereur constitutionnel.

C'est de cette époque si récente que datera l'histoire du Brésil ; tout ce qui précède n'est qu'un enfantement douloureux et difficile.

Supposer que de cette époque doive dater aussi une ère de calme, de progrès tranquille et sûr, serait cependant une grave erreur. L'événement l'a prouvé et le prouve encore. La raison suffirait à l'établir. Le Brésil est entouré de républiques, encore turbulentes, mais cependant prospères, et pour employer une expression très juste de M. Humbert, dans une de ses dernières conférences à bord, il est comme un îlot monarchique battu de tous côtés par le flot révolutionnaire. Cette monarchie, fondée par un peuple né d'hier, longtemps après que le souffle philosophique du XVIIIe siècle eut ébranlé les vieilles dynasties d'Europe, n'a pas un appui solide dans le clergé et ne l'y recherche pas, d'abord parce que le cléricalisme n'est plus un appui solide, et aussi parce que le clergé brésilien n'a pas les qualités d'intelligence et de moralité qui, seules, peuvent faire du clergé une force. Et pour dire la vérité tout entière, il faut reconnaître que le trône de l'empereur dom Pedro II emprunte sa plus grande puissance à la dignité, au bon sens, à la fermeté de celui qui l'occupe.

Je n'ai pas encore parlé de l'esclavage, problème inquiétant et délicat, de la configuration du pays, qui, sur sa côte orientale, n'a pas un seul grand fleuve, facilitant l'invasion des planteurs dans ses parties centrales, du climat, toujours dangereux aux nouveaux venus, autant d'obstacles au libre développement de la fortune publique ; je crois cependant que cette revue rapide des événements dont le Brésil a été le théâtre est de nature à donner une plus grande importance aux progrès qui ont été accomplis depuis peu. Le caractère brésilien, si tant est que ce caractère soit bien tranché, peut ne pas nous être entièrement sympathique ; mais nous ne saurions refuser aux citoyens de ce jeune empire le tribut de notre estime, à la vue du respect qu'ils professent pour leurs institutions et pour celui qui en est le gardien, des résultats déjà considérables qu'ils ont obtenus en quelques années, du patriotisme, trop exclusif peut-être, mais ardent et sincère, qui les anime.

Notre chère France, étant depuis un assez long temps à la recherche de la meilleure des constitutions, il peut être intéressant de connaître sur quelles bases celle du Brésil a été établie. Promulguée par dom Pedro Ier en 1824, légèrement modifiée en 1834 et en 1840, elle régit le Brésil depuis cette dernière date, sans avoir été remise en question pendant les quarante années qui viennent de s'écouler.

Les pouvoirs publics se composent de l'empereur, d'un Sénat de 75 membres inamovibles et d'une Chambre législative, composée de 122 députés élus pour quatre ans.

Les collèges électoraux sont formés des citoyens possédant un revenu annuel de 200 mil reis ; les députés sont élus par un vote à deux degrés, à un mois d'intervalle ; pour l'élection des sénateurs, la province dresse de la même manière une liste de trois noms, sur lesquels l'empereur choisit celui qui lui convient.

Le Sénat a le droit de rejeter en totalité ou en partie les décisions de la Chambre des députés. Un conseil d'État, ayant des attributions analogues à celles du conseil d'État français, et des ministres responsables devant les Chambres complètent le cadre de ce système de gouvernement. Sur le papier, cette constitution en vaut une autre ; il faut cependant avouer que, dans la pratique, on ignore, malgré son grand âge, quels résultats elle donnera le jour où elle sera *réellement* appliquée.

En effet, grâce à la manière dont sont faites les élections, ce n'est pas le jeu naturel des institutions qui amène au pouvoir les hommes de tel ou tel parti, répondant aux désirs du peuple ou aux nécessités d'une situation ; c'est la volonté du souverain.

L'empereur règne et gouverne. Rien ne peut le mieux prouver que le récit des derniers événements.

A la fin de 1877, le parti conservateur (inutile de le désigner autrement) était au pouvoir depuis dix ans. Lorsque l'empereur revint de son second voyage en Europe, le chef du cabinet, duc de Caxias, offrit sa démission pour des motifs de santé. La démission acceptée, on chercha à former un nouveau ministère conservateur, mais auquel Sa Majesté imposait certaines réformes libérales, que les réactionnaires refusèrent de subir. L'empereur prit alors un ministère libéral le 5 janvier 1878, déclara dissoute la Chambre des députés, dont la majorité était conservatrice, et fit procéder à de nouvelles élections. Une Chambre composée de neuf libéraux sur dix vient d'être nommée, et le char de l'État, ayant tourné bride aussi facilement qu'une calèche dans l'avenue du bois de Boulogne, remonte sans cahots la pente qu'on lui faisait descendre depuis dix années.

Je crois bien volontiers qu'il n'a pas fallu une très forte pression sur les électeurs pour les faire voter dans le sens désiré ; mais, outre que cela n'est pas certain, il est certain, en revanche, que les élections sont dans la main du pouvoir exécutif. Voici comment :

Le gouvernement patronne dans chaque circonscription un comité ou directoire qui a le droit de désigner les deux tiers des candidats aux sièges vacants : l'opposition présente ses candidats pour les autres sièges et les fait nommer — si elle le peut. En dehors de cette candidature officielle, les moyens les plus simples et les plus énergiques en même temps sont employés pour en assurer le succès. Les élections se font généralement dans les églises, dont les abords sont gardés par la troupe mise aux ordres de la police ; les membres des divers bureaux électoraux, soigneusement choisis par le ministère, s'arrogent le droit de refuser l'entrée des « lieux de vote » aux membres du parti contraire et surtout à ses chefs. Si ces précautions paraissent insuffisantes, on emploie alors le système des *duplicata* : il consiste à faire procéder simultanément à une double élection ; le dépouillement de l'un des scrutins est fait à Rio, par une commission de validation, siégeant au ministère de l'intérieur, laquelle *désigne* le candidat élu.

Ces procédés donnent des résultats « excellents » et ne font pas naître autant de troubles qu'on pourrait le supposer. Ils assurent (on le croira sans peine) un accord complet entre les pouvoirs de l'État, qui gouvernent alors constitutionnellement avec une aisance parfaite.

En sera-t-il toujours ainsi ? Cela est douteux. Les grandes villes ont secoué leur apathie ; les étrangers y apportent constamment des idées d'indépendance plus avancées, sinon plus éclairées. Il faudra donc bientôt trouver *autre chose*, si l'on veut éviter la nécessité d'un coup d'État dangereux ou de concessions démesurées, plus dangereuses peut-être.

Pour le moment, le parti libéral modéré, qui est au pouvoir, ou plutôt qui le représente, semble répondre aux vœux généraux de la population. En prenant la direction du pays, il s'est empressé de congédier — comme cela se pratique un peu partout, d'ailleurs, — le haut personnel administratif des provinces, et, sans s'inquiéter des doléances de ses adversaires, le nouveau cabinet s'est mis immédiatement à l'œuvre de réparation en établissant des réformes sérieuses dans la gestion des deniers publics. Le ministre des finances, M. Gaspar Silveira Martins, est entré résolument dans la voie des économies, en arrêtant les travaux dont l'urgence n'était pas absolue, et en supprimant dans toutes les administrations un assez grand nombre d'emplois.

Il était temps. Les coffres ayant été trouvés vides, il a fallu faire une nouvelle émission de papier-monnaie pour la somme de 60,000 *contos* de reis, soit environ 150 millions de francs.

Des déficits considérables viennent d'être constatés, quelques caissiers infidèles ont disparu, d'autres sont en ce moment sous les verrous. Plusieurs grands personnages sont compromis, entre autres un chambellan de l'empereur, également emprisonné.

Malgré la triste chute de ce ministère, il serait difficile de dire quel est le plus fort des deux partis conservateur et libéral, et nous avons vu que les élections telles qu'elles se pratiquent (il n'est pas sûr qu'elles puissent se faire autrement dans ce pays) sont à cet égard un baromètre assez incertain.

Je ne puis quitter le domaine de la politique, sans dire un mot de cette question de l'esclavage qui est de beaucoup la plus grave et la plus difficile de toutes celles qui préoccupent les esprits au Brésil.

Il ne s'agit pas de savoir si on abolira ou non l'esclavage, car l'esclavage est aboli ; mais de se rendre compte des premiers effets du décret d'abolition et de faire en sorte, s'il se peut, que ces effets ne soient désastreux ni pour la stabilité de l'État, ni pour la fortune publique. C'est en 1854 que l'importation des noirs au Brésil cessa d'être autorisée, et vers la même époque, deux lois, l'une concernant les propriétés territoriales, l'autre le mode et les facultés de colonisation, attestèrent les efforts du gouvernement pour attirer les colons européens et combler le vide créé par le non-renouvellement des hommes de couleur. Le 23 septembre 1871 parut le décret d'abolition ; il rendait la liberté aux esclaves appartenant à l'État, à ceux donnés en usufruit à la couronne, à ceux qui sauveraient la vie à leurs maîtres, enfin à ceux qui seraient abandonnés par eux. Il déclarait libres tous les enfants nés de mères esclaves postérieurement à la date du décret. Seuls, les esclaves nés avant cette date restaient dans la même condition, jusqu'à ce que les fonds d'émancipation, c'est-à-dire le hasard ou les loteries, les fissent libres. — Je n'exagère pas ; il y a ici des « loteries de liberté », dont les gros lots sont des êtres humains.

L'esclavage, au Brésil, mourra donc de mort naturelle dans quelques années. Dans la lutte entre les intérêts matériels et le sentiment de l'humanité, c'est celui-ci qui a triomphé, et cela devait être. Le monde entier a applaudi à la noble détermination prise par l'empereur, acceptée par son peuple, et admiré la sagesse avec laquelle cette nécessité philosophique avait été satisfaite.

Mais tout n'est pas dit. Le décret de 1871 n'a rendu la liberté qu'aux enfants à naître ; les pères, les mères, les plus jeunes enfants étaient, sont et resteront esclaves. Que fera de la liberté cette génération nouvelle ? Voilà ce que le décret ne dit pas et ne pouvait pas dire. Qui pourra l'élever, cette jeune génération ? Elle ne vit pas dans la famille, car elle n'a pas de famille. Qui leur apprendra à ne pas se tromper sur le sens du mot liberté, à ces enfants dont les mères ne seront jamais libres ? Les uns, ardents, curieux, n'auront-ils pas la tentation de se rendre dans les grandes villes, où ils pourront croire que la fortune les attend, et où ne les attend que la misère, mauvaise conseillère ? Les autres, plus timides, attachés à la *fazenda*, comme leurs aïeux, ne continueront-ils pas à vivre en esclaves, supportant le poids du jour et les mauvais traitements, n'osant s'enfuir, parce qu'ils seront sans protection au milieu de ces immenses territoires où le riche *fazendero* est plus maître qu'un capitaine sur son navire, et se demandant ce que c'est que cette loi dont on leur a parlé, ce mot magique qui n'a point de signification ?

D'autre part, si le nombre des hommes de couleur va en augmentant lorsque les familles seront constituées, sera-ce un avantage pour le pays ? L'exemple de certaines républiques de l'Amérique du Sud, où le nègre émancipé est parvenu à tenir en échec, sinon à dominer la population locale, n'est pas encourageant.

Si ce nombre, au contraire, diminue, qui remplacera les travailleurs nécessaires ? Dans le sud de l'empire, là où l'on élève le bétail, où l'on cultive le blé, le coton, la pomme de terre, le maté, les colonies d'Européens réussissent ; mais dans les immenses territoires au-dessus du tropique, couverts de café, de cannes à sucre, de tabac, dans les mines, dans les forêts, le nègre est indispensable. Qui donc viendra faire son œuvre ? Faudra-t-il avoir recours au coolie chinois ? Triste remède dont on connaît déjà tous les dangers.

Telles sont les questions qui se posent aujourd'hui au sujet de ce grand fait historique de l'abolition de l'esclavage au Brésil. Je me borne à les répéter sans y répondre, car les opinions sont encore très partagées sur ce point.

De telles craintes peuvent être exagérées ; cependant elles sont réelles et fondées. Mais n'oublions pas que, lorsque l'émancipation a été résolue, les inconvénients en étaient aussi prévus qu'ils le sont aujourd'hui, qu'aucune volonté étrangère n'a pesé sur les déterminations du gouvernement brésilien, et que le fait d'avoir rendu la liberté à leurs esclaves n'en est que plus méritoire pour la nation et plus glorieux pour le prince.

M. Agassiz, qui a parcouru le Brésil en observateur aussi bien qu'en savant, dit quelque part que le progrès intellectuel « se manifeste dans l'empire sud-américain comme une tendance, un désir, mais qu'il n'est pas encore un fait. »

Le voyage de l'illustre naturaliste date de 1866 ; il avait sans doute raison à cette époque, il aurait tort aujourd'hui. Les plus grands efforts ont été faits en faveur de l'instruction publique dans le cours des dernières années ; les Facultés de San-Paulo, de Bahia et d'Olinda ont perfectionné leurs méthodes ; l'École centrale et le collège Dom Pedro II sont à la hauteur des établissements similaires de l'Europe, dont ils ont emprunté les programmes, tout en donnant plus d'importance à l'étude des langues étrangères ; l'Institut impérial d'histoire et de géographie, dont la fondation remonte à 1838, doit être classé maintenant parmi les plus sérieuses sociétés savantes ; ses séances sont fréquemment présidées par l'empereur et se tiennent régulièrement au Palais impérial.

L'instruction primaire et secondaire, dans l'empire, à l'exception de la capitale, est du ressort des gouvernements provinciaux, auxquels il appartient de décider si elle est ou n'est pas obligatoire et d'en payer les dépenses. La moitié des provinces, en 1876, avait déclaré l'instruction primaire obligatoire, et chacune d'elles consacrait, en moyenne, le cinquième de son revenu au budget des écoles. Celles-ci sont au nombre d'environ 6,000 ; presque toutes les provinces possèdent des lycées pour l'enseignement secondaire, et, en dehors des établissements d'instruction supérieure cités plus haut, l'État entretient une école navale, plusieurs écoles militaires, une école de commerce, un institut pour les aveugles, un conservatoire de musique, une école des beaux-arts, et enfin une école des mines.

Cette énumération, un peu sèche, suffit à faire voir que de solides éléments de perfectionnement intellectuel et moral existent maintenant, et que les Brésiliens mériteront sans doute, dans un temps qui ne saurait être bien éloigné, la bonne opinion qu'ils ont d'eux-mêmes.

Je ne dirai rien de la législation du pays, que je n'ai pris ni la peine ni le temps d'étudier, et je me bornerai à constater que, si la peine de mort est encore inscrite dans les lois, elle a disparu de fait depuis une vingtaine d'années. L'empereur commue invariablement toutes les sentences capitales, même celles concernant les esclaves, et la société ne s'en porte pas plus mal.

Le peuple brésilien a une passion excessive pour les fêtes publiques. Elles sont pour lui autant d'occasions de s'amuser ou simplement de ne rien faire. Il y a un grand nombre de fêtes nationales, sans parler des fêtes religieuses ; on célèbre de plus une quantité d'anniversaires de naissances, de mariages et de décès. C'est en tout quarante-deux jours dits de gala, qui reviennent chaque année, et pour la plupart desquels les navires de guerre pavoisent.

L'usage veut qu'en pareille circonstance les vaisseaux étrangers s'associent aux réjouissances publiques par des salves d'artillerie ; mais les jours de liesse et de vacarme officiel ayant parù un peu trop fréquents aux amiraux étrangers, un règlement à l'amiable est intervenu entre eux et l'amiral brésilien, limitant à sept ou huit par an ces bruyantes manifestations.

Le hasard nous a fait assister à deux « grands galas » pendant notre séjour à Rio : le 4 septembre, anniversaire du mariage de l'empereur, et le 7 septembre, anniversaire de la déclaration de l'indépendance. Cette dernière est la véritable grande fête nationale. Tout s'est passé dans le plus grand ordre ; mais la pluie persistante qui n'a cessé de tomber tout le jour et une partie de la nuit a fait complètement manquer les illuminations et contribué quelque peu à calmer l'enthousiasme populaire.

Laissons, si vous le voulez bien, la politique, les études, les remarques, les observations plus ou moins judicieuses sur l'état du pays et les goûts de ses habitants, et puisque, au lendemain de l'anniversaire pluvieux de l'Indépendance, voici un jour qui n'est l'anniversaire de rien du tout, mais dont le soleil fait une journée de fête, allons nous promener ! Telles furent nos réflexions le 8 septembre au matin, et bientôt nous étions en route pour faire l'ascension du Corcovado.

Accompagnés de M. Charles Pradez, l'auteur d'un ouvrage estimé : *Études sur le Brésil*, qui nous avait offert ce jour-là une amicale hospitalité dans sa maison de campagne située à l'extrémité de l'un des faubourgs, nous étions bien sûrs de ne pas perdre le bon chemin et de faire une charmante excursion.

Nous franchîmes d'abord une colline escarpée dominant la route de Larangeiras, au moyen d'un tramway à plan incliné, dont les voitures sont mises en mouvement par une machine fixe, réduction de la « ficelle » de la Croix-Rousse, à Lyon, ou encore de l'ascenseur de Galata-Péra. Un second tramway circulant sur les hauteurs nous amène à l'entrée d'une belle route bordée, d'un côté, par les constructions supérieures de l'aqueduc de la Carioca, composées d'un épais mur de briques et de pierres cimentées, lié par une voûte à un autre mur parallèle. De l'autre côté, les pentes boisées sont protégées par un parapet qui maintient les terres et permet de contempler sans danger les admirables aspects toujours changeants du paysage.

Après une heure et demie de marche à l'abri d'un feuillage épais, nous atteignons le réservoir des eaux, entouré d'un frais jardin. Une courte halte, et nous entreprenons la partie sérieuse de l'ascension.

La route s'engage sous un splendide dôme de verdure impénétrable au soleil. Nous la quittons néanmoins et nous prenons un petit sentier pour raccourcir la distance. La végétation est d'une richesse inouïe. La surface du sol disparaît sous les herbes. De temps en temps, une échappée de vue nous arrache des cris d'admiration. Je cueille, çà et là, des fleurs, des fougères, des branchages ; mon bouquet prend des proportions monumentales et devient encombrant. Il en arrive comme de mon journal de bord : je récolte aisément, mais quand il me faut lier le tout ensemble, j'abandonne la tâche au fur et à mesure que j'avance et que paraît la nouveauté.

Je retrouve ici toute cette flore que j'ai vu cultiver avec tant de soin dans nos serres d'Europe, poussant à l'état sauvage, partout et par-dessus tout. Ce n'est pas la grande forêt vierge des bords de l'Amazone, mais c'est pourtant la nature toute-puissante, immaculée, prodiguant la vie sous toutes les formes, étouffant les productions d'hier sous les productions d'aujourd'hui. Les orchidées, suspendues aux arbres, mêlent leurs couleurs brillantes aux tons plus sombres des lianes, et, se nouant les uns aux autres, des parasites gigantesques tombent des hautes branches ou s'enroulent autour d'elles comme des serpents ; un nombre infini de folles plantes, liserons, campanules et cent autres variétés connues et inconnues, se disputent l'air et le jour, s'enchevêtrent dans cet immense fouillis ou retombent gracieusement du sommet même des arbres. Plus près de nous, voici des daturas, aux fleurs en forme de trompette, qui ont jusqu'à un pied de longueur ; des boboras, suspendant leurs cloches violettes de broussailles en broussailles ; des bégonias d'un rose nacré, des fougères arborescentes, hautes comme de jeunes palmiers… Un vert crépuscule, aux teintes à peine variées par les tons rouge vif de quelques parties de terrain à découvert, nous fait encore mieux apprécier les beautés de cet incomparable « sous-bois », rendu mélodieux par le chant des oiseaux, animé par le vol incertain d'une multitude de papillons, appartenant presque tous aux plus grandes espèces.

Nous suivons toujours notre petit sentier en jetant aux échos nos réflexions admiratives. L'ascension est parfois difficile, mais nous évitons ainsi les spirales de la route, et nous apprécions mieux le caractère de ces profondeurs ombreuses. Bientôt nous nous trouvons au pied d'un mur de rochers perpendiculaires ; c'est le pic du Corcovado, levant noblement son orgueilleuse cime au milieu d'un épais tapis vert, parsemé d'énormes cassias, dont les myriades de fleurs, d'un blanc jaunâtre, ressemblent à des bouquets d'or enchâssés d'émeraudes. De ce côté, la montagne est tout à fait inaccessible ; mais notre intelligent sentier se fraye sur la droite un passage au milieu des arbres de plus en plus pressés. Nous atteignons en quelques minutes une station nommée *las Paneïras* ; nous ne nous y arrêtons qu'un moment pour reprendre haleine ; encore une demi-heure, et nous serons au sommet du cône, à une altitude d'environ 730 mètres.

Le soleil commence à être haut sur l'horizon. Ces brumes du matin, que j'ai tant admirées le jour de notre entrée dans la baie de Rio, se sont dissipées graduellement, et ce n'est pas sans efforts que nous gravissons la pente très raide qui va nous conduire au sommet de la montagne. A partir de cet endroit la forêt s'éclaircit, disparaît peu à peu ; l'ombre qui nous a jusqu'alors protégés ne forme plus qu'un mince ruban, fréquemment interrompu sur l'un des bords de la route ; la dernière partie de l'ascension se fait sur des rochers nus, glissants et brûlés par le soleil.

Enfin, nous atteignons une étroite plate-forme taillée dans le granit et surplombant le vide de trois côtés ; nous avons sous les yeux l'un des plus beaux panoramas du monde, sinon le plus beau, et dans un instant toutes les fatigues sont oubliées.

C'est devant nous l'immense rade, dont les échancrures nettement dessinées forment comme autant de ports ; la transparence extrême de l'atmosphère nous en montre tous les détails : nous découvrons les criques où viennent se reposer les pêcheurs du golfe, des embouchures de petites rivières, des presqu'îles, des îlots semblables à des corbeilles de verdure jetées çà et là, et les centaines de voiliers et de steamers à l'ancre dans les eaux profondes, et les fines rayures produites par le sillage des *ferries*, qui sans cesse traversent la baie.

Partout surgissent de nombreux villages, et, disséminées dans les anfractuosités de la côte, ou échelonnées en amphithéâtre sur les collines environnantes, les maisons de campagne des habitants de Rio, assez nombreuses pour former à elles seules une ville de petits palais, presque aussi importante que la capitale elle-même.

A nos pieds, comme une cascade de verdure, les versants boisés descendent jusqu'à la petite colline de Santa-Theresa, par laquelle nous sommes venus, et près d'elle la vieille cité, avec ses lourds édifices et les nombreux clochers de ses églises, nous apparaît comme un plan géographique en relief.

A droite, la mer, très calme et dont l'horizon, à peine tranché, se confond avec le bleu pâle du ciel. L'énorme Pain de sucre, que nous dominons maintenant d'une hauteur plus qu'égale à la sienne, semble garder l'entrée de la rade mieux que les forts de Santa-Cruz, de Laage et de San-Joaô, qui nous font l'effet de jolis joujoux de Nuremberg. Vers l'est et le nord-est, la vue s'étend jusqu'à un immense cercle de hautes collines, derrière lesquelles apparaissent, dans de légères vapeurs grisâtres, les bizarres silhouettes de la chaîne des Orgues ; un peu plus à gauche, nous entrevoyons l'extrémité de la rade qui se perd dans des lointains indécis, et derrière nous, coupé par des gorges luxuriantes, émerge un chaos de montagnes, couronnées par la forêt vierge ! Il faudrait la plume d'or de Théophile Gautier pour donner une faible idée d'un aussi magnifique tableau...

On a dit souvent, poussé par la tentation du paradoxe ou la naïveté de l'ignorance, que nous avons bien tort d'aller chercher au delà des mers des beautés que la Suisse, l'Italie, la France elle-même atteignent et surpassent. Je défie tout homme de bonne foi de redire cette phrase naïve sur la plate-forme du Corcovado.

La nature montre parfois dans nos pays d'Europe des splendeurs dignes de toutes les admirations ; mais les spectacles qu'elle offre n'ont rien de comparable entre eux. En variant, avec une puissance dont les manifestations sont à peine compréhensibles, les climats, les productions du sol, la nature du terrain, les formes et les configurations, elle crée des harmonies nouvelles, elle fait naître des impressions différentes, qui ne se ressemblent que par un seul point, l'émotion pure et profonde que nous éprouvons à les ressentir.

....

Si les agitations de la vie européenne vous ont lassé ; si, devenu avide d'indolence et de repos, vous voulez jouir du calme que donne une existence toute végétative, au lieu d'aller aux eaux d'Aix, à Nice, en Italie, en Espagne, partez au mois de juin, et venez passer votre été dans la campagne de Rio. N'étudiez ni peuples, ni mœurs, ni politique, vivez au milieu des paysages. Installez-vous paisiblement au sein de cette admirable nature ; parcourez ces grands bois vierges en laissant votre pensée errer à sa guise ; suspendez votre hamac aux replis de ces gorges profondes, ou sur le flanc des montagnes toujours vertes ; ne croyez pas aux reptiles qui rampent sous le feuillage ou qui s'élancent des troncs noueux ; oubliez les histoires de tigres dont votre mémoire a pu garder la trace. Ici, vous ne trouverez rien de semblable.

Et quand cette éternelle parure du printemps n'aura pour vous plus de charme, que vos sens calmés évoqueront les souvenirs, que vous serez arrivé à regretter presque la froidure de nos climats, qui donne plus de prix aux fleurs qui renaissent et aux grands arbres qui reverdissent, alors vous rentrerez chez vous, robuste d'esprit et de corps et retrempé pour les luttes de la vie du vieux monde.

Surtout, gardez-vous bien de venir ici de décembre à mai, vous y trouveriez la fièvre jaune.

....

A partir du jour où nous avons accompli cette ravissante promenade, le temps, qui ne nous avait pas épargné ses rigueurs depuis notre arrivée, a bien voulu se mettre au beau fixe, et nous en avons profité pour courir dans toutes les directions. Les communications sont si faciles que ces petits voyages ne nous ont causé ni peines, ni fatigues. Chaque matin, nous repartions,

gers d'allure et de souci, »

comme a dit notre aimable Nadaud, avec un plan général plus ou moins bien arrêté, que nous avons parfois modifié en route, grâce aux cordiales hospitalités que nous rencontrions sur le chemin ; nous avons vu la Tijuca, Nichteroy et même la délicieuse vallée de Pétropolis, où la cour passe régulièrement chaque été brésilien, alors que la terrible fièvre étend ses ravages sur toutes les villes de la côte. Je ne vous raconterai pas ces courses par monts et par vaux ; je ne vous redirai pas nos surprises, nos contentements, nos admirations ; il me faudrait employer les mêmes mots, les mêmes tournures de phrases, recopier les mêmes clichés ; et cependant, je vous assure, lecteur, que chaque jour et presque à chaque moment nos impressions étaient bien neuves et bien fraîches, que notre enthousiasme pour tant de belles choses ne s'est point lassé, que nous avons emporté de ces heures trop rapides un bouquet de souvenirs qui ne se fanera jamais.

Le 12 septembre au soir, au moment où le soleil disparaissait derrière les collines, la *Junon* s'ébranlait doucement, rangeait notre frégate française la *Thémis*, auprès de laquelle elle était restée mouillée tout le temps de la relâche, passait tout près du fort Santa-Cruz pour échanger le mot d'ordre ; nous entendons le commandement : « En route ! » répété dans la machine, et bientôt forêts, rochers, ville, forteresses, collines et montagnes ont disparu dans la nuit.

MONTEVIDEO

Un coup de vent. — La mort d'Ernest. — Arrivée à Montevideo. — Physionomie de la ville. — Parisina. — Les Montévidéennes. — Architecture de fantaisie. — La Quinta Herosa. — Le Churrasco. — Un saladero. — Croissez et multipliez. — Guerres civiles et guerres extérieures. — La fin justifiera-t-elle les moyens ?

En mer, 16 septembre.

Nous venons d'apprendre ce que c'est que le roulis ; nous pensions en avoir quelque idée, mais c'était pure illusion. Partis de Rio jeudi dernier, nous avons franchi dans la même nuit le tropique du Capricorne, et bientôt le temps a pris une assez mauvaise apparence. Le 13, la mer devenait houleuse ; dans l'après-midi, le vent arrière qui nous avait jusqu'alors accompagnés disparaît, comme un ami qui aurait fait quelques pas avec vous sur la route, puis vous souhaiterait bon voyage au premier coude, vous laissant vous débrouiller avec les fondrières et les coupeurs de bourse. Les voiles sont aussitôt carguées et serrées ; la brise passe au sud, c'est-à-dire droit de bout, et un grain noir comme de l'encre, chargé de grêle et de pluie, salue notre arrivée dans ces nouveaux parages.

A chaque repas, les *violons* sont tendus, mais ne retiennent qu'une partie du service (on nomme ainsi les cordes qui, passées par-dessus la nappe, servent à assujettir les plats et les carafes). Dans la nuit, on stoppe pendant une heure, pour laisser refroidir une pièce de la machine qui s'est échauffée ; pendant ce temps, nous essuyons un violent orage, toute l'étendue du ciel est balafrée par d'énormes éclairs. Le 14, ciel toujours couvert ; nous sommes bercés par une longue houle de sud-est ; mais la brise varie à chaque instant, le soleil ne se montre pas de la journée, la pluie tombe sans interruption.

Nous restons assez indifférents à cette mauvaise humeur des éléments. Chacun, confiné dans sa cabine, y trouve une occupation, une étude ou un amusement. Les collectionneurs piquent, collent, classent les innombrables échantillons, résultats de leurs courses aux environs de Rio ; on écrit nombre de lettres, on met de l'ordre dans ses notes, on compulse la bibliothèque du bord pour compléter ses renseignements sur le Brésil et préparer des excursions dans l'Uruguay et la république Argentine. D'ailleurs, notre traversée n'est que de cinq jours, dont deux sont déjà passés, nous sommes en bonne route. Tout va bien.

Tout va bien, jusque vers minuit. Mais alors, le vent fraîchit si vite et si fort du sud-sud-est, que tout commence à aller mal. Plusieurs d'entre nous sont jetés hors de leurs couchettes. Habitués à une mer relativement tranquille, désamarinés par nos neuf jours de relâche à Rio, nous avions assez négligemment posé, çà et là, dans nos chambres, les mille petits objets utiles ou inutiles dont chacun commence à être encombré. Tout cela s'est mis en mouvement et donne une sarabande effrénée, glisse sur les meubles, roule sur les planchers, saute joyeusement par-dessus les rebords des planchettes, se casse avec un petit bruit sec qui est bien la plus désagréable musique que je connaisse au monde, et les morceaux courent gaiement les uns après les autres, s'aplatissent le long d'une cloison, et quand le navire les rejette sur l'autre bord, repartent tous ensemble pour atteindre la cloison d'en face, et ainsi de suite *indéfiniment* ! Point de patience qui puisse tenir contre l'agacement rageur que fait naître cette bataille du malheureux courant à quatre pattes après ses chers bibelots et l'impitoyable roulis. Toutes les deux ou trois minutes, le mouvement se calme, se ralentit, cesse presque. On croit que c'est fini ; en un instant, on a tout remis en place, on songe à se recoucher… Déception amère ! le maudit bateau recommence tout doucement à se balancer, et chaque oscillation est plus forte que la précédente, et les fioles, les armes, les livres, les encriers, les boîtes, les objets de toilette recommencent à se pousser, à se heurter, bêtement, maladroitement, jusqu'à ce qu'un « bon coup », produit par le choc d'une lame plus brutale que les autres, amène une nouvelle dégringolade qui fait sortir de votre bouche un torrent d'épouvantables jurons.

Mais que font donc ces marins, ces serviteurs, tous ces gens qui ne sont à bord que pour moi, passager, pendant que je m'acharne fiévreusement à cette ridicule gymnastique ? Les marins, me dit le bon sens, ils sont là-haut, sur une vergue que tu ne verrais pas, quand même tu serais sur le pont, parce qu'il fait trop noir ; ils sont cramponnés d'une main à quelque corde qu'ils espèrent solide, aveuglés par les rafales et la pluie qui leur fouettent le visage, et passent un « tour de raban » à cette voile, qui te paraîtra peut-être bientôt plus précieuse que toutes les curiosités des deux mondes. Les domestiques, me dit un bruit de vaisselle qui s'entre-choque, de bouteilles qui roulent au-dessus de ma tête, et le fracas d'une grosse lampe qui a sauté hors de sa suspension, roulé sur les marches de notre échelle et se brise à la porte de ma chambre, ils font, pour assurer ton déjeuner de demain matin, cette même gymnastique ridicule.

Allons ! puisque tout le monde ici travaille pour toi, me suis-je écrié avec résignation, fais comme les autres. Au moment où je prenais cette philosophique décision, j'entends la voix d'un de nos bons camarades, qui, très haut, mais du ton le plus calme, s'adressant à M. de Saint-Clair : « Monsieur, je demande à être débarqué immédiatement !… » Un rire général retentit dans la batterie.

……. ……….. …

Au lendemain de cette nuit trop mémorable, le temps s'était beaucoup embelli ; le *pampero* que nous avions traversé était allé porter ses ravages ailleurs, et, malgré la température un peu fraîche, nous nous sentions gais et dispos, lorsqu'une triste nouvelle vint assombrir tous les visages : Ernest était mort ! Notre aimable et pacifique compagnon (vous vous souvenez, lecteur, du rôle important qu'il avait joué dans la fête de la ligne), épargné jusqu'ici par le couteau fatal ; Ernest, qu'il était vaguement question de ramener jusqu'en France, avait été victime des fureurs de l'Océan. Un coup de mer, passant par-dessus le bastingage, avait rompu la corde qui l'y tenait attaché et précipité du même coup l'infortuné quadrupède dans le panneau du faux pont. Le maître coq s'était fait un devoir d'abréger ses souffrances.

Il n'est pas besoin d'ajouter que nous lui fîmes les seules funérailles dignes d'un excellent animal, dont, même après sa mort, on pouvait encore apprécier les qualités solides et le tendre naturel.

A bord du *Saturno*, 21 septembre.

Nous sommes arrivés à Montevideo il y a quatre jours. Je suis en ce moment à bord du steamer anglais qui fait le service de cette ville à Buenos-Ayres. La *Junon* reste à Montevideo, où elle doit prendre un chargement pour le Chili. Le voyage par les bateaux du fleuve est d'ailleurs plus commode et plus rapide qu'il ne le serait avec notre paquebot qui, tout au contraire du roi Louis XIV, serait par sa grandeur, fort éloigné du rivage argentin et, pendant la traversée, obligé à des précautions qui ralentiraient sa marche. Avec le *Saturno*, partis ce soir à cinq heures, nous serons à Buenos-Ayres au lever du soleil, ayant parcouru sur les eaux calmes du Rio de la Plata une distance d'environ 110 milles (200 kilomètres).

Les terres des deux côtés étant très basses, il n'y aurait, même en plein jour, rien d'intéressant à regarder. Ce que je puis faire de mieux est donc de noter mes impressions sur la capitale de l'Uruguay.

Ainsi que le Brésil, la république de l'Uruguay est un pays essentiellement agricole ; ainsi que Rio-de-Janeiro, Montevideo est un port de commerce très fréquenté, dont les exportations tendent à s'accroître rapidement. Mais là s'arrêtent les ressemblances. Pour quiconque vient du Brésil, l'arrivée à Montevideo est une surprise complète.

Le long des côtes, plus de ces masses altières de pics rocheux ou de collines aux versants boisés. Nous avions pris l'habitude de regarder en l'air pour contempler les montagnes, il faut la perdre ici ; les éminences décorées du nom de *sierras* et de *cerros* sont des ondulations qui, le plus souvent, ne dépassent pas deux ou trois cents mètres au-dessus de la mer.

Ayant atterri dans la nuit du 16 au 17 sur l'île de Lobos, sentinelle avancée qui marque l'entrée du Rio de la Plata, nous avons passé à l'heure du déjeuner près de Florès, îlot bas et aride, et bientôt nous pûmes distinguer la ville de Montevideo, située sur une petite presqu'île rocailleuse, à la partie orientale de la baie qui porte son nom. De l'autre côté, nous apercevons le fameux *Cerro* (colline), dont les Montévidéens sont très fiers, bien qu'il n'ait que 150 mètres d'élévation[2]. A l'horizon, semblable à celui d'une mer, aucune chaîne de montagnes, aucun pic ; on devine qu'au delà de cette ligne presque droite s'étend la plaine à peine ondulée, uniforme, la plus grande qui soit au monde. C'est là, en effet, que commencent les *Pampas*, ces steppes de l'Amérique du Sud, où l'Indien recule sans cesse devant le moderne *gaucho*, et qui n'ont d'autres limites que le détroit de Magellan au sud, et à l'ouest la Cordillère des Andes.

[2] Monte-Video : Je vois une montagne.

Nous avançons lentement vers le mouillage, en sondant continuellement ; bien loin encore de la ville, nous trouvons des fonds de dix mètres, et la hauteur de l'eau diminue graduellement à mesure que nous approchons. A un mille et demi environ de terre et presque au milieu de la ligne qui joint les deux extrémités de la baie, le timonier crie : « Six mètres ! » Impossible d'avancer davantage sans échouer ; la *Junon* mouille successivement ses deux ancres, reçoit aussitôt les visites de la direction du port et du service de la santé ; une heure après, nous étions tous à terre.

On débarque au quai de la Douane, le long duquel sont construits de vastes entrepôts. Nous voici dans la ville. Les rues se coupent toutes à angle droit, formant ainsi une quantité de carrés réguliers. C'est un immense échiquier, comprenant trois à quatre cents cases, qu'on nomme *cuadras*, et sur lequel sont élevées plus de 11,000 maisons.

De couleur locale, point. Cependant la ville a un aspect plus « à son aise » que Rio-de-Janeiro. Les voies sont larges, assez bien pavées, les maisons surtout mieux construites, affectant parfois un caractère architectural simple et confortable. Toutes sont édifiées dans le goût européen moderne, façon italienne, mais sans aucun cachet d'originalité ; par les cours grandes ouvertes, nous remarquons le soin et la grâce avec lesquels l'intérieur de ces habitations est arrangé : propreté parfaite, fleurs en profusion, escaliers spacieux de marbre blanc et noir, légères grilles en fer forgé d'un travail élégant, tout cet ensemble donne aux maisons des « bourgeois » de Montevideo un air riant qui indique la vie de famille et prévient en leur faveur.

Les rues principales sont bordées de jolis magasins, assez bien approvisionnés, où nous rencontrons pour la première fois des dispositions rappelant les inimitables étalages de nos boutiques parisiennes. Une grande partie de ce commerce paraît être entre les mains de nos compatriotes.

Dans les rues adjacentes, nous remarquons que la plupart des maisons n'ont pas de toiture ; elles seront surhaussées au fur et à mesure de l'accroissement de la population.

On se perdrait en parcourant tous ces carrés pareils les uns aux autres, si l'on n'avait presque constamment des échappées de vue sur l'Océan, le Cerro et le fond de la baie ; et bien certainement, de tels horizons, auxquels les habitants des capitales sont rarement accoutumés, contribuent beaucoup à donner un aspect gai à cette ville dont le plan est si uniforme. Elle n'est pas, d'ailleurs, tellement grande, qu'on ne puisse s'y retrouver en traversant quelques places, entre autres celle de la cathédrale, dont les deux tours fort élevées servent d'amers aux vaisseaux venant du large.

Je ne répéterai pas à propos de Montevideo ce que j'ai dit des tramways de Rio. Comme ceux de la capitale du Brésil, les tramways ici s'en vont jusqu'à plus de deux lieues dans la campagne ; le service en est très bien fait, et la population urbaine de toutes classes en fait un constant usage.

Pendant ma première journée, j'ai voulu aussi visiter quelques monuments, afin de me débarrasser le plus tôt possible du tribut que tout voyageur consciencieux doit payer à la curiosité officielle et obligatoire. Pour être sincère, je dois vous dire, lecteur, que je réserve ma vraie curiosité pour les choses qui ne se voient pas aussi facilement que les églises ou les bibliothèques et qui laissent des impressions alors que toutes les bâtisses du monde (je ne parle pas des œuvres d'art) laissent à peine des souvenirs.

Des édifices de Montevideo, je ferais tout aussi bien, sans doute, de ne vous point parler. C'est bien fait, c'est pratique, moderne, civilisé, commode, intelligent ; vous voyez que je ne leur marchande pas les éloges, mais ce n'est pas plus que ce que je viens de dire. Aucune critique n'est cachée sous mon approbation, si laconique qu'elle soit ; je me borne à constater qu'une description de la Poste, de la Bourse, du Palais du gouvernement, des marchés, voire même des églises et autres… curiosités de la capitale de l'Uruguay aurait de grandes chances de ne pas vous intéresser.

Je ne mentionnerai le *Teatro Solis*, fort belle salle confortablement installée et ornée avec goût, que parce que nous avons eu la satisfaction d'y entendre une œuvre nouvelle, dénommée sur l'affiche « *la tan aplaudida opera Parisina, por el maestro Garibaldi.* » Le maestro Garibaldi, de Montevideo (et non de Caprera), nous a paru agir sagement en faisant représenter sa pièce sur les bords de l'océan Austral ; non que la musique n'en soit admirable, ce que j'ignore, car, en ce temps de batailles entre les dilettanti, il est difficile de savoir à quoi s'en tenir en pareille matière, mais tout uniment parce que, au rebours du proverbe, il est prophète en son pays et ne le serait peut-être pas ailleurs. *Parisina* a donc été « tan aplaudida » en notre présence, que, pour ne pas manquer aux lois de la politesse, nous avons dû joindre nos impartiales manifestations au bruyant enthousiasme de nos voisins.

Résumant mes impressions sur le Théâtre Solis, son architecture, l'arrangement de la salle, l'œuvre représentée et l'interprétation des chanteurs, je puis assurer que ce qui m'a paru le plus intéressant et le plus artistique, c'est la beauté des femmes montévidéennes, groupées comme de frais bouquets de printemps aux deux premiers rangs des loges.

Elles ont le type espagnol, avec son éclat incomparable, son originalité, sa grâce d'un ordre tout particulier, sa hardiesse, pleine cependant de langueur et d'indolence ; mais, plus affiné, plus régulier, un peu français, parfois presque parisien. Les attitudes sont aisées et simples, les physionomies sont aimables, et le jeu de l'éventail n'a pas, grâce à Dieu, pris cette allure mécanique à laquelle un Castillan ne s'habituerait pas ; mais, s'il n'est pas moins expressif, il est cependant plus réservé et moins rapide.

En sorte que, tout compte fait, nous avons emporté du Théâtre Solis, de l'opéra nouveau, et de notre soirée, un fort agréable souvenir.

Le lendemain, nous avons été reçus au Cercle français avec la plus franche et la plus cordiale hospitalité. Tous les renseignements utiles sur le pays ont été mis à notre disposition, et toutes les excursions possibles nous ont été offertes par l'obligeance de nos compatriotes, qui nous ont reproché amèrement de ne faire auprès d'eux qu'un séjour de trop courte durée.

Après les félicitations, les poignées de main, une heure ou deux de conversations à bâtons rompus, dans lesquelles nous ne parlons que de l'Uruguay, et où on ne nous parle que de la France, nous voici en route pour une promenade aux environs. Il ne s'agit encore que d'aller dans une *quinta* (maison de campagne), à quelques lieues de là, goûter la cuisine des *gauchos*[3] ; mais on a projeté pour demain une excursion à l'un des *saladeros*[4] situés sur le versant du Cerro.

[3] Le *gaucho* est l'homme de la campagne, produit du mélange de l'Indien avec l'Espagnol.

[4] Abattoirs.

Notre expédition est dirigée par M. Charles Garet, le vice-président du Cercle, directeur du journal la *France*. Une demi-douzaine de calèches nous entraînent rapidement hors de la ville ; en arrière, rebondit un fourgon bourré de victuailles, parmi lesquelles, et comme pièces de résistance, quatre ou cinq *churrascos*, ou énormes quartiers de bœuf, destinés à être rôtis tout entiers. On a comblé les vides du fourgon à l'aide de petites caisses, renfermant un nombre respectable de bouteilles de bon bordeaux, et joint à ces éléments dignes d'intérêt tout un outillage de fourchettes et de couteaux, car nous mangerons en plein air, dans la pampa.

Ce n'est pas ainsi, je le reconnais, que se font les explorations scientifiques ; mais voyageant, comme dit le programme, pour notre instruction et pour notre plaisir, il faut bien de temps en temps nous conformer à cette seconde partie du règlement.

Le faubourg que nous traversons d'abord est d'aspect fort gai et surtout extrêmement varié. C'est un nid à maisons de campagne dans le genre de Passy, mais pas une seule d'entre elles qui ressemble à sa voisine. Il y en a de gothiques, de grecques, d'italiennes, de mauresques, de chinoises... Quelques-unes sont de haute fantaisie. Tout cela, peint des couleurs les plus tendres, est d'un affreux mauvais goût, comme vous pensez bien. — « Les architectes de ce pays sont donc doués d'une trop riche imagination ? » — Erreur. C'est un Français, un seul, qui a dirigé la construction de toutes ces villas. Informé par un ami des idées particulières des gens de Montevideo, il avait débarqué un beau matin portant sous son bras un album complet tout rempli de temples, de kiosques, de châteaux forts, de pagodes, de chalets et autres pièces montées. Au bout de six semaines, il ne suffisait plus à l'ouvrage. Voyez ce que vaut un bon renseignement.

Ces artistiques cottages, heureusement, sont entourés de charmants jardins. Nous sommes au plus fort du printemps, en pleine saison des fleurs ; si bien que les hautes charmilles, les grands arbres déjà touffus, en cachant une bonne partie des beautés architecturales qui défilent sous nos yeux, nous permettent de louer sans trop de réticences cette série de paysages de convention.

Après deux heures de route, nous arrivons à la *quinta* du señor Herrosa. C'est une grande propriété, admirablement tenue, avec château et dépendances, parterres, serres, jardins et bois. Aux confins de ce magnifique parc s'étend la plaine indéfinie, dont nous ne sommes séparés que par la petite rivière du Miguelete.

A l'ombre de saules gigantesques, on procède aux préparatifs du *churrasco*. En un instant, les énormes quartiers de viande ont été embrochés et déjà rôtissent devant nous, à l'entour d'un énorme brasier, où s'entassent en guise de bûches des arbres entiers garnis de leurs feuilles.

Pendant ce temps, nous attaquons les réserves ; la conversation prend une allure plus vive, les souvenirs viennent plus pressés à la mémoire ; ce grand air, cet horizon immense, ce repas original, quoique excellent, nous mettent dans la meilleure disposition du monde. Ce n'est pas la bonne humeur voulue des gens qui s'amusent « quand même » et pensent que le bruit fera venir la gaieté, sous prétexte que la gaieté amène souvent le bruit. C'est une satisfaction intime et complète, qui se traduit par un continuel échange de questions, de réflexions plus bizarres les unes que les autres, faites en toute sincérité, accueillies avec la meilleure bonne grâce.

Nous causons d'abord des choses de ce pays ; mais bientôt la curiosité s'envole, et c'est un véritable voyage en France que nous faisons avec nos nouveaux amis. On se raconte les histoires d'autrefois, on redit les vers de Musset, de Hugo ; on chante les immortelles vieilleries de Béranger. L'Uruguay ! où est l'Uruguay ? à deux mille lieues assurément de ce groupe en vestes et en chapeaux ronds, d'où s'échappent des refrains de Lecocq, des hémistiches de Murger, et qui, entre deux gorgées de vin de Champagne, trouve place pour une saillie d'une gauloiserie bien authentique.

Que nos aimables hôtes de Montevideo en restent bien certains, nous n'oublierons pas le « voyage autour d'un churrasco. »

Je ne vous dirai pas le retour au triple galop, par un tout autre chemin, et notre rentrée triomphale, et les joyeux « événements » de la soirée.

Le lendemain, malgré les fatigues de la veille, nous étions à cheval au lever du soleil pour aller visiter un de ces établissements d'abattage de bœufs qu'on nomme « saladeros. » Ce sont les *great attractions* du pays. En une heure et demie, nous avons franchi les quatorze kilomètres qui nous séparaient du but de notre excursion. Malheureusement (heureusement pour les âmes sensibles) on ne travaille au saladero qu'en été, c'est-à-dire dans quelques semaines ; il faudra donc nous contenter des explications qui nous seront fournies par le propriétaire du lieu. Tâchons d'être aussi clair et plus bref qu'il le fut.

« Saladero », endroit où l'on sale. Il n'y a pas à s'y tromper ; endroit aussi où on fait disparaître un bœuf comme un prestidigitateur une muscade. Voici comment :

La tuerie commence au point du jour. Les animaux prêts à être abattus sont amenés dans une enceinte qu'on appelle le « brette », vingt par vingt. Cette sorte de chambre circulaire est pavée de dalles glissantes. En un point du mur est fixée une poutre horizontale ; à côté d'elle une poulie dans laquelle passe une petite cordelette ; sur cette poutre est assis un homme armé d'un couteau large, court et aigu.

Non loin de là, un autre homme, monté sur une petite estrade, tient l'une des extrémités de la corde qui passe dans la poulie et n'est autre chose qu'un *lasso*, dont l'autre extrémité est fixée à la selle d'un cheval monté.

Les bêtes sont introduites ; l'homme qui tient le lasso le jette sur l'animal qui lui paraît le mieux à portée, le cheval part au galop. Ainsi traîné par les cornes, le bœuf glisse sur les dalles de la brette et va infailliblement frapper de la tête la poutre où l'attend l'homme au couteau. Un seul coup sur la nuque, le même que porte le *cachetero* dans une *corrida*, quand l'épée de l'*espada* n'a pas tué raide le taureau, et l'animal tombe foudroyé, non pas sur le sol, mais sur un wagon dont la surface est au niveau du sol.

En un clin d'œil le lasso est enlevé, une porte s'ouvre, le wagon glisse et disparaît sous un hangar, où le dépècement se fait sans désemparer. En six minutes environ, un bœuf de forte taille est « lassé », tué, saigné, écorché et dépecé. La chair s'en va au Brésil ou à La Havane, à moins qu'on n'en fasse, sur les lieux mêmes, comme à Fray-Bentos, de l'extrait de Liebig ; les cuirs et le suif sont envoyés à Anvers, à Liverpool ou au Havre ; les os, les cornes et les sabots sont expédiés en Angleterre.

Dans le corral du saladero que nous visitions se trouvaient quelques bœufs. Pensant nous intéresser davantage, le propriétaire en fit abattre un devant nous ; les diverses phases de l'opération furent terminées en six minutes et demie.

On ne tue que pendant quatre mois de l'année ; mais les établissements de quelque importance abattent en moyenne mille têtes par jour, chacun. Détail curieux : le *desnucador*, c'est-à-dire celui qui est chargé du coup de couteau, lequel demande un sang-froid et une sûreté de main extraordinaires, n'est payé que 10 à 12 francs par cent bœufs abattus. Ceux qui touchent la solde la plus forte sont les *charqueadores*, chargés de découper en tranches de quatre à cinq centimètres d'épaisseur les parties destinées à être expédiées comme salaisons.

Assez de boucherie, n'est-ce pas ? Je gagerais que vous trouvez mes impressions sur Montevideo peu intéressantes. Un déjeuner et la visite d'un abattoir, voilà de plaisants récits de voyages ! Vous m'excuseriez peut-être d'inventer, comme tant d'autres, une anecdote quelconque, pour… corser ma narration. Je n'en ferai rien. Permettez-moi seulement de vous dire, comme les orateurs qui croient apercevoir quelques traces de fatigue sur les physionomies de leur auditoire : encore quelques mots, et je termine !

« Pour qu'on puisse peupler les deux importants postes de Montevideo et de Maldonado, j'ai donné les ordres nécessaires afin qu'on vous envoie, par les navires indiqués, *cinquante* familles, dont vingt-cinq du royaume de Galice et vingt-cinq des îles Canaries. » Tel était le texte de l'ordonnance royale adressée d'Aranjuez, le 16 avril 1725, au gouverneur de Buenos-Ayres.

Maldonado n'a pris que fort peu de développement ; quant à Montevideo, elle a aujourd'hui plus de 100,000 habitants, dont 65,000 *nationaux*, ce qui prouve que les vingt-cinq familles de Galice n'avaient pas été mal choisies et comprenaient les devoirs que leur imposait la volonté souveraine.

On pourrait croire que c'est sous la protection d'un gouvernement stable, dans une ère de calme et de travail que la population a pu prendre un aussi rapide essor. Loin de là. Pendant près d'un siècle, le pays fut relativement tranquille ; mais soumis à la domination de l'Espagne, bientôt impatient d'en secouer le joug, il ne jouissait pas de plus de liberté que le Brésil à la même époque et ne prospérait guère. En 1810, la Banda orientale (c'est l'ancien nom, encore très employé, de la république de l'Uruguay) commence à s'émanciper et parvient, en 1828, à se constituer en État indépendant.

Ayant atteint la réalisation de leurs plus chères espérances, les Montévidéens exprimèrent leur satisfaction en se livrant à des guerres civiles non interrompues, auxquelles vint s'ajouter la guerre contre Buenos-Ayres, de 1843 à 1852. Pendant presque tout ce temps, Montevideo fut assiégée par les troupes du dictateur Rosas, et ne dut son salut qu'à l'intervention de Garibaldi. Le combat de San-Antonio, où le célèbre patriote italien battit 1,000 cavaliers et 300 fantassins avec ses 200 légionnaires, a passé à l'état de légende, du moins dans ce pays.

En 1857, nouvelle guerre civile jusqu'en 1860. Les révolutionnaires, battus, laissent enfin s'établir la présidence de Bernardo Berro, sous laquelle le pays est pacifié et s'occupe uniquement de ses propres affaires. Cela dure trois ans. En 1863, la dispute avec Buenos-Ayres recommence de plus belle. Le général argentin Florès tient la campagne contre les gens de l'Uruguay jusqu'à la fin de 1864 et s'allie alors avec le Brésil, qui profite tout naturellement de l'occasion pour entrer en scène. Second siège de Montevideo, bloquée par une escadre brésilienne ; menace de bombardement, panique. Le président Villalba, qu'on a beaucoup blâmé depuis, mais qu'on appelait alors « le vertueux président », livre la ville, le 19 février 1865, au général Florès, « dans l'intérêt de la paix publique, de la sécurité et du bien-être de la cité. » Ce sont les expressions qu'il emploie lui-même dans une lettre de remerciement à l'amiral français Chaigneau, dont l'habileté et l'énergique attitude avaient fait éviter d'irréparables malheurs.

Tout est fini ? Nullement. Le nouveau gouverneur, docile instrument de la politique brésilienne, signe un traité d'alliance avec l'empire esclavagiste et la république Argentine, pour l'envahissement du Paraguay.

Le fameux dictateur Lopez défend son pays pied à pied pendant cinq ans contre les trois puissances alliées et meurt, assassiné, dit-on, ce qui met fin à une guerre qu'un peuple décimé ne pouvait, d'ailleurs, prolonger davantage.

Vers cette époque, deux partis se dessinent nettement dans l'Urugay : ce sont les *colorados*, ou rouges, et les *blancos* qui s'intitulent aussi *restauradores de las leyes*. Leur but est bien net, sinon bien avoué : rester au pouvoir quand ils y sont, et y arriver quand ils n'y sont pas.

En 1868, Florès est assassiné. En 1870, les *colorados*, alors maîtres de la ville, sont vivement attaqués par les *blancos* et parviennent à s'en débarrasser. Mais ce n'est que pour peu de temps, la lutte recommence bientôt. Enfin, en 1872, les deux partis semblent réconciliés : enthousiasme général.

Nous arrivons aux événements tout à fait récents qui ont amené la situation politique actuelle. On pourrait en retrouver d'analogues dans l'histoire de certains pays d'Europe ; cependant elle ne laisse pas que d'être assez originale.

Vous avez deviné ou pressenti qu'au fond de ces querelles faites au nom de la liberté, de l'ordre, du progrès, de la loi, etc., les questions financières étaient *de fait* seules en jeu. « Être ou ne pas être » est bien le dilemme terrible qui s'impose aux pays troublés ; mais les politiciens le traduisent : « Avoir ou ne pas avoir ». Je retourne sur les bords du Rio de la Plata, si vous avez pu supposer que je les aie quittés, et je continue.

Vers la fin de 1874, l'avocat Jose Ellauri, président depuis près de deux ans, ayant soumis des projets d'emprunt qui rencontraient une vive opposition dans les Chambres, hésitait à les faire agréer par la force. Cependant, le déficit étant considérable, il était urgent de prendre une décision. Pendant qu'il discute et tergiverse, un jeune chef de bataillon, M. Latorre, harangue la garnison, l'entraîne, dépose le président et fait nommer M. Pedro Varela, qui lui confie le portefeuille de la guerre, en témoignage de sa reconnaissance.

Mais M. Varela n'était pas homme à pouvoir arranger des affaires aussi embarrassées que celles de l'Uruguay. Le désarroi était complet, le désordre à son comble, le pays écrasé par une dette de papier-monnaie de 12 millions de piastres, c'est-à-dire environ de 60 millions de francs. Des troubles surgissent à l'intérieur ; Latorre, de plus en plus nécessaire, parcourt le pays, prêche la concorde et le patriotisme, frappe rudement, mais adroitement sur les plus compromis, et revient à Montevideo.

En son absence, la situation était devenue ce que deviennent généralement les situations mauvaises, quand on n'y applique pas quelque remède énergique : elle avait empiré. M. Varela, impuissant à la modifier, inquiet, indécis, ne tenait plus à ce pouvoir dont il n'avait pas su se servir. Pour le quitter, il suffisait qu'une manifestation populaire l'y autorisât ; elle eut lieu, cela va sans dire, et, le 10 mars 1876, l'autorité suprême passait, sans discussion, aux mains de l'homme indispensable, du sauveur, le colonel don Lorenzo Latorre, qui régit et gouverne à son gré depuis cette époque les destinées de la république démocratique et représentative de l'Uruguay.

La constitution pourvoit le pays de sénateurs et de députés ; elle est très libérale et très parlementaire, mais, pour le moment, il n'y a dans la « Banda Oriental »

Ni représentants,

Ni sénateurs,

Ni président.

Il y a le dictateur Latorre, accepté, reconnu, acclamé, qui promulgue ainsi ses décrets :

« Le gouverneur provisoire de la République, de par les facultés ordinaires et extraordinaires *qu'il revêt*, en conseil des ministres, a résolu et décrète, etc. »

Ne croyez pas que M. le gouverneur provisoire ne s'occupe que de l'expédition des affaires courantes et ménage ostensiblement les partis contraires pour rester plus longtemps au pouvoir ; M. Lorenzo Latorre, je l'ai dit, gouverne. Il a rétabli la discipline dans l'armée, purgé l'administration, fait rendre gorge à ceux qui avaient trop impudemment pillé les caisses de l'État ; il supprime les journaux qui lui déplaisent et met en prison les raisonneurs. M. Latorre n'est peut-être pas un économiste de premier ordre ; cependant, depuis deux ans et demi, il a amorti sept millions de piastres de papier-monnaie, tandis que la dette de la république Argentine s'est accrue d'à peu près autant dans le même temps.

Le nouveau maître de l'Uruguay s'est bien gardé de violer la constitution. Il y eût risqué de recevoir un coup de couteau. En prenant le pouvoir, il a convoqué les électeurs pour 1877 ; mais une *pétition* des départements l'ayant engagé à continuer sa dictature, c'est au mois de novembre 1878 qu'auront lieu les élections. Leur résultat n'est pas douteux, et, jusqu'à ce qu'un plus avisé que lui trouve moyen de dépopulariser le dictateur, M. Latorre continuera à tenir l'Uruguay dans sa main. L'histoire lui donnera-t-elle tort ou raison ? C'est ce que chacun ignore, et je n'aurais garde de me prononcer sur un point aussi délicat.

BUENOS-AYRES

La rade. — Débarquement en voiture. — La sortie de la messe. — Visite à M. le comte Amelot de Chaillou. — De Buenos-Ayres à Azul. — Chasse dans la pampa. — Les gauchos. — Une colonie russe-allemande. — Complications politiques. — Influence des étrangers.

Buenos-Ayres, 25 septembre.

On sait que le Rio de la Plata est un immense bras de mer de plus de cent milles de long et cinquante de large, où se jettent les deux grands fleuves le Parana et l'Uruguay, tous deux venant du nord et prenant leur source au Brésil, le premier à l'ouest, le second à l'est. Montevideo est sur la côte nord, tout près de l'entrée ; Buenos-Ayres, sur la côte sud, tout près du fond.

Ces deux villes se ressemblent beaucoup, et presque toutes les particularités de la première se retrouvent plus accentuées dans la seconde. Montevideo est située sur un terrain à peine ondulé ; Buenos-Ayres, sur un terrain absolument plat. Nous avons vu que les grands navires doivent, à Montevideo, mouiller à près d'une lieue de terre, sous peine d'échouer ; c'est à trois lieues qu'il leur faut s'arrêter lorsqu'ils vont à Buenos-Ayres. Découpée en petits carrés comme la capitale de l'Uruguay, celle de la république Argentine a été construite sur un plan analogue, mais plus régulier encore. C'est une très grande ville, qui a bien tournure de capitale, et qui, au contraire de celle que je viens de quitter, est plus imposante que gracieuse.

Mais procédons par ordre. Je reprends le cours de mon récit.

Arrivés de fort bonne heure dimanche dernier avec le *Saturno*, le soleil, en se levant, nous montra, sur une longue ligne jaune très fine, une autre longue ligne blanche et jaune s'étendant sur un développement de près de quatre kilomètres. Au-dessus, quelques coupoles, quelques tours carrées ; sur la gauche un peu de verdure : c'est Buenos-Ayres.

Auprès de nous, fort peu de navires, cinq ou six petits vapeurs de la taille du *Saturno* et quelques grosses barques de faible tonnage. Où sont donc les paquebots, les clippers, les grands trois-mâts ?... Un de mes compagnons me fait tourner le dos à la ville et me montre à l'horizon, encore tout embrumé, les mâtures des navires de commerce qui paraissent au loin comme une haie de pieux plantés au hasard.

Les bâtiments du service local, construits de manière à ne caler que très peu d'eau, peuvent, comme le *Saturno*, venir aussi près de Buenos-Ayres que la *Junon* l'est de Montevideo ; mais les autres restent hors de la portée de la vue et n'ont d'autre horizon que la mer, en sorte que cette relâche doit être pour eux mortellement ennuyeuse et incommode.

Nous embarquons, non sans peine, dans des canots de passage, car il règne sur toute la rade un clapotis assez fort et une brise que nos souvenirs du Brésil nous font trouver bien fraîche. Arrivés à un demi-kilomètre de la plage, nous voyons des charrettes à grandes roues, traînées par deux chevaux, venir au-devant des embarcations. C'est qu'il n'y a pas assez d'eau pour que les plus petits bateaux puissent accoster le rivage. Nous nous transbordons dans ces véhicules, et nous roulons lentement vers la côte à travers les eaux, sur un sable tellement dur que les roues de ces charrettes n'y laissent qu'une faible trace.

Bientôt nous voici débarqués, et nous nous rendons à la douane pour faire visiter nos valises.

Il paraît que, lorsque le « *pampero* », terrible tempête du sud-ouest au sud-est, très fréquente dans ces parages, a soufflé pendant longtemps, le rivage reste parfois découvert sur une étendue de plusieurs milles ; les bâtiments demeurent alors à sec, et les marins peuvent se promener à leur aise autour de leurs navires. On raconte même qu'il y a quelques années, en pareille circonstance, le gouvernement dépêcha un escadron de cavalerie pour se rendre maître d'une canonnière montée par le général révolutionnaire Urquiza. Cette petite expédition n'eut pas, cependant, tout le succès qu'on en attendait ; les canons braqués contre la cavalerie l'obligèrent à se replier avant qu'elle eût fait la moitié du chemin, en sorte que les « loups » de mer n'eurent même pas à repousser l'attaque des « chevaux » marins.

Après un rapide déjeuner à l'européenne, sinon tout à fait à la française, je veux d'abord courir un peu au hasard dans la ville.

Je vous ai dit que c'était dimanche, et nous sommes à l'heure où l'on sort des églises. Me voici de nouveau sous l'impression que m'ont laissée les loges du théâtre de Montevideo, impression charmante et qui me remplit d'indulgence pour les rues monotones et mal pavées, pour les édifices sans grâce, pour le terrain tout plat, pour les nuages de poussière que soulève la moindre brise. Buenos-Ayres ! une ville ennuyeuse ! Non, il n'y a pas de ville ennuyeuse là où il suffit d'aller se planter à la porte de la première église venue pour en voir sortir un flot d'élégantes et gracieuses jeunes femmes à l'air aimable, à la physionomie ouverte, aux grands yeux expressifs.

Je n'étais pas tout seul à regarder ce joli spectacle. Un assez grand nombre de jeunes gens, qui certes n'étaient pas des étrangers, en jouissaient comme moi, et même bien mieux que moi, car c'étaient des saluts, des sourires, des bonjours, à n'en plus finir.

Tout ce monde paraissait fort satisfait et de belle humeur. N'ayant de compliments et de coups de chapeau à adresser à personne, je commençai à éprouver cette sensation désagréable de la solitude au milieu de la foule, et je sautai dans un tramway qui passait, sans m'enquérir de l'endroit où il se proposait de me mener.

Un quart d'heure après, j'étais hors des voies fréquentées, dans un faubourg aristocratique nommé Florès. J'aperçus quelques jardins, entourant de somptueuses maisons de campagne, mais pas l'ombre de pittoresque, pas même la fantaisie artificielle et voulue des *quintas* de Montevideo.

Une courte promenade suffit cependant à chasser mes idées noires, et je rentrai dans la ville, l'heure étant venue d'aller rendre visite à notre ministre de France, M. le comte Amelot de Chaillou.

J'appris qu'il demeurait à la campagne, un peu plus loin que ce même faubourg où ma mauvaise humeur m'avait jeté. Plusieurs de nos compagnons se joignirent à moi, et nous voilà de nouveau partis dans un immense landau de louage, roulant assez grand train. L'accueil de notre ministre fut aussi cordial et sympathique qu'il est possible de l'imaginer. Il eut la bonté de mettre à notre disposition, non seulement sa grande expérience du pays, mais aussi tous les moyens dont il disposait pour nous faciliter une excursion dans l'intérieur.

Notre premier projet était de remonter le Parana jusqu'à Rosario et de nous enfoncer alors dans la pampa pour y faire quelque grande chasse à l'indienne. Il nous fallut y renoncer, faute de temps. Le comte Amelot nous proposa alors un petit voyage par le chemin de fer jusqu'à une ville nommée Azul, située à soixante et quelques lieues au sud de Buenos-Ayres. Faisant ce trajet dans la journée, nous verrions bien le pays : à Azul même, nous assisterions aux travaux de la campagne, nous verrions prendre et dompter les chevaux sauvages, nous tirerions des coups de fusil tant qu'il nous plairait, et après avoir vécu deux jours de la vie de l'*estancia*, nous reviendrions assez à temps pour ne pas manquer le bateau du 25.

Ce plan accepté avec enthousiasme, M. le comte Amelot fit tout préparer lui-même, si bien que le lendemain, à la pointe du jour, nous n'eûmes d'autre peine que de nous installer dans un wagon spécial que la compagnie du chemin de fer avait mis gracieusement à notre disposition. Un instant après, le train filait à toute vapeur sur la plaine unie du territoire argentin.

A peu de distance de la ville, et après avoir dépassé quelques champs de maïs, nous avions déjà sous les yeux l'aspect de la pampa, s'étendant devant nous, immense, sans limites, sans variété, comme l'Océan ; rarement accidentée par quelques plis de terrain qui rendent la comparaison plus juste encore en rappelant la longue houle de l'Atlantique. A l'avant de la machine, on a fixé une sorte de treillis formé de grosses barres de fer, inclinées à droite et à gauche, c'est un chasse-bœufs destiné à culbuter en dehors de la voie les animaux errants. Parfois la machine siffle, ralentit et même s'arrête pour laisser passer un troupeau, ou bien ce sont des bandes de chevaux qui s'enfuient en un galop désordonné, effrayés par notre passage et le bruit de la locomotive.

Nous courons ainsi toute la journée à travers l'immensité verdâtre des plaines, nous arrêtant à de longs intervalles devant quelques pauvres villages, pour laisser monter et descendre des familles de paysans.

A moitié chemin à peu près, nous faisons une halte pour déjeuner et pour laisser passer le train qui vient d'Azul, car la voie est unique. Il n'y a d'ailleurs qu'un départ par jour, et les trains ne marchent pas la nuit. A partir de là, les villages deviennent rares. Nous ne voyons plus que de pauvres ranchos aux toits de chaume, soutenus par quelques murs en pisé, avec une porte basse, souvent sans fenêtres, et de loin en loin quelques estancias enveloppées dans des bouquets de verdure. Le paysage n'est animé que par la rencontre de gauchos voyageant au galop de leurs petits chevaux. Ce sont de beaux hommes, vigoureusement découplés, cavaliers incomparables. Tous portent le même costume : le traditionnel *puncho*, tunique sans manches, avec un trou pour passer la tête ; sa couleur varie du jaune au brun.

Le puncho est fait de laine de guanaque ; c'est un excellent et solide vêtement qui ne manque pas d'une certaine grâce ; un large pantalon blanc, ne descendant qu'à mi-jambe, des bottes en cuir, ornées d'énormes éperons, un feutre mou sur la tête : voilà tout l'habillement du gaucho.

Notre route se poursuit au milieu d'innombrables troupeaux de moutons, de bœufs et de chevaux, qui paissent en liberté ; mais quand une bête s'écarte trop, elle est immédiatement saisie et ramenée à l'aide du lasso. Nos regards se fatiguent à la longue de ces plaines immenses et uniformes, qui n'attirent par aucun charme et qui semblent ne donner aucune promesse, malgré cette extraordinaire fertilité qui leur permettrait de nourrir le bétail de toute l'Amérique.

L'aspect est bien différent, paraît-il, dans les territoires au nord de La Plata, où la végétation est entretenue par l'humidité des grands fleuves qui les arrosent et parfois les inondent. Mais ici nous sommes dans la basse pampa, où l'on ne trouve ni fleurs, ni arbres, ni montagnes, véritable désert de verdure empreint d'une poésie triste et monotone. Pas un buisson ne se dessine sur l'azur pâle du ciel. Les abords de la voie ferrée et les rares chemins, seulement tracés par le passage des troupeaux, sont bordés de milliers de squelettes, funèbres jalons que nous avons constamment sous les yeux. Nous rencontrons aussi des marais ou lagunes, formés par des dépressions de terrain où l'eau des pluies a pu se conserver. Ce sont les seuls abreuvoirs des animaux de la pampa.

Enfin, nous atteignons Azul au coucher du soleil.

L'aspect tout européen de cette petite ville surprend le voyageur, surtout s'il a été prévenu qu'à quelques lieues seulement au delà il peut rencontrer des tribus indiennes, vivant encore à l'état sauvage, et n'ayant pas fait leur soumission. La plupart des maisons ne comprennent qu'un rez-de-chaussée ; elles sont construites en brique et assez bien tenues. Les rues sont larges, tirées au cordeau, non pavées, mais garnies de trottoirs formés de larges dalles. Çà et là quelques bouquets d'arbres, entre autres sur la grande place, où est édifiée l'église.

Nous trouvons bonne table et bon gîte dans le principal, je n'ose dire le seul hôtel de l'endroit, et après une courte promenade, assez fatigués tous de notre journée en chemin de fer, nous allons nous reposer.

Le lendemain matin, nous recevons la visite d'un Français, M. Theers, qui a fondé cette colonie il y a une vingtaine d'années ; notre compatriote est maintenant grand propriétaire et, de plus, remplit les honorables et délicates fonctions de juge de paix. Il nous offre fort aimablement ses services et nous donne d'abord quelques renseignements sur la ville.

Azul compte aujourd'hui environ 6,000 habitants, y compris les gauchos et les Indiens. En 1875, ces derniers campaient encore autour de la ville ; mais, après une révolte presque générale des tribus, des renforts considérables furent envoyés de Buenos-Ayres, et les Indiens, repoussés jusqu'à cinquante lieues de distance, durent établir leurs campements aux lieux où ils avaient été refoulés. Ces tribus, derniers vestiges des Indiens Pehuenches et des Indiens Pampas, tendent à disparaître. On estime que, sur tout le territoire de la république Argentine, il ne reste plus guère que dix mille Indiens insoumis, dont une fraction seulement, celle qui confine aux terres exploitées, peut causer quelque appréhension. Cependant, ce n'est pas un mince travail pour les troupes du gouvernement que de garder une ligne de frontières de plus de cent lieues d'étendue, où elles sont obligées de se protéger par de larges fossés, sortes de barrières que l'on ne manque pas d'avancer chaque fois que l'occasion s'en présente.

Des détachements de cavalerie sont continuellement en marche pour observer les mouvements des Indiens et prévenir des surprises d'autant plus dangereuses que les prisonniers sont rarement épargnés. Les tribus insoumises ne font pas de quartier et torturent longuement leurs victimes avant de les mettre à mort, c'est-à-dire avant de les scalper. Moins la torture et le scalp, les troupes argentines répondent par des représailles analogues.

Le but des opérations militaires actuelles est de refouler les indigènes jusqu'au delà du rio Negro, à la hauteur du 40e degré de latitude sud. Depuis longtemps, ce fleuve est indiqué sur les cartes comme séparant la république Argentine de la Patagonie. Les prétentions des Argentins ne s'arrêtent même pas là ; ne voyant aucune raison pour que le mouvement commencé ne se continue pas, ils prétendent déjà avoir des droits sur la Patagonie elle-même ; mais comme le Chili affiche également les mêmes prétentions, que chaque pays prend la chose fort au sérieux et n'en veut, sous aucun prétexte, démordre, on ne sait comment sera tranché le différend.

Ce qui est bien assuré pour l'instant, c'est que la Patagonie est non seulement à conquérir, mais à explorer, et que, par conséquent, elle appartient sans contestation de fait... aux Patagons. Je reviendrai sans doute sur cette grave affaire quand j'aurai pris mes renseignements dans le détroit de Magellan et entendu la partie adverse — au Chili.

Notre excellent compatriote nous présente à un aimable Hollandais, M. Freers, propriétaire d'une grande estancia des environs, qui nous invite à venir chasser sur ses terres. Nous voilà bientôt tous armés jusqu'aux dents et galopant dans la pampa. Arrivés à un quart d'heure de la ville, le carnage commence ; si nous avons été obligés de renoncer à tirer l'autruche et le guanaque, qu'on ne rencontre guère près des habitations, nous nous rattrapons en revanche sur un gibier moins remarquable, mais plus abondant. En moins de deux heures, plus de trois cents pièces sont abattues : ce sont des vanneaux, des poules d'eau, des canards d'espèces variées, sans parler des perdrix, des bécasses...; nous avons même tué des chats-huants. Au bruit de nos détonations, des bandes ailées disparaissent à tire-d'aile, emplissant l'air de leurs cris. Nous avons le regret de laisser échapper quelques chevreuils, hors de la portée de notre tir, ainsi que des flamants et de beaux cygnes à col noir qu'il est impossible d'approcher.

Les incidents comiques ne manquent pas. Ce terrain, tout coupé de lagunes, est un véritable marécage, et nous nous trouvons parfois dans l'eau jusqu'à mi-jambe. Plusieurs d'entre nous vont ramasser leurs victimes jusqu'au milieu des mares, avec le faible espoir d'être garantis par leurs bottes : ils sont bientôt aussi trempés que les canards qu'ils rapportent.

En revenant de cette brillante mitraillade, chargés d'assez de victuailles pour approvisionner tout un marché, on nous conduit au grand corral de l'estancia. C'est là qu'on amène les troupeaux qui ont à subir quelque opération. En ce moment, des gauchos sont occupés à dompter des chevaux sauvages ou, pour mieux dire, des chevaux indomptés, car, malgré tout le respect dû aux récits des voyageurs, mes confrères, il n'y a plus de chevaux sauvages dans la pampa. Chaque troupeau appartient à un propriétaire, qui fait marquer tous les poulains d'un an sur la cuisse gauche, et si l'animal vient à être vendu, la marque du vendeur appliquée une seconde fois, jointe à celle de l'acheteur, constitue un contrat tout aussi formel que si deux notaires en lunettes y avaient apposé leurs illisibles signatures.

L'habileté des gauchos dans le terrible exercice que nous avions sous les yeux est absolument surprenante. C'est une lutte adroite et brutale en même temps, qui, naturellement, se termine toujours à l'avantage de l'homme. L'animal a été préparé par un séjour de quelques nuits à l'entrave, il est déjà un peu fatigué ; on le chasse alors dans le corral. Le gaucho fait tournoyer son lasso à distance et le jette dans les jambes de la bête ; le nœud coulant se resserre ; le cheval, écumant de colère, arrêté court dans ses bonds, fait deux ou trois culbutes sur lui-même, entraînant parfois le dompteur, qui se laisse choir comme une masse inerte, pour ne pas culbuter lui-même et offrir plus de résistance. Le même animal subit plusieurs fois le lasso, et il est bien rare qu'après une demi-douzaine d'expériences, qui ne durent jamais plus de vingt minutes, il ne soit possible alors de lui sangler une selle et de lui passer un licol. Le plus fort est fait. Le dompteur peut alors le monter. Cette première course est furibonde ; mais la pauvre bête est devenue incapable de prolonger longtemps des mouvements aussi désordonnés, que le gaucho supporte d'ailleurs sans jamais vider les arçons. Il ne faut plus qu'une course d'une quinzaine de lieues dans la pampa pour que le cheval soit tout à fait docile.

En résumé, cet exercice est une affaire d'habitude, à laquelle il faut joindre des qualités d'adresse et de sang-froid que l'homme de la pampa possède au plus haut degré.

J'ai examiné ce type du gaucho comme un des plus étranges parmi ceux que présente la famille humaine. Il est entier, complet, original, et tout ce qu'on m'en a dit me l'a rendu plus intéressant encore.

Fils d'Espagnol et d'Indien, il est aussi rusé que celui-ci et joue volontiers de la *navaja* comme celui-là ; comme tous deux, il aime par-dessus tout son indépendance ; il se complaît dans son existence solitaire, saine et rude. C'est lui qui a fait de la pampa autre chose qu'une plaine inutile. Il en est le véritable souverain, il l'aime comme le *targui* aime le désert. Elle n'est rien que par lui. C'est non seulement sa patrie, mais sa seule patrie possible.

Les défauts du gaucho sont d'être joueur et vaniteux. Cet homme à demi sauvage, qui passe la plus grande partie de sa vie à lutter contre les chevaux et les taureaux, aime l'élégance. Les jours de fête, et surtout les jours de courses, son costume, et le harnachement de son cheval, surchargé d'ornements en argent, témoignent de ses goûts de luxe. Cependant, l'idée d'acquérir, d'économiser ne lui vient pas. La monnaie n'a pour lui que la valeur d'un désir immédiatement satisfait, l'avenir ne signifie rien. L'horizon de sa pensée est aussi étroit qu'immense est celui qui s'offre chaque jour à sa vue. Son cheval, son lasso, voilà ses seuls instruments de travail, mais d'un travail au grand air, au grand soleil, qui l'enchante et l'enivre. Il a une femme, des enfants ; quoique bien rarement le mariage ait pu être enregistré, il reste fidèle à sa femme, qu'il voit peu et dont il ne s'occupe point. Les garçons commencent à monter à cheval à quatre ans ; vers dix ans, ils galopent sans crainte et sans danger sur les chevaux les plus difficiles ; leur éducation est terminée.

Parfois le gaucho laisse une partie de sa raison dans une *pulperia*, sorte de bouge qui est à la fois une auberge, une boutique et un cabaret ; mais à l'habitude il ne boit que de l'eau et se nourrit exclusivement de viande sans pain.

Nous avons vu à notre passage à Azul plusieurs types de femmes, qu'il semble difficile de rattacher, comme celui du gaucho, à un type unique. Le préjugé de la couleur n'existant nullement ici, on y trouve le croisement le plus varié entre le sang blanc, le sang indien et même le sang nègre. En résumé, les hommes nous ont paru se ressembler beaucoup plus entre eux que les femmes, dont quelques-unes ont des traits parfaitement réguliers et sont vraiment belles.

Je reviens à notre aimable Hollandais, qui est décidément un des notables de la province ; il nous a fait connaître le nombre des *têtes* dont il est propriétaire ; je le transcris ici textuellement : 35,000 moutons, 5,000 bœufs et 600 chevaux. Si l'on veut se faire une idée de ce que représente une telle fortune, il n'y a qu'à compter les moutons pour 10 francs, les bœufs pour 50 francs et les chevaux pour 100 francs. C'est le prix que valent ces animaux à Azul. M. Freers, très au courant de tout ce qui touche à l'industrie pastorale du pays, nous donne le chiffre total du bétail de la république Argentine ; il n'est pas moindre de 78 millions de têtes, se décomposant comme suit : 4 millions de chevaux, 13 millions et demi de bœufs et de taureaux, 57 millions de moutons, 3 millions de chèvres, 250,000 mulets et 250,000 porcs. Ces animaux sont répartis sur un espace de 136,000 lieues carrées de plaines, où le manque de bois est presque complet. Des trèfles, des herbes élevées et des chardons constituent la seule végétation que l'on rencontre avant d'arriver au pied de la formidable barrière des montagnes. Puisque j'ai cité le total des têtes de bétail de la république Argentine, je rappellerai en même temps le chiffre relatif à l'Uruguay qui comprend environ 19 millions de têtes, dont 12 millions de moutons, 6 millions de bœufs et 1 million de chevaux.

Beaucoup de personnes pensent que, de temps immémorial, ces vastes territoires, jadis occupés par de sauvages tribus d'Indiens, étaient aussi riches, sinon plus riches, en pâturages, en bestiaux, en chevaux qu'ils le sont aujourd'hui. Il est assez dans nos coutumes de langage de représenter l'homme civilisé comme étant venu exploiter et même piller avidement les terres nouvellement découvertes. En ce qui concerne la pampa, c'est là plus qu'une grave erreur, c'est le contraire de la vérité.

Il n'y avait, avant la conquête, c'est-à-dire avant le milieu du XVIe siècle, ni un cheval, ni un mouton, ni une bête à cornes là où paissent aujourd'hui tant d'innombrables troupeaux ; bien plus, il n'y avait même pas de pâturages ; on n'y trouvait qu'une herbe sauvage, haute et dure, appelée «*paja brava*» ou «*pampa*», connue des naturalistes sous le nom de *gynerium argenteum*, et qui sert en Europe, où elle est assez répandue, à l'ornementation des jardins. Cette herbe est complètement impropre à la nourriture des animaux ; aussi a-t-il fallu, dès le début de la colonisation, recourir aux fourrages venus d'Europe.

Peu à peu, grâce à cette importation, le sol s'est transformé et les races se sont multipliées. C'est donc un véritable triomphe de l'homme sur la nature, triomphe apparent, sans doute, favorisé par la nature elle-même, mais qui a coûté d'immenses efforts, qui a nécessité de la part des premiers éleveurs une patience et une persévérance extraordinaires ; triomphe si complet qu'il est peut-être le plus surprenant et le plus considérable qui ait jamais été remporté.

Tout en écoutant les intéressants détails que nous donne notre hôte sur cette contrée bizarre, si peu connue en France, nous sommes rentrés à Azul, enchantés de notre chasse, et le soir, réunis dans la grande salle de l'hôtel avec les notables du pays, nous avons savouré le fameux *maté*, sorte de boisson nationale fort en usage dans l'Amérique du Sud, infusion faite avec un thé spécial connu sous le nom de *yerba* du Paraguay. On l'aspire avec un petit tube en métal plongé dans une courge sauvage servant de récipient.

Le lendemain de ce jour si bien employé, un temps de galop nous a conduits à seize kilomètres en avant d'Azul, pour visiter une colonie russe-allemande, qui est en pleine prospérité. Il y a là 350 personnes environ, hommes, femmes et enfants ; tous font partie de la secte des catholiques mennonites, dont la loi la plus importante interdit absolument de verser le sang humain. Pour échapper à l'obligation du service militaire, toutes ces familles s'étaient d'abord réfugiées en Russie, sur les bords du Volga, dans la province de Saratov. Après une installation difficile et un assez long séjour, le gouvernement russe s'avisa de les enrôler. Toujours fidèles à leurs principes, les pauvres exilés prirent le parti de quitter la belliqueuse Europe et s'en furent coloniser la pampa, où le gouvernement argentin consent à ne pas les envoyer guerroyer contre les Indiens.

Toutes ces familles nous font bon accueil. Elles parlent allemand ; mais nous remarquons avec surprise que, si elles n'ont pas oublié la langue de leur patrie, elles n'en ont pas moins pris les costumes et les habitudes du pays de leur premier exil. Hommes et femmes sont vêtus à la russe, et les jeunes filles nous offrent gracieusement le thé préparé dans d'authentiques samovars, qui plus jamais ne repasseront les mers. Une extrême propreté règne dans ces habitations, qui sont simplement construites en pisé et ne se distinguent des ranchos ordinaires que par un peu plus d'élévation.

Le gouvernement argentin a fait preuve de bonté et d'intelligence en cette occasion. Il a concédé aux nouveaux venus les terres, sous la seule condition d'être remboursé en dix ans de leur valeur, sans intérêts. De plus, il leur a donné des bestiaux, des instruments aratoires et des semences.

Ce groupe d'émigrants s'est ainsi constitué en petit État tributaire et a nommé un chef qu'il qualifie de Père. Ce magistrat est armé du droit de haute et basse justice, qu'il exerce le plus souvent en arrangeant les différends à l'amiable, et, lorsqu'il ne peut y parvenir, en distribuant avec libéralité des coups de trique à ceux qui lui paraissent les plus fautifs.

Je sais bien que les Allemands n'ont pas besoin d'appartenir à une secte plus ou moins philanthropique pour fuir leur ennuyeux pays et chercher au delà des mers l'aisance que sa stérilité leur refuse ; mais il me semble que le spectacle de cette petite colonie est véritablement touchant. Ce fut pour elle un sacrifice, tout au moins une bien grave détermination, après avoir quitté le sol natal, que de quitter la patrie adoptive. Ceux qui veulent tout expliquer par l'intérêt personnel, et qui n'aiment pas à dépenser le très peu de bienveillance dont la nature les a doués, découvriront que ces gens sont partis probablement parce qu'ils ne se trouvaient pas bien où ils étaient, et que leur horreur pour verser le sang des autres vient sans doute de la crainte qu'ils ont qu'on ne verse le leur. Les voilà installés, propriétaires et exempts du service : ils ne sont donc pas intéressants.

Ma raison s'incline devant une si profonde connaissance de la nature humaine ; mais comme ils ont accompli un voyage pénible, dont les dangers leur étaient connus, comme il pouvait fort bien leur arriver d'être repoussés au lieu d'être accueillis, d'être exploités au lieu de recevoir des cadeaux, de mourir de faim au lieu de vivre presque confortablement, et que ces tristes alternatives étaient tout aussi prévues que d'autres, il est fort à croire que c'est bien à leur principe qu'ils ont obéi, et je trouve que c'est là un fait intéressant à faire connaître.

En mer, 29 septembre.

J'ai arrêté tout net le récit de mon excursion dans la province de Buenos-Ayres, pour ne pas manquer le bateau de Montevideo et par suite la *Junon*, qui n'aime pas à attendre. Je profite du beau temps que nous avons, journées de grâce sans doute (car on sait que Magellan est un nid à tempêtes), pour compléter ces notes.

Quand nous fûmes de retour de notre promenade à la colonie russe, très courbaturés par les excès d'équitation que nous avions faits pendant deux jours, il nous restait juste assez de force pour admirer un splendide coucher de soleil, que je ne vous décrirai pas, étant aussi hors d'état de le peindre avec la plume qu'avec le pinceau.

Les valises rebouclées, le train nous ramena à Buenos-Ayres. Le trajet nous parut moins long, d'abord parce que nous avions nos impressions toutes fraîches à échanger, en second lieu parce que les informations qui nous furent données par les personnes voyageant avec nous étaient des plus intéressantes. Je dois cependant ajouter que, pour quelques-uns de mes camarades, exténués de fatigue, ces dix heures en wagon passèrent aussi rapidement qu'un songe, exactement.

On ne manqua pas de nous raconter l'histoire de la république ; je vais en dire quelques mots, et je regrette que le cadre de cet ouvrage ne me permette pas de m'étendre plus longuement sur ce sujet, parce que là trouverait place un exposé des événements qui ont amené la situation respective actuelle du Brésil, du Paraguay, de l'Uruguay et de la république Argentine.

L'indifférence avec laquelle l'Europe accueille les récits des bouleversements intérieurs dont ces contrées éloignées sont trop souvent le théâtre s'explique aisément. On dit, non sans quelque raison, qu'il nous importe peu que tel parti ait renversé tel autre, qui bientôt reprendra le pouvoir pour le reperdre sans doute ; mais les rapports de ces États entre eux ont une tout autre importance ; la question de savoir si le rêve de Jean VI, de Portugal, c'est-à-dire l'annexion au Brésil de tous les territoires pampéens et la possession de la Plata, sera ou ne sera pas réalisé, n'est pas d'un mince intérêt. Qui peut dire cependant qu'il faut rayer cette supposition des possibilités de l'avenir ? Depuis plus de deux ans, le Brésil paraît avoir renoncé à sa politique d'immixtion constante et peu endurante dans les affaires du Sud ; mais que faut-il pour qu'un conflit surgisse, qu'une guerre éclate ? La question du Paraguay, l'éternel prétexte, n'est-elle pas toujours là, malgré les arrangements récents qui, en définitive, n'ont rien arrangé ?

Les circonstances qui ont produit la situation relative des divers États du continent sud-américain sont donc fort importantes au point de vue politique. D'autre part, les détails étranges, les brutalités odieuses, les héroïsmes extraordinaires, sortis du choc de tant de passions violentes, d'intérêts nés d'hier, mais ardemment défendus, donnent à l'étude de cette partie de l'histoire contemporaine un attrait tout à fait exceptionnel.

Avant de faire un résumé rapide des commencements de la république Argentine, notons d'abord ce fait qu'aucune comparaison ne peut s'établir entre celle-ci et l'Uruguay, quant à la puissance militaire ou économique des deux États. Montevideo est la plus petite des républiques de l'Amérique du Sud et n'a guère plus de 180,000 kilomètres carrés, à peu près le tiers de la France, tandis que la république Argentine a une superficie de 2 millions de kilomètres carrés. (Les documents officiels lui en attribuent libéralement plus de 4 millions, mais en comptant les territoires de la Patagonie, du Grand Chaco et quelques autres, dont la possession est fort discutée et l'étendue tout à fait indécise.) L'Uruguay ne possède pas 500,000 habitants ; la république Argentine en a plus de 2 millions, sans compter les Indiens, qui sont, d'ailleurs, pour elle un embarras et non une force, et dont le nombre décroît de jour en jour.

Inutile d'insister davantage sur cette disproportion entre les deux républiques.

Le territoire argentin n'était habité avant l'indépendance que par un peuple de bergers. La région encore connue sous le nom de « territoire de la Plata », c'est-à-dire les républiques Argentine, du Paraguay et de l'Uruguay, formait alors la vice-royauté espagnole de Buenos-Ayres. On sait que le régime espagnol consistait à isoler leurs colonies du monde entier pour les exploiter plus librement. Sous l'influence de ce protectionnisme à outrance, le pays restait absolument stationnaire ; dans la pampa, le bétail multipliait cependant, une population locale se formait. Cette sorte d'incubation dura près de trois siècles.

En 1810, le gouvernement espagnol fut chassé ; mais bientôt les guerres civiles naquirent et se succédèrent presque sans interruption. L'anarchie devint effroyable, les mœurs brutales et corrompues. Quelques humanitaires ayant essayé sans succès d'appliquer des institutions ultra-libérales, le pays fut bientôt épuisé. Alors commença, en 1832, le règne du dictateur Rosas.

Jamais tyrannie ne fut plus complète, plus insolente. Rosas s'impose à tous et à *toutes* ; il fait placer son buste sur le grand autel de la cathédrale. Le désordre des mœurs est indescriptible. Rosas étant l'homme des *gauchos*, son parti porte le nom de *fédéralistes*. A la tête des opposants se trouve le général Urquiza, dont les partisans ont pris le nom d'*unitaires*. Pendant tout le règne du dictateur, les *serenos*, ou veilleurs de nuit, crient à chaque heure et à chaque demi-heure : « Vive la confédération Argentine ! Mort aux sauvages unitaires ! Vive le restaurateur des lois, don Juan Manuel Rosas ! Mort au dégoûtant sauvage unitaire Urquiza !... Il est (telle heure), le temps est beau. »

Enfin, Rosas disparaît dans une émeute et se sauve en Angleterre, où la pudeur britannique trouve moyen de lui faire un excellent accueil.

Buenos-Ayres, d'abord folle de joie, se fatigue du libérateur Urquiza et le met à la porte. La sécession commence. Les provinces se déclarent en lutte ouverte avec la capitale. Ce n'est qu'en 1860 que la confédération est enfin reconstituée sous la présidence du général Mitre, plus célèbre comme diplomate que comme militaire.

Nous arrivons à l'époque actuelle, qui débute par la guerre du Paraguay en 1865. De ce malheureux conflit sont nées les inextricables difficultés dans lesquelles se débat la politique argentine depuis huit ans ; c'est lui qui a amené le Brésil victorieux à se faire le dangereux protecteur d'un pays épuisé, anéanti, dont l'autonomie et l'indépendance étaient une nécessité pour la tranquillité des autres républiques du Sud.

J'ai vu à Buenos-Ayres, et même à Montevideo, des personnes qui excusaient les États de la Plata de s'être unis au Brésil contre le Paraguay ; j'ai lu le savant et remarquable livre de notre compatriote, M. E. Daireaux, sur la confédération Argentine, ouvrage bien pensé et bien écrit, dans lequel cette thèse est éloquemment soutenue. Cependant, je ne saurais partager son opinion, parce qu'il ne me semble pas douteux qu'en s'armant avec le Brésil contre le Paraguay, les Argentins ont méconnu les lois du bon sens politique.

En vain dira-t-on que le Paraguay, de fait, n'était pas une république et que le dictateur Lopez était un homme cent fois moins libéral que l'empereur du Brésil, que Lopez avait violé le territoire argentin, qu'on ne pouvait pas prévoir une guerre aussi longue et la destruction presque totale de l'ennemi. Tout cela est vrai, mais ce ne sont que des excuses. On a méconnu les leçons de l'histoire et ce qu'on pourrait appeler les évidences géographiques. Le rôle des républiques était de tenir en respect l'immense empire dont la seule présence est une menace ou tout au moins un danger pour elles, de ne point répudier la vieille politique qui respectait la séparation des races portugaise et espagnole, de prévoir des difficultés dont la probabilité était grande et de ne pas oublier que les puissants voisins sont de ces gens desquels on a dit :

issez-leur prendre un pied chez vous,

n auront bientôt pris quatre. »

Pour le moment, on est relativement tranquille. Le pays est toujours divisé entre les unitaires et les *autonomistes* (c'est le nom des anciens fédéralistes). Ces derniers sont au pouvoir ; ce sont eux qui ont fait nommer Sarmiento en remplacement de Mitre, et ensuite Avellaneda, le président actuel.

Quelques portraits. Le général Mitre est un homme instruit, doué d'une mémoire étonnante, éloquent autrefois, aujourd'hui très vieilli. Mauvais général, il s'est presque toujours fait battre, mais a souvent réussi à regagner dans les négociations ce qu'il avait perdu dans les combats. M. Mitre est le chef d'un parti qui possède encore une grande influence, et qui a rallié à son programme l'immense majorité des étrangers.

Le président Avellaneda, dont le père eut la tête fichée au bout d'une lance et promenée dans la ville par les ordres du dictateur Rosas, est un homme intelligent, mais vaniteux ; orateur pompeux et doué d'un caractère essentiellement flexible, il s'est appuyé sur les autonomistes et finira probablement avec les unitaires.

Le général Roca, ministre de la guerre, officier intelligent, actif, encore jeune, est un des hommes les plus importants de l'État ; il prépare en ce moment une campagne décisive contre les Indiens.

Le gouverneur de Buenos-Ayres, M. Tejedor, est un jurisconsulte distingué, qui a joué un rôle considérable dans les négociations récentes avec le Brésil. On lui reproche de ne pas posséder la souplesse du diplomate. Il n'en est pas moins fort considéré et aspire à la présidence.

J'aurais voulu parler un peu de l'émigration européenne dans la Plata. Mais ce sujet, quoique intéressant pour nous, m'entraînerait trop loin. Je dois me borner à des renseignements généraux. A Buenos-Ayres, le commerce est exclusivement aux mains des étrangers, qui forment à peu près la moitié de la population de la ville. On peut les classer ainsi au point de vue du nombre : Italiens, Espagnols, Français, Allemands et Anglais. Si ce groupe de 180,000 âmes était uni par une pensée commune, il ne tarderait pas à imposer ses idées au gouvernement sur les matières économiques ; l'industrie encore naissante se développerait et les finances de la République se relèveraient. Malheureusement, la devise des émigrés est : « Chacun pour soi », et leur désunion fait la puissance du parti autonomiste. Le pays ne travaille pas ; il lui faut donc payer le travail qu'il achète à l'étranger, et quoique l'industrie pastorale soit des plus prospères, les budgets se soldent par de considérables déficits ; les fortunes, petites ou grandes, sont gravement atteintes, le crédit national est nul, le commerce étranger lui-même est devenu paralysé.

Cependant le flot croissant des émigrants est un progrès, parce que cette force grandissante finira par avoir raison des préjugés et de l'indolence des créoles ; elle consolidera le parti véritablement patriotique qui se préoccupe du bien-être du pays plus que d'une vaine formule ou de la conservation de coutumes surannées. On arrivera ainsi à faire adopter des lois énergiquement protectrices, le travail producteur s'acclimatera dans le pays, et si les complications du dehors ne viennent pas arrêter cet heureux mouvement, l'ancienne vice-royauté espagnole aura peut-être alors assez « d'étoffe » pour former une seconde édition des États-Unis.

J'ai oublié de vous dire qu'en arrivant à Buenos-Ayres, nous avions rencontré à l'hôtel, déjeunant d'aussi bon appétit que s'il eût été attablé au café Anglais, notre voyageur *in partibus*, M. de R..., celui-là même qui nous avait laissés partir de Marseille sans lui et nous avait promis de nous rejoindre en route.

— Enfin ! vous voilà ! lui dis-je, à la bonne heure, vous êtes de parole !...

— Je suis bien fâché, vraiment, mais il faut que je reste encore ici quelque temps ; je ne puis pas partir avec vous.

— Comment ! nous allons passer le détroit de Magellan ! nous verrons la Patagonie !

— Oh ! la Patagonie... Je la connais. Non, je vous retrouverai au Pérou... ou à San-Francisco.

Et la *Junon* a appareillé sans lui ; mais je gagerais que nous retrouverons M. de R..., et qu'il fera ainsi le tour du monde avec nous... et sans nous. Voilà un étrange compagnon !

LE DÉTROIT DE MAGELLAN

Un chargement de cailloux. — Appréhensions. — La Saint-Michel. — Le cap des Vierges. — Première partie du détroit. — La *Junon* s'emporte. — Arrivée à Punta-Arenas. — Excursion nocturne. — Visite à M. le gouverneur. — Les Patagons. — Seconde partie du détroit. — Le cap Froward et ses environs. — Les Indiens Pêcherais. — Où peut-on mouiller ? — La baie Swallow. — En route pour les canaux.

En mer, 2 octobre.

Un des bateaux du fleuve, tout pareil au *Saturno*, nous a ramenés à Montevideo le 26 septembre, où nous avons retrouvé la *Junon*, ayant essuyé à l'ancre un *pampero* assez rude, tranquillement occupée à embarquer un chargement de pierres, ce qui ne laissa pas que de nous étonner un peu. Il paraît que les armateurs de la *Junon*, au lieu de laisser la Société des voyages diriger les opérations du navire à son gré, ainsi que cela était formellement convenu, se sont mis en tête de s'en mêler et ont manœuvré de telle façon que les négociants d'ici, ne sachant plus qui est maître du navire, se sont décidés à ne rien embarquer.

Le commandant est furieux, malgré le calme apparent qui ne l'abandonne jamais ; notre consignataire, M. Aubry de La Noï, agent de la Compagnie des Messageries, est désolé ; mais comme il faut lester le bateau pour affronter les parages antarctiques, on engouffre dans la cale à marchandises deux cents tonnes de cailloux, et l'on va partir avec cette étrange cargaison. Espérons que de pareilles tracasseries ne se renouvelleront pas, car notre voyage pourrait bien en souffrir.

Avant de nous mettre en route, nous avons réuni à bord un bon nombre des amis qui nous avaient si cordialement accueillis à notre arrivée, et je serais heureux qu'ils eussent conservé de notre modeste hospitalité un aussi bon souvenir que celui que nous garderons de leurs aimables prévenances. Je noterai aussi que nous avons eu le regret de laisser à Montevideo notre médecin, le jeune docteur Debely, atteint d'une sorte de maladie de langueur. Il va s'en retourner en France par le premier paquebot, et comme son état ne semble pas bien grave, nous avons l'espoir de le voir nous rejoindre à Panama ou à San-Francisco. Au reste, il n'y a personne de malade à bord, et nous n'avons à craindre aucune épidémie dans les parages où la *Junon* va se rendre.

Le 27 au matin, nous appareillons par un temps magnifique. La terre des pampas, semblable à un mince ruban de couleur indécise, disparaît à l'horizon. Dès que nous sommes au large, une brise favorable permet de déployer toutes les voiles, et nous atteignons bientôt une vitesse de plus de dix nœuds. La traversée s'annonce fort heureuse ; nous allons cependant entreprendre la partie la plus rude et la plus difficile de notre longue pérégrination. La distance qui nous sépare du détroit de Magellan est de 1,370 milles ; les côtes de l'Amérique du Sud au-dessous de la Plata sont mal connues, et à toute époque de l'année les coups de vent s'y rencontrent à de courts intervalles ; nous aurons ensuite le passage du détroit de Magellan, assez fréquenté depuis quelques années, mais où les sinistres pourtant sont nombreux. Le commandant, bien qu'ayant fait deux voyages autour du monde, n'y a jamais passé.

Enfin, on parle comme d'un rêve de la possibilité de continuer notre route par les canaux latéraux de la Patagonie, dont on dit merveille, mais qui sont encore fort incomplètement explorés.

Nous avons donc en perspective toute une série de divertissements et d'émotions maritimes. On étudie les cartes, on relit les récits des anciens voyageurs, on commence à s'intéresser aux variations du baromètre, à la couleur du ciel. Je dois avouer que nous n'avons d'ailleurs aucun fâcheux pressentiment, et les paris n'ont pas été ouverts sur la probabilité d'un accident.

Le 28 et le 29, même temps, même bonne brise. La température baisse sensiblement. Les vestons légers, les gilets ouverts, les petits chapeaux de campagne ont fait place aux houppelandes, aux tricots de toute sorte, aux bonnets fourrés.

Pour tromper la monotonie des heures, nous essayons notre adresse sur des albatros et des damiers, qui sans cesse évoluent autour du navire. Ce tir marin, qui a lieu chaque après-midi, perd beaucoup de son attrait par l'impuissance où nous sommes de recueillir les oiseaux touchés. Au reste, qu'en ferions-nous ?

Pas un navire en vue. Quelquefois, bien loin sur notre droite, une ombre à peine visible, basse, sans contours ; c'est la terre. Les heures paraissent longues ; le moment des repas est toujours attendu avec impatience, celui du sommeil revient parfois dans la journée.

Il faut absolument secouer cette torpeur, évoquer quelque gai souvenir, trouver quelque bon prétexte à distraction. Que ne sommes-nous Brésiliens ! C'est en pareille circonstance qu'on est heureux de compter sur son almanach quarante-deux fêtes nationales et carillonnées, sans parler des dimanches.

Mais le calendrier français offre aussi des ressources. Le 29 septembre, n'est-ce pas la Saint-Michel ? N'avons-nous pas un excellent camarade, le doyen des voyageurs français du bord, et qui porte ce glorieux prénom ?

Un gros chou bien vert, gracieusement entouré d'un rang de carottes du plus beau rouge, encadrées avec goût par des touffes d'oignons et de persil mélangées, tel est le bouquet qui, d'un accord unanime, lui est affectueusement, mais solennellement offert avant la fin du dîner. Souhaits, compliments, discours en prose et même en vers sont adressés à notre ami qui, tout d'abord surpris, puis ému, nous offre un punch commémoratif, auquel sont conviés tous les officiers du bord. L'élan est donné. La gaieté est revenue sur les visages.

En deux heures, on a rédigé un programme, et cette soirée improvisée se passe si joyeusement qu'avant de se séparer on décide que toutes les fêtes à venir seront soigneusement notées, et que nul n'échappera désormais aux compliments, au bouquet traditionnel... et au punch.

Dans l'après-midi du 30, nous sommes enveloppés par une brume épaisse. La mer est toujours paisible, mais les voiles sont serrées, en prévision d'une saute de vent.

Le 1er octobre, temps splendide. Nous trouvons dans ces parages redoutés le calme plat et la mer d'huile que nous avons en vain cherchés sous l'équateur. Vers dix heures, la vigie annonce : « Terre à tribord ! » C'est d'abord le cap des Trois-Pointes, puis le cap Blanc. Malgré la brume de la veille et les courants très variables qui rendent cet atterrissage assez dangereux, nous sommes exactement là où nous devons être. Cependant, c'est à une distance de six à huit milles au moins que nous contournons cette terre, car il règne tout le long de la côte des bas-fonds dont l'étendue est mal déterminée, et qui ont causé la perte de plusieurs navires. En cet endroit, les côtes de la Patagonie sont basses et d'un aspect désolé.

Le brouillard reparaît à la chute du jour. Les voiles qu'on avait établies de nouveau sont définitivement serrées, toutes les précautions contre le mauvais temps sont prises. Un incident vers dix heures du soir : six matelots ont été envoyés pour serrer le petit hunier, et, la besogne faite, ils n'ont pas reparu ; la nuit est si noire qu'on ne sait s'ils sont descendus ou non. Les coups de sifflet retentissent, pas de réponse. Seraient-ils allés se coucher avant l'heure du changement de quart ? Point. Il n'y a dans le poste de l'équipage que la bordée qui n'est pas de service. On est inquiet ; une ronde générale est faite dans le faux-pont et dans la cale : personne.

L'officier de quart imagine alors d'envoyer le capitaine d'armes explorer la mâture, où souffle une bise assez froide..., et nos matelots sont retrouvés bien abrités, roulés, endormis et ronflant dans les plis du hunier. Résultat : le reste de la nuit aux fers, et le vin retranché pour deux repas.

Il fait encore aujourd'hui fort beau temps, et nous sommes bien surpris de n'avoir pas eu le moindre coup du vent à essuyer. Demain matin, nous devons être à l'entrée du détroit de Magellan. Toutes les curiosités sont en éveil.

En vue de l'île Tamar, 5 octobre.

Nous venons de franchir le détroit et la *Junon* va entrer dans les canaux latéraux. Comment pourrai-je donner une idée des splendeurs sauvages que nous avons vues ? Comment retracer les péripéties de cette belle et rapide traversée, pendant laquelle, malgré le froid et les rafales, l'admiration nous a tous retenus sur le pont de notre steamer ? Je veux au moins raconter bien exactement ce qui s'est passé, dans l'espoir qu'en retrouvant mes impressions encore toutes vivaces, il en résultera un tableau, reproduction affaiblie, mais fidèle, des étranges panoramas qui viennent de défiler sous nos yeux.

La nuit du 2 au 3 octobre fut accompagnée d'un brouillard si intense qu'il fallut, pendant quelques heures, marcher à petite vitesse et faire entendre le sifflet de la machine à de très courts intervalles. Cette précaution était d'autant plus nécessaire que nous savions devoir croiser un des grands vapeurs de la *Pacific Steam Navigation Company* dans ces parages, et qu'une collision en pareil endroit eût été la perte certaine de l'un au moins des deux bâtiments.

Au petit jour, la brume se dissipe, nous repartons à toute vitesse, et bientôt le fameux cap des Vierges, entrée du détroit de Magellan, apparaît droit devant nous.

La marée de jusant, qui pousse la mer de l'ouest à l'est en cet endroit, et par conséquent arrête la marche des navires venant du large, était alors dans toute sa force ; faisant une route oblique dans la direction du sud-est, la *Junon* passe en dehors des bancs qui s'étendent jusqu'à cinq ou six milles du cap des Vierges, les contourne, et pendant ce temps la force du courant diminue, car la marée de flot qui doit favoriser notre entrée ne tardera pas à s'établir.

Nous nous intéressons d'autant plus à ces détails de navigation que, dans une conférence toute récente, le commandant nous a expliqué, la carte en main, quelles étaient les particularités de notre voyage dans le détroit. Son intention était d'y entrer avec la marée favorable et de marcher toute la journée le plus vite possible, afin d'atteindre avant la nuit le mouillage de Punta-Arenas, que les Anglais, les plus grands débaptiseurs du monde, s'entêtent à appeler Sandy-Point ; pourquoi pas English-Point ? ce serait bien plus flatteur pour leur amour-propre.

A huit heures du matin, nous avons franchi les dangers extérieurs de l'entrée, le courant est à peu près nul, la vitesse est réglée à dix nœuds, et nous nous dirigeons hardiment vers le passage étroit qu'on nomme le premier goulet.

Il fait toujours beau et la température est supportable ; nous sommes enchantés de faire connaissance avec un des coins les plus ignorés du monde, mais les beautés de la nature nous laissent assez froids. A notre gauche, la terre est à peine visible, et son nom de Terre-de-Feu[5] ne suffit pas à enflammer notre enthousiasme. A droite, la côte, que nous laissons à quatre milles environ, est d'un jaune brun, sans trace de végétation, sans accident de terrain remarquable. Tout l'intérêt se concentre dans la navigation elle-même. Le passage, qui paraît fort large, est semé de hauts-fonds dangereux qu'il faut beaucoup d'attention pour éviter, surtout en approchant du goulet, car on ne le voit bien qu'au moment de s'y engager. Une des bouées marquées sur la carte n'est plus en place. Heureusement, les points un peu saillants ont été reconnus, nous inclinons légèrement notre route sur bâbord, et nous voilà au milieu du premier goulet.

[5] Les premiers navigateurs qui tentèrent le passage du cap Horn aperçurent plusieurs volcans, aujourd'hui éteints, sur les îles voisines : de là le nom de Terre-de-Feu.

Il est midi. Un fort courant marche avec nous. Ce n'est plus une vitesse de dix nœuds qu'a la *Junon*, mais bien de quatorze nœuds et plus. Les falaises à pic qui bordent les rives ont bientôt disparu, et nous entrons dans un second bassin de forme elliptique, semé de quelques bancs laissant entre eux un large et facile passage. La physionomie du pays est à peu près la même, cependant moins aride. Les falaises, toujours assez basses, sont couronnées de plaines à peine ondulées ; quelquefois nous passons devant de simples plages sablonneuses, dont la pente presque insensible semble se continuer sous les eaux. Par tribord, c'est l'extrémité méridionale des vastes pampas, qui s'étendent ainsi depuis le pays des palmiers jusqu'à celui des glaces éternelles ! Mais où ai-je vu quelques-uns de ces aspects ? En traversant les steppes de la Hongrie, sur les bords du Danube, entre Pesth et Belgrade.

Un promontoire, qu'on nomme le cap Gregory, marque l'entrée du second goulet, un peu plus large que le premier. Nous le franchissons en une demi-heure ; la violence du courant est devenue très grande, et le commandant fait mettre deux hommes de plus à la barre du gouvernail. A la sortie du second goulet (il est trois heures et demie), un passage difficile se présente. Le détroit en ce point a bien dix milles de large, mais il est barré par un groupe d'îles, entourées de récifs, auprès desquels les courants portent dans des directions variées. Plusieurs routes existent pour passer entre ces dangers ; nous choisissons celle qui est connue sous le nom de chenal de la Reine, et qui longe de très près l'île de Sainte-Élisabeth. En ce moment, nous nous dirigeons vers le sud, ayant à notre droite le massif de la grande presqu'île de Brunswick, qui s'enfonce comme un coin dans la Terre-de-Feu et donne à la forme générale du détroit de Magellan celle d'un gigantesque V majuscule.

A quatre heures et demie, les îles, les récifs sont derrière nous ; il ne reste plus que dix milles à faire pour atteindre le mouillage ; l'ordre est donné de ralentir, le commandant descend de la passerelle, et nous allons tous dîner avec un appétit qu'excuse suffisamment notre station de toute la journée sur le pont, et notre satisfaction d'avoir si heureusement commencé cette traversée délicate.

Le soleil était déjà caché derrière de hautes collines boisées, lorsque nous arrivâmes à Punta-Arenas, capitale de la Patagonie chilienne… ou argentine, puisque le différend n'a pas encore été tranché, mais plutôt chilienne, puisque le Chili en a pris possession, qu'une corvette chilienne y tient station, qu'un médecin chilien a bien voulu déclarer officiellement que nous n'avions aucune maladie contagieuse, ce qui nous a permis de faire une visite au gouverneur de la localité, qui aurait pu être Chilien aussi, mais qui préférait être Anglais, ce qui est un point sur lequel je ne disputerai pas.

La *Junon* doit appareiller le lendemain à l'aube ; aussi, malgré la nuit noire et le froid vif, tout le monde se précipite dans les canots pour fouler la terre patagonienne. On espère vaguement voir quelques-uns de ces sauvages géants décrits dans les récits des premiers explorateurs et contestés par notre siècle prosaïque. On a aussi quelque curiosité à l'égard du *dernier établissement civilisé au sud du monde*. L'officier de la santé a promis son canot pour le retour des retardataires. En route !

Nous abordons dans l'obscurité au pied d'un petit môle, sur lequel nous grimpons en nous aidant d'un escalier dépourvu de la plupart de ses marches. Arrivés sur la plate-forme, nous trébuchons à travers les rails d'un chemin de fer, qui doit conduire, je pense, à un dépôt de charbon. Décidément, le progrès ne laisse ici rien à désirer, qu'un peu d'éclairage des voies publiques. Pendant que nos marins s'en vont par groupes se… réchauffer dans une petite maison basse où nombre de flacons scintillent sous les feux d'une lampe à pétrole, nous nous avançons à travers « la capitale. » Nous arpentons deux rues, peut-être bien les seules, absolument désertes, bordées çà et là de maisons en bois, composées d'un simple rez-de-chaussée. Voici une église, toute petite, plus que modeste et en bois comme les autres constructions ; voici enfin la maison du gouverneur, auquel nous sommes autorisés à présenter nos hommages.

Le colonel Dickson, de l'armée chilienne, nous reçoit avec la plus parfaite bonne grâce, quoique par notre grand nombre nous soyons peut-être un peu gênants. Il ne paraît pas, en tout cas, s'en apercevoir. Comme il parle fort bien le français, l'anglais et l'allemand, la conversation est des plus faciles ;

quelques tasses de thé bien chaud, quelques verres de vieux vin circulent, et le brave gouverneur semble enchanté de la bonne idée que nous avons eue de venir le voir.

En un instant, il est assailli de questions. Voici ce que j'ai appris ce jour-là, au sujet des fameux Patagons, objets de notre légitime curiosité.

Il n'y a pas un seul Patagon à Punta-Arenas, mais on en voit deux ou trois fois par an, le plus souvent en été ; or, nous sommes à la fin de l'hiver. Poussés par la nécessité, ils viennent, au nombre d'une cinquantaine environ, échanger des dépouilles de guanaque, d'autruche, de puma et de renard contre de l'eau-de-vie, du tabac, des couvertures et des vêtements. Hommes et femmes sont, il est vrai, d'une taille au-dessus de la moyenne, mais qui n'a rien d'extraordinaire. Le corps est bien proportionné, et les pieds, que l'on dit souvent être énormes, sont simplement en rapport avec la taille. Magellan, qui leur donna ce nom de Patagons, à cause de la grandeur de leurs pieds, ne les vit pas sans doute de bien près, sans quoi il eût remarqué que c'étaient les peaux de bête roulées dont ils se servaient en guise de souliers qui leur donnaient cette apparence bizarre. Les navigateurs qui vinrent après lui en firent des récits non seulement exagérés, mais fréquemment contradictoires.

Les Patagons qui occupent cette partie du pays, la plus méridionale du monde habité, appartiennent à la race des Indiens Tehuelches. Ils ont quelques coutumes étranges, dont l'une des plus originales est l'extrême importance qu'ils accordent à la manière d'ensevelir leurs morts. Ils croient nécessaire que le corps du défunt soit placé exactement dans la même position qu'il occupait... avant sa naissance, et s'ils craignent que la rigidité cadavérique ne s'empare trop rapidement du sujet, ils n'hésitent pas à commencer l'ensevelissement avant qu'il ait rendu le dernier soupir. On *plie* avec soin le moribond, de manière que son menton touche à ses genoux et qu'il occupe le moindre espace possible ; c'est là le principal ; ensuite on le coud bien serré dans un cuir frais, qui doit se resserrer davantage en se desséchant, et on le dépose dans le sable, à une très faible profondeur, avec ses armes et quelques aliments.

Je n'ai pu avoir aucun renseignement positif sur la religion des Patagons, et il y a apparence qu'ils n'en professent aucune, malgré l'idée du *grand voyage* indiquée par le soin de placer de la nourriture à la portée du mort. Quelques voyageurs prétendent cependant qu'ils adorent le soleil, contrairement aux indigènes de la Terre-de-Feu, qui adoraient la lune.

Le chiffre des Indiens Patagons répandus sur tout le territoire n'est pas exactement connu. A Punta-Arenas, on estime qu'il n'y en a pas plus de quatre ou cinq mille en tout. Ce qui paraît à peu près certain, c'est que les Patagons ainsi que les Indiens Pampas, et très probablement les Araucans, sont destinés à disparaître et non à se fondre dans les races nouvelles qui peuplent le continent sud-américain.

Le Chili a fait de Punta-Arenas un pénitencier, tenu assez sévèrement et gardé par un navire de guerre, depuis qu'une révolte des convicts, suivie d'un pillage en règle de la petite ville, a invité le gouvernement à prendre des mesures de précaution sérieuses. La population de cette pauvre colonie est de douze cents âmes environ et, malgré les louables efforts du gouvernement chilien, il est douteux qu'elle puisse jamais prendre un développement de quelque importance. D'ailleurs, le percement de l'isthme de Panama, qui aura lieu tôt ou tard, détruira bien vite tous les établissements qui pourront exister dans le détroit et rendra pour jamais ces mornes rivages à l'éternelle solitude.

Notre rentrée à bord fut une véritable odyssée. Comme on devait appareiller le lendemain matin à quatre heures et que l'équipage était fatigué, il avait été convenu que la *Junon* n'enverrait pas d'embarcation pour prendre les retardataires. Sauf les deux veilleurs de quart, tout notre monde dormait donc profondément dans son hamac ou dans sa couchette, lorsque nous nous présentâmes sur le petit môle décrépit. Nous cherchons le canot que le capitaine du port avait mis, tout à l'heure, si obligeamment à nos ordres. Point de canot. Il fait un froid de loup ; une bise glaciale qui vient de caresser les cimes neigeuses de la Terre-de-Feu souffle à nos oreilles ; la perspective d'une nuit de faction sur cette plage n'a rien de réjouissant. Nous commençons par donner au diable les Chiliens, la colonie, les Patagons, Magellan et la *Junon* elle-même, ce qui nous réchauffe un peu ; puis, revenant à des sentiments plus pratiques, nous lançons dans l'espace des appels à toute volée.

Au bout de quelques minutes, nous voyons un fanal qui s'en va de l'avant à l'arrière. L'espoir renaît dans nos cœurs ; nous redoublons nos hurlements désespérés…; le fanal s'arrête et descend dans une embarcation qui vient à nous, vigoureusement nagée. Hourra pour les braves marins ! Non, trois fois, cent fois hourra ! car ce sont quatre de nos camarades qui, n'ayant pas pris sur eux de faire réveiller le commandant pour demander qu'il donne l'ordre de nous envoyer une embarcation, ont obtenu de l'officier de quart la permission de venir nous chercher eux-mêmes.

Nous embarquons après avoir déposé dans le fond du canot deux marins restés « à la traîne », qu'un ancien de l'expédition Pertuiset, devenu cabaretier, a impitoyablement grisés. A minuit et demi, gelés, transis et trempés, nous gravissions l'échelle de coupée,

rant, mais un peu tard, »

qu'on ne nous prendrait plus à compter sur les promesses espagnoles, faites de bonne foi, sans doute, mais oubliées de même.

Le lendemain, avant le jour, le cliquetis sonore du guindeau à vapeur nous avertissait que la *Junon* reprenait sa route. La curiosité l'emportant sur le besoin de sommeil, nous voilà tous bientôt sur le pont, emmitouflés, encapuchonnés comme des Groenlandais. La précaution n'était pas inutile, car pendant la nuit le temps était devenu sombre et très froid. De gros nuages roulent dans toute l'étendue du ciel et donnent une teinte noire aux eaux glacées du détroit. Nous descendons très rapidement le long de la côte de la presqu'île de Brunswick, à une distance de quelques centaines de mètres. Une petite baie s'ouvre à trente milles au sud de Punta-Arenas ; elle est connue sous le nom de Port-Famine. C'est là que le célèbre navigateur espagnol Sarmiento s'établit, en 1581, avec quatre cents émigrants. Six ans après, la colonie avait cessé d'exister ; presque tous étaient morts de faim. Sur les ruines de Port-Famine, les capitaines anglais King et Fitz-Roy, auxquels on doit les premiers travaux hydrographiques sérieux du détroit, avaient établi leur observatoire.

Le paysage a complètement changé. A mesure que nous avançons, les côtes s'élèvent de plus en plus ; celle de la Terre-de-Feu, que nous avons à notre gauche, présente l'aspect d'un immense massif de montagnes à demi noyé dans un déluge qui menace de l'engloutir ; la mer, pénétrant dans les gorges, les cols, les crevasses, découpe une quantité de canaux, de presqu'îles, d'îles et de golfes. Plus de falaises basses, plus de plages ; tout est confondu dans un chaos de pics aigus, de collines éventrées, de promontoires déchiquetés, s'entassant les uns sur les autres, et tous les sommets un peu élevés sont couronnés d'une nappe de neige éblouissante et immaculée.

Nous avons, en suivant la côte, incliné notre route du sud vers l'ouest ; le passage devient plus étroit.

A huit heures du matin, nous avons devant nous, et tout près, un énorme rocher, dont le flanc tombe à pic dans la mer d'une hauteur de plus de trois cents mètres. C'est le cap Froward, c'est l'extrémité méridionale du continent américain[6]. Au même instant, un grain d'une violence extrême fond sur nous, des rafales de grésil et de neige nous fouettent brutalement au visage. Peu importe ! Nous avons sous les yeux un si grandiose panorama que toutes les tempêtes de l'océan austral ne nous feraient pas lâcher pied. Nous restons cramponnés aux barres du gaillard d'avant, ne nous lassant pas de regarder.

[6] Latitude : 53° 54' sud.

Partout la couleur est sévère et la forme audacieuse. Le cap Froward surgit du fond des eaux avec une incomparable majesté ; ses flancs rudes, noirs et nus, ses proportions colossales, font penser à l'un des rois géants des peuples préhistoriques. Autour de lui, la nature a pris un aspect sauvage, presque terrible ; c'est un enchevêtrement de montagnes aux versants abrupts, aux contours bizarres, de vallées, de cratères, de précipices. Les tons sont durs, les ombres sont noires ; l'œil a peine à suivre la perspective de ces plans qui semblent se heurter plutôt que se succéder dans les lointains. Là où les nuages laissent une trouée, la blancheur éclatante des neiges se confond avec la blancheur du ciel, et les profils des hauteurs prennent quelque chose de fantastique. Tout cela forme comme un immense décor où le pinceau d'un homme de génie aurait voulu représenter un paysage extra-terrestre ; cela ne ressemble à rien de ce que nous avons vu, ni à rien de ce que nous avons imaginé, et l'impression qui se dégage de cet ensemble, dont les mots « imposant, magnifique, superbe » ne donnent aucune idée, est la plus profonde que j'aie éprouvée en face des œuvres de la nature.

Nous passons au milieu des rafales, qui soufflent par moments avec une telle furie qu'elles menacent de déferler les voiles, cependant soigneusement rabantées. Le point le plus sud de notre voyage est franchi. Notre route est maintenant à l'ouest, et bientôt, tout en suivant les sinuosités du détroit, elle s'infléchira vers le nord.

La végétation a commencé à se montrer. Ce ne sont pas quelques bouquets de lichens rabougris, ou quelques arbrisseaux clairsemés, mais de véritables forêts, touffues, impénétrables, de hêtres antarctiques, qui escaladent les pentes rugueuses des ravins. Cet arbre est, je crois, le seul qui se montre dans ces parages ; il est peu élevé, le tronc est mince, court, droit et d'une couleur claire, parfois aussi blanche que l'écorce du bouleau. Plus nous avançons et plus le pays est boisé. Les côtes sont partout escarpées et, sur notre gauche, du côté de la Terre-de-Feu, nous laissent entrevoir dans leurs découpures compliquées des canaux de toute forme, de toute grandeur se dirigeant vers le sud.

Vers midi, la *Junon*, poursuivant sa course à toute vitesse, atteint les parties les plus resserrées du détroit ; c'est d'abord l'*English Reach*, qui commence aux îles Charles, et ensuite le *Crooked Reach* (canal crochu), dont l'entrée, barrée par l'énorme pic Thornton, semble ne laisser aucun passage aux navires.

Le vent est toujours très inégal et par moments très fort ; mais notre attention est trop retenue par les austères beautés du paysage pour que nous songions à nous occuper des manœuvres. Nous traversons ainsi une suite de grands lacs toujours bordés de montagnes presque à pic, dépouillées d'arbres à la moitié de leur hauteur et séparées par de profonds ravins. De tous côtés, nous sommes enveloppés par un horizon d'autres montagnes beaucoup plus élevées, couvertes de neige, souvent reliées entre elles par d'immenses glaciers. A deux reprises différentes nous avons aperçu de la fumée sur les rives de la Terre-de-Feu. Quelques silhouettes noires se détachaient autour des foyers. Ce sont des campements de Feugiens.

Tout à coup, une exclamation retentit : « Canot à l'avant ! » En effet, à la distance d'un kilomètre, on aperçoit une pirogue d'indigènes ; ils se tiennent au large et nous attendent évidemment au passage, s'agitant beaucoup et poussant des cris auxquels, bien entendu, nous ne comprenons absolument rien. On stoppe et on leur lance une amarre ; mais la *Junon* ne s'arrête pas court comme un cheval arabe ; la vitesse acquise et la force du courant nous entraînent encore, le vent nous fait dériver sur la côte, qui n'est pas bien loin. « Tribord toute ! Machine en avant ! » Les Feugiens lâchent la corde et manquent de chavirer. Nous voilà repartis. Cependant, j'ai eu le temps de les voir, et je puis vous assurer que j'ai vu des sauvages, de vrais sauvages, aussi laids et aussi peu vêtus qu'on peut le désirer. La pirogue, faite d'écorce, doublée de cuir, était montée par quatre individus, dont deux femmes, tous entièrement nus, sauf une peau jetée sur les épaules et couvrant pudiquement une partie de leur dos. Ces pauvres êtres agitaient des fourrures, qui m'ont paru être de la loutre et que, sans doute, ils voulaient échanger avec nous. Il y avait encore dans la pirogue deux chiens, dont l'un d'assez grande taille, au museau pointu. A l'avant, un feu était allumé sur un lit de gravier. Tels sont les Indiens de la Terre-de-Feu, nommés Pêcherais, parce qu'ils ne vivent guère que dans leurs bateaux et qu'ils s'alimentent presque exclusivement du poisson qu'ils prennent dans les baies et les passages du détroit.

Le ciel s'est un peu éclairci. Nous entrons dans le Long Reach. Le vent a tourné sur notre droite et souffle grande brise de nord-nord-est. Il est cinq heures au moment où nous entendons le commandement traditionnel : « Chacun à son poste pour le mouillage ! » — Où cela, le mouillage ? Nous sommes entre deux murailles escarpées ; pas la moindre crique en vue. Le commandant lorgne à notre gauche avec beaucoup d'attention ; je lorgne aussi, mais je ne vois rien du tout. Soudain, la *Junon* lance de ce côté, se dirigeant droit sur la terre, puis revient sur tribord et, décrivant un 8 dans la largeur du canal, en s'aidant des focs et de la grande voile goélette, remet le cap plus obliquement sur cette même terre. A mesure que nous approchons, il nous semble découvrir quelque chose comme une fente entre les montagnes ; nous voici engagés dans un étroit passage entre la haute terre et une ligne de petits rochers qui, tout à l'heure, se confondaient avec la côte. Une roche à fleur d'eau est devant nous ; on la contourne à quelques mètres et nous nous trouvons tout au fond d'une colossale cuvette, au milieu de laquelle nous laissons tomber l'ancre. Ici, point de rafales, pas même de clapotis ; quelques rides à la surface d'une eau calme, claire et profonde.

Nous sommes à l'abri pour la nuit, et comme il reste encore trois quarts d'heure de soleil, nous sautons dans les canots pour aller à terre pêcher des moules et tirer des canards.

L'endroit où nous avons pénétré si hardiment et si heureusement se nomme la baie *Swallow* (hirondelle), du nom du navire que montait le capitaine Carteret, lorsqu'il la découvrit. C'est, paraît-il, le meilleur mouillage du détroit ; mais il faut bien prendre ses mesures avant d'y entrer et regarder si quelque autre navire n'y est déjà, car il y a bien juste la place pour un bâtiment de notre taille.

L'endroit où nous débarquons est assez étrange, mais n'a pas cet aspect désolé qu'on pourrait supposer à une terre nommée Terre-de-la-Désolation. Aucun être humain, il est vrai ; en revanche, une végétation assez abondante, absolument vierge, où le hêtre antarctique, que nous avons reconnu du bord, domine, entremêlé de houx et de canneliers, tout cela réparti par petits bouquets et disséminé au hasard. La terre, recouverte d'une accumulation de végétaux parasites, est bossuée çà et là par de nombreux rochers grisâtres. Nous enfonçons parfois jusqu'à mi-jambe dans un sol que la fonte des neiges a presque partout détrempé ; sautant de pierre en pierre, pour éviter ces crevasses marécageuses, nous atteignons bientôt le pied des collines granitiques qui se dressent en amphithéâtre tout autour de la petite baie.

L'ascension est commencée. Ma mémoire évoque, je ne sais pourquoi, le souvenir du Corcovado, et, en regardant cette nature austère qui m'environne, il me faut un effort de raison pour comprendre comment, en si peu de temps, j'ai pu me trouver transporté dans ce milieu si différent, si opposé, qui me semble appartenir à un autre monde.

Quand nous avons gravi une centaine de mètres, notre regard embrasse alors toute la baie. Par un heureux hasard, le temps, assez sombre pendant la journée, s'est éclairci ; le ciel est très pur, et le soleil, à son déclin, colore de reflets rose pâle les versants et les glaciers des hautes montagnes de l'autre rive du détroit. Le vent, qui ne s'est pas calmé, fait encore moutonner les eaux où nous naviguions il y a une heure, mais ici, tout est d'un calme parfait. Notre blanche *Junon* semble endormie au milieu de ce lac paisible ; c'est à peine si le souffle d'une légère brise agite son pavillon, dont la nymphe d'une cascade voisine ignore peut-être les couleurs.

Je n'ai pas voulu monter plus haut, et je ne suis redescendu qu'en voyant mes compagnons, chargés d'oies et de canards (j'allais ajouter sauvages), se diriger vers le point où les canots nous attendaient. L'une de nos embarcations, dans laquelle les marins avaient entassé plusieurs milliers de moules gigantesques, longues comme la main, recueillies sur les roches de la côte, eut toutes les peines du monde à démarrer.

Ce matin, à cinq heures, nous sortions sans encombre du havre Swallow et nous dirigions vers la sortie du détroit. Bien que le temps ne soit pas mauvais au large, le commandant, à notre grande joie, s'est décidé à continuer sa route par les canaux latéraux des côtes de la Patagonie. Quand nous en serons sortis (si nous en sortons), je vous dirai mon impression sur ces parages presque inconnus, visités, à de rares intervalles, par quelques navires de guerre, et dont les beautés égalent, dit-on, si elles ne les surpassent, celles du détroit de Magellan.

LES CANAUX LATÉRAUX DES COTES DE LA PATAGONIE

Où sont les canaux latéraux ? — L'ancienne navigation. — Un canot de sauvages. — La baie de l'Isthme. — Les Pêcherais à bord de la *Junon*. — Mouillage et excursion à Puerto-Bueno. — Le lac d'Aunet. — Les glaces flottantes. — Le havre Grappler. — Passage du Goulet anglais. — Sortie des canaux.

En mer, 9 octobre.

Veni, vidi, vici. Nous sommes venus, nous avons vu et nous avons vaincu... sans la moindre appréhension, les difficultés de notre passage dans les canaux. J'exagère un peu, car la journée d'hier a été assez rude ; mais ne commençons pas par la fin.

Ayez la bonté de prendre un atlas, ou de rassembler les souvenirs de vos études géographiques, afin que je puisse vous montrer ces fameux canaux, où je vous souhaite, si jamais vous y passez, ce qui est peu probable, de faire une traversée aussi heureuse et aussi agréable que la nôtre.

Vous voyez bien, tout en bas de la carte, à la pointe de l'Amérique du Sud, le détroit de Magellan, qui sépare la Terre-de-Feu, les îles de la Désolation et quelques autres archipels, tout déchiquetés, du grand continent américain. Nous y sommes entrés par l'est, c'est-à-dire par l'océan Atlantique, et rien n'était plus simple, au sortir du Long Reach, le passage étant de plus en plus large, que de continuer tout droit notre route au nord-ouest et d'entrer dans l'océan Pacifique.

C'est ce que tout le monde fait, mais nous n'avons pas voulu faire comme tout le monde. Regardez, s'il vous plaît, la côte américaine à partir de la sortie du détroit et en remontant vers le nord. Depuis le 53e degré de latitude jusqu'au 47e, sur une longueur de cent cinquante lieues terrestres, vous voyez une multitude d'îles et d'îlots de toute forme, de toute grandeur, pressés contre la côte : c'est l'archipel de la Reine-Adélaïde, les îles de Hanovre, Chatham, l'archipel de la Mère-de-Dieu, la grande île Wellington, entourée de rochers plus ou moins étendus, avec une profusion de petits bras de mer, de petites criques, de petits détroits à n'en plus finir... et tout cela se subdivise en un nombre infini d'accidents géographiques, qui lasseront encore pendant longtemps la patience des plus obstinés géographes.

Le problème à résoudre est de s'engager là dedans par un bout et de ressortir par l'autre. C'est un jeu, tout comme le baguenaudier ou la célèbre *question romaine* ; seulement, comme les roches sont aussi dures là que partout ailleurs, qu'il n'y a aucun établissement de radoub, même en projet, qu'il ne passe à peu près personne dans ce curieux labyrinthe et que les habitants en sont anthropophages, c'est un jeu dont la mise est un peu chère : il est indispensable de n'y point perdre.

Je me hâte de dire que le « secret » est connu. Les cartes sont fort incomplètes, mais une ligne sinueuse, tracée au travers de ce fouillis, indique la route à suivre. C'est au bateau à se « débrouiller » (expression toute maritime), pour ne pas passer à droite quand il faut passer à gauche, veiller la force des courants afin de ne point dévier, ne jamais prendre un îlot, un golfe ou une pointe pour une autre, calculer sa vitesse pour tourner quand il faut, pas trop tôt, pas trop tard ; s'arranger de manière à atteindre une petite baie chaque soir pour y passer la nuit, n'en pas manquer l'entrée et mouiller au bon endroit. Ce n'est pas plus difficile que cela.

Moyennant quoi, si vous avez beau temps, ce qui est fort rare, je vous garantis la plus heureuse et la plus intéressante des traversées.

On se demande comment des navires à voiles ont pu, dans le bon vieux temps, se hasarder à naviguer au milieu de tant de dangers. Je pourrais vous dire, d'abord, que dans ce temps-là on avait l'espoir de découvrir quelque chose ; on ne l'a plus guère à notre époque, et puis, autant par habitude que par impuissance, on ne vivait pas à la vapeur (je dis cela aussi au figuré) comme on le fait aujourd'hui.

Vous nous avez vus franchir le détroit de Magellan en deux jours et quelques heures, et nous aurions pu y mettre moins de temps, si nous avions été dans la saison des longs jours. Voulez-vous savoir ce qu'il fallait à nos pères pour accomplir le même trajet ? Voici des chiffres :

Magellan, ou plus correctement Magalhaens, officier portugais, passé au service de l'Espagne, avec cinq navires montés par 236 hommes, découvrit le détroit, et le franchit en 30 jours, Thomas Cavendish, en 1587, mit 33 jours, le commodore Byron, en 1764, mit 51 jours, Carteret, sur le *Swallow*, qui cependant avait fait partie de l'expédition de Byron, passa 84 jours dans le détroit, et l'illustre Bougainville, avec les frégates la *Boudeuse* et l'*Étoile*, en 1767, contrarié par les vents contraires, fit sa traversée en 52 jours, dont 40 furent employés à parcourir une distance de 180 milles ou 60 lieues, représentant la moitié du chemin.

On cite, comme une exception tout à fait remarquable, le voyage de la frégate anglaise *Fishguard*, qui passa sous voiles de l'est à l'ouest en 17 jours.

Voilà comme naviguaient nos aïeux, et au prix de quelle patience ils ont acquis la gloire de nous montrer la route dans ces parages que nous prenons à peine le temps de regarder.

Aujourd'hui, les navires à voiles ne passent plus jamais par le détroit, et la traversée de l'est à l'ouest est considérée pour eux comme impraticable. Au contraire, un navire à vapeur, quoique à peu près certain de recevoir au moins un coup de vent, s'il est solide et bien dirigé, passera en deux, trois ou quatre jours, quand même, et presque sans ralentir sa vitesse, ce que nous avons une fois de plus démontré.

Le 5 octobre, vers midi, la *Junon*, laissant à sa gauche la pointe sud de l'île Sainte-Élisabeth et le pic Sainte-Anne, très élevé, pointu et à arêtes absolument droites, s'engageait dans le canal Smith, qui est la partie la plus méridionale des canaux latéraux. Depuis le matin, nous avions été, comme la veille, battus par une forte brise du nord-est, à rafales ; mais dès que nous fûmes dans les passages resserrés, à l'abri des hautes collines situées à notre droite, nous retrouvâmes un calme presque parfait.

A partir de ce moment, les surprises succèdent aux surprises. Le caractère des paysages qui défilent sous nos yeux est extrêmement varié, mais n'a plus la sévérité austère de ceux du détroit. Le décor change à chaque instant ; nous naviguons sur une suite de petits lacs encaissés entre des collines couvertes de verdure et parsemés d'îlots, de rochers, qui se cachent et se démasquent tour à tour à mesure que la *Junon* les contourne. La largeur du canal n'est pas bien grande ; cependant nous filons à toute vitesse, pour rester maîtres du courant. Il n'y a plus de route à la boussole (au compas, comme disent les marins), l'œil est seul juge de la direction du navire. La barre est continuellement en mouvement, et c'est plaisir de voir notre grand steamer se lancer à droite ou à gauche, faisant parfois plus d'un demi-cercle pour tourner autour d'une pointe, éviter une île placée au beau milieu de sa route et repartir tout droit devant lui, jusqu'à ce qu'un nouvel obstacle l'oblige à se déranger encore.

Chacun de nous cherche dans ses souvenirs quelque ressemblance avec ce que nous voyons : « Voici un paysage des Alpes !... Tenez, maintenant, c'est le Jura ! » M. de Saint-Clair, qui a longtemps habité Glascow, prétend que rien ne rappelle mieux l'Écosse !... Un autre nomme un des plus jolis sites des bords du Rhin... Le froid est assez rude, mais nous nous amusons réellement trop pour avoir la pensée de quitter la dunette ; les plus braves sont juchés sur le gaillard d'avant et à chaque tournant de route cherchent à deviner par où on va passer. En effet, il nous semble être continuellement au centre d'un cercle étroit, et l'œil ne distingue pas les coupures qui nous permettront d'en sortir.

Vers quatre heures, la vigie signale un point noir par le bossoir de tribord. Une minute après, et comme une traînée de poudre, éclatent de l'avant à l'arrière les cris : « Un canot ! un canot ! » Tout le monde est aux bastingages, à regarder. C'est encore une pirogue de Pêcherais. Nous stoppons. Cette fois, comme la mer est très calme, les indigènes peuvent se haler sur l'amarre qu'on leur a jetée, et nous restons quelques minutes courant doucement sur notre vitesse acquise ; pendant qu'on fait les échanges les plus baroques avec ces malheureux, croquons le tableau :

La pirogue, d'à peu près vingt pieds de long, est construite en planches grossièrement équarries, reliées et soutenues entre elles par des branches courbées en demi-cercle ; le tout retenu par des cordes en boyau. Elle est manœuvrée, non par des pagaies, comme l'embarcation que nous avons vue dans le détroit, mais par de longs avirons, formés de deux pièces. Il y a là une douzaine de personnes : six hommes, trois femmes et quelques marmots. Je remarque un vieux Pêcherais, le grand-père sans doute, ridé et amaigri, dont les cheveux cependant sont aussi noirs, aussi raides, aussi épais et aussi longs que ceux des autres. Hommes et femmes ont le même type. Les femmes paraissent plus laides, mais je pense que c'est parce qu'elles le sont autant, ce à quoi nous ne sommes pas habitués. La peau est rouge brique, ou peu s'en faut ; la face est ronde, grosse, aplatie, le front bas, mais assez large. Comme presque toutes les races d'Indiens, ils ont les yeux noirs, les pommettes saillantes, les lèvres un peu fortes et de belles dents.

Deux des femmes, qui sont jeunes, ont la gorge assez forte, mais déjà déformée. Quant à la vieille, elle est horrible à voir ; Macbeth n'a jamais entrevu pareille sorcière. Les enfants sont dans le fond de la pirogue, accroupis devant un feu de bois sec, qu'ils tisonnent avec beaucoup de sérieux, et ne paraissent faire aucune attention à nous. Cela m'a surpris. En revanche, trois chiens au profil de renard, groupés à l'avant du bateau, nous examinent avec curiosité.

Tout ce monde est *absolument* nu. Femmes, hommes et enfants n'ont pour costume qu'une peau de bête, jetée sur le dos.

Je reparlerai de ces pauvres diables de cannibales, car nous avons eu le plaisir de les revoir. Ils ne purent cette fois rester que fort peu de temps le long du bord, mais cela leur suffit pour conclure quelques opérations commerciales avec nous. L'article d'exportation le plus demandé était le tabac ; l'importation, très variée, comprenait des peaux de loutre, des flèches, des colliers de coquilles, produits d'une industrie plus qu'élémentaire.

L'un de nous voulait absolument acquérir un petit objet brillant, pendu au cou de l'un de ces sauvages ; mais celui-ci ne voulait s'en démunir à aucun prix ; un paquet de tabac, deux, trois ne parvenaient pas à le décider ; enfin quatre paquets, toute une fortune, triomphèrent de sa résistance au moment où la pirogue se détachait. Notre ami saisit son trésor avec émotion… C'était un bouton de culotte de fabrique anglaise.

Nous repartons à toute vitesse, et, vers cinq heures du soir, la *Junon* fait son entrée dans un petit havre, connu sous le nom de baie de l'Isthme. Là, comme dans la baie Swallow et comme dans les deux autres mouillages que nous avons pris avant de sortir des canaux, il y a la place d'abriter un navire assez grand, mais un seul.

Il est convenu maintenant que, grâce aux progrès de la civilisation, tous les points du globe sont devenus quasiment des faubourgs de Paris, et que de magnifiques steamers transportent avec la plus entière sécurité et le plus splendide confortable les touristes et les commis voyageurs. On admet généralement aussi que les parages jadis inconnus sont sillonnés de nombreux navires, que toutes les côtes sont exactement relevées et toutes les cartes excellentes. Je crois m'apercevoir que ce sont là de purs préjugés, et en ce qui concerne le magnifique passage où nous nous trouvons en ce moment, je puis vous assurer que c'est une curiosité qui attire fort peu de curieux.

Je n'en veux d'autre preuve que la coutume adoptée par les navires de marquer la trace de leur passage dans les baies où ils viennent chercher un abri pour la nuit.

En arrivant à terre dans la baie de l'Isthme, nous avons tout d'abord trouvé les cartes de visite de nos prédécesseurs, sous forme de planches clouées aux arbres du rivage. Il y en a fort peu ; j'ai relevé sur le tronc mort d'un grand hêtre, choisi bien en évidence sur un petit monticule, les quatre inscriptions suivantes :

Luxor 17/12/77.

S.M.S. Feb. *Vineta* 76.

S.S. *Ibis* Den 9 Sept. 1876.

S.S. *South Carolina*, left New-York march 2nd, anchored here april 6th 1876.

Il y avait, en outre, deux planches dont les inscriptions étaient complètement effacées par le temps. Sur l'une d'elles, je gravai avec la pointe de mon poignard :

Junon 5/10/1878.

La promenade à terre ne présenta aucun incident remarquable. On tira bon nombre de canards, on récolta plusieurs brassées de moules, aussi belles et aussi abondantes que dans le détroit, et comme une petite pluie fine commençait à tomber, nous nous empressâmes de rentrer à bord pour ne pas faire attendre le dîner, que réclamaient, d'ailleurs, nos jeunes appétits, aiguisés par le froid et l'exercice.

Ayant passé toute cette journée au grand air, comme les deux précédentes, et devant nous lever de fort bonne heure le lendemain, chacun s'était retiré dans sa chambre après le repas. Soudain, à dix heures et demie, je suis réveillé par des hurlements qui me font immédiatement dégringoler de mon cadre. En un instant, nous voilà tous sur le pont. Qu'est-ce ? Le feu ? Une attaque des sauvages ? Ce sont en effet des indigènes, mais leurs intentions sont toutes pacifiques. Ce sont les mêmes que nous avons rencontrés dans le canal. Ils ont trouvé, sans doute, que nous faisions les affaires largement, car les malheureux ont parcouru une vingtaine de milles à l'aviron pour venir continuer leurs échanges.

Nous voulons les faire tous monter à bord, mais la vieille « sorcière » s'y refuse énergiquement et reste avec les deux femmes et les enfants pour garder la pirogue. Je n'ose pénétrer le motif de cette méfiance, qui laisse planer des doutes « incompréhensibles » sur la galanterie exagérée de ceux qui ont passé ici avant nous.

Les hommes ont gravi l'échelle du bord sans hésitation et sont introduits cérémonieusement dans le salon arrière. Voilà nos invités assis, complètement nus, sur les banquettes de velours, en face de diverses victuailles. Ils touchent peu à la viande, mais les sardines sont l'objet de leur prédilection ; elles disparaissent par douzaines, et ces messieurs ne repoussent les assiettes qu'après les avoir léchées avec soin et satisfaction. Le grand-père est décidément affreux ; mais les deux jeunes gens, assez bien bâtis, ne sont pas trop laids. Ces êtres-là sont des brutes, il n'y a pas à en douter, et Darwin leur a rendu justice en les classant au dernier rang de l'espèce humaine ; leur genre de vie, l'état de misère et de dégradation où ils végètent, en sont de suffisants témoignages, cependant leurs physionomies sont loin d'être idiotes, et on y trouve un mélange de bonhomie et de finesse.

Le vieillard qui vient de changer la peau de loutre qu'il avait sur le dos contre une boîte de conserves fait claquer ses dents pour indiquer qu'il a froid. Ne se croyant pas bien compris, il touche plusieurs fois sa peau, puis la manche de notre ami B..., placé à côté de lui, pour indiquer qu'il voudrait bien en avoir autant. B... se laisse attendrir, descend dans sa cabine et revient avec un costume complet d'été, dont le vieux Pêcherais est revêtu séance tenante.

Rien de plus comique que de voir ce grand sauvage tout habillé de blanc, dans ce pays de glace et par deux degrés de froid. Même quand il a mangé de l'Européen, supposition que son âge rend assez vraisemblable, il n'a pas dû être aussi content. Il se promène, se pavane, s'admire dans un miroir, qui ne l'étonne pas trop (il a dû en voir déjà) ; il plante ses mains recouvertes de débris de sardines dans les poches du veston ; c'est une joie sans pareille... Pendant qu'on les amuse avec une montre dont le tic tac les intrigue fort, notre professeur d'histoire naturelle examine leurs mâchoires, mesure leurs têtes, palpe leurs bosses, et je ne doute pas qu'ils ne prennent ces attouchements scientifiques pour des marques d'amitié ; car ils lui sourient aimablement et semblent le remercier.

Quelqu'un se met au piano. Shakspeare a dit : « *Music sooths the savage breast.* » Il avait deviné les sauvages des terres magellaniques : ils dressent les oreilles, restent un moment immobiles, se lèvent ; leur physionomie exprime d'abord l'inquiétude, puis l'étonnement. Bientôt ils dodelinent de la tête, et comme c'est une marche très rythmée qu'on leur joue, ils saisissent la mesure. S'encourageant l'un l'autre, ils s'approchent à petits pas de cette grande caisse qui chante. L'instrument se tait. Le plus brave de nos indigènes touche timidement une note du doigt et se recule ; enfin, rassemblant tout son courage, il plante vigoureusement ses deux poings sur le clavier, en regardant les autres avec une expression de crânerie qui nous fait éclater de rire. Ce sera alors à qui touchera le piano ; mais l'idée leur venant de regarder ce qu'il y a dedans, quelqu'un entame le galop d'Orphée pour faire diversion. On les prend par la main et on les fait danser. Les sauvages sont devenus d'une gaieté folle ; Parisiens et Pêcherais mêlés sautent et rient à se tordre..., sans savoir pourquoi, je le veux bien, mais de bon cœur, je vous assure. Il est évident qu'un être grave, transporté à bord de la *Junon*, nous aurait en ce moment tous pris pour des fous. Peut-être serait-il devenu fou lui-même... Aux derniers accords de l'infernal galop, nous les reconduisons jusqu'à la coupée et les poussons dans leur pirogue ; vieux pantalons, gilets déchirés, chapeaux défoncés, tout ce que nous avons de nippes en mauvais état et de hardes hors de service pleuvent sur leurs têtes, et bientôt l'embarcation disparaît dans les ténèbres.

....

Avant que le soleil ait jeté son premier rayon sur les cimes des montagnes, la *Junon* était sortie de la baie de l'Isthme et continuait sa course rapide à travers les canaux étroits qui font communiquer le Smith-Sound et le canal Sarmiento. C'est un dimanche, et peut-être, depuis notre départ de France, n'avons-nous pas eu une plus belle journée que celle-ci. Dans quel pays sommes-nous, et sous quel climat vivons-nous ? Pas un nuage au ciel, qui, pour la première fois depuis huit jours, nous montre un azur bien franc, presque foncé. Nous glissons sur une mer unie, limpide et d'un magnifique vert sombre, dans laquelle se reflètent comme dans l'eau d'un lac les îles verdoyantes, les cascades, les vallées, les glaciers qui bordent la route. La température est d'une douceur exceptionnelle. Nous nous dirigeons maintenant presque droit au nord, et si la végétation a conservé le même caractère, elle nous apparaît plus puissante et donne par cela même au paysage un aspect plus gai et plus vivant.

Pour la première fois, on dit la messe dans le salon, garni de fougères, d'épines-vinettes et de branchages de toute sorte, arrachés aux fourrés de la baie de l'Isthme.

A une heure de l'après-midi, le commandant nous fait une agréable surprise : « Qu'on soit paré à mouiller ! » — Ceci nous annonce quatre ou cinq heures de promenade, de chasse, d'escalades, sans compter le principal attrait de ces courses en pays perdu..., l'imprévu ! La *Junon* range d'assez près la terre que nous avons à notre gauche, puis vient en grand sur tribord, stoppe et entre doucement dans un bassin fermé par de ravissantes petites îles couvertes d'arbres. « Tribord, mouillez ! » La lourde chaîne file bruyamment dans les écubiers. Nous sommes dans la baie de Puerto-Bueno.

On ne pouvait choisir meilleur mouillage ni plus joli endroit. Pendant qu'on amène les embarcations, nous allons nous équiper. Arrivés à terre, chacun poursuit sa route à sa guise ; le commandant fait des sondages ; M. Collot, accompagné de deux amateurs d'histoire naturelle, va augmenter ses collections. Celui-ci, aux pieds agiles, a déjà commencé l'ascension du plus haut pic, et celui-là, qui espère rencontrer des indigènes, se charge, outre un arsenal complet, d'un grand sac de tabac et de bibelots qu'il compte échanger avantageusement. Le plus grand nombre est en quête de gibier, et tout ce qui sait tenir un crayon a dans la poche un album, petit ou grand.

Bref, armés jusqu'aux dents et vêtus comme des contrebandiers, ayant plutôt l'air de conquérants que de touristes, nous disparaissons tous dans la forêt vierge.

Avec mon compagnon Jules C..., je me fraye difficilement un passage à travers des bois peu élevés, mais très touffus de hêtres, de bouleaux et de frênes. Nous rencontrons aussi des houx, des bruyères très hautes, d'énormes fougères et une grande variété d'arbres et d'arbustes dont les noms nous sont inconnus.

Après avoir franchi une ondulation de terrain en dos d'âne, nous redescendons de l'autre côté, mais la marche devient fort difficile. Nulle part on n'aperçoit une parcelle de terre ; nous foulons une couche d'humus, formée de végétaux décomposés, de vieilles souches pourries enveloppées de mousses et de lichens ; parfois nous enfonçons jusqu'à la ceinture dans des crevasses que rien n'indique à la vue. Les arbres sont ici beaucoup plus élevés et fournissent un ombrage épais. Nous avançons en allant de l'un à l'autre, écartant ou tournant les obstacles à mesure qu'ils se présentent. Une quantité de petits oiseaux au plumage gris et noir gazouillent autour de nous.

Le travail des siècles a pu seul rendre fertiles ces collines et ces îles rocheuses. Un germe déposé a produit un arbuste chétif, qui a retenu entre ses faibles racines un peu d'humidité et de terre, il vieillit, tombe, pourrit, se recouvre de mousse, donne le germe à une douzaine d'arbustes qui, à leur tour, poussent, grandissent pour vieillir et tomber encore ; si bien que l'accumulation constante des détritus, en donnant sans cesse naissance à de nouveaux végétaux a fini par nourrir toute une forêt qui ira toujours en grandissant et en s'étendant de plus en plus.

Une heure de glissades, de chutes, de culbutes à travers ces impénétrables fourrés, nous amenèrent au bord d'un charmant petit lac d'eau douce dans lequel se déversent les eaux d'un autre lac un peu plus grand. Nous y retrouvons plusieurs de nos chasseurs.

— Eh bien ! Combien de victimes ?

— Hélas ! Seulement deux canards et une oie ; mais nous avons vu un Patagon !

— Pas possible.

— Mais si, vraiment. Vu, de nos yeux vu, ce qui s'appelle vu..., là-bas, sur le sommet de cette montagne, une grande silhouette, très grande, qui a paru nous observer quelques minutes et qui, malgré nos démonstrations pacifiques, s'est éclipsée. Nous avons voulu l'atteindre, mais c'est trop loin et trop haut. Et nous vous sommons de consigner l'incident sur vos tablettes ; il est assez extraordinaire pour que le public en soit informé, d'autant plus qu'on affirme que cette partie de la côte est déserte.

— Comment donc ! Mais certainement... Très intéressant. Oh ! je le relaterai. Grande silhouette sur une grande montagne... ; c'était sûrement un Patagon. Que vous êtes heureux !

Avant de regagner la *Junon*, nous relevons les inscriptions suivantes, plantées un peu partout, sur la terre et dans les îles : *Ramsès*, 23/6/78. — *Ariadne*, 19 Jan. 78. — H.M.S. *Penguin*, Jan. 5th 78. — *Aiguillette* (les autres caractères effacés, la planche trouvée à terre). — *Patagonia*, 8 nov. 73. — Canonera peruana *Pilcomayo*, comm. D. A. S. *Muñoz*, 11 Diciembre 74. — *Christopho Columbo*, 11/9/78.

La nuit est venue, et une fois réunis à bord, nous constatons l'absence de notre camarade Ed. S..., un robuste enfant de l'Alsace, voulant toujours « donner la main » aux manœuvres et toujours le premier aux excursions. Nous l'avons surnommé le « matelot ». On crie, on appelle. Pas de réponse... On hisse deux fanaux en tête du mât. Pendant qu'on envoie un canot à terre pour l'attendre et allumer un feu qui lui montre la direction, les commentaires vont leur train : il a perdu son chemin, — il est tombé dans un précipice, — il a été enlevé par les indigènes... — et mangé peut-être ! Enfin, un coup de fusil se fait entendre du rivage, nous répondons au signal et quelques minutes après notre ami est à bord. Mais dans quel état ! Le visage et les mains déchirés par les épines, les vêtements en lambeaux, trempé, meurtri… Il nous raconte qu'ayant escaladé la plus haute montagne, il s'est égaré dans les bois au retour et s'est vu forcé de traverser presque à la nage un des lacs pour ne pas se perdre de nouveau dans les fourrés.

— Alors, c'était bien vous qui étiez là-haut sur la montagne ?

— Oui, et je suis redescendu pour explorer le versant opposé.

Je m'adresse aux chasseurs :

— En narrateur fidèle, je crois, messieurs, qu'il convient de rectifier l'apparition du Patagon.

— Hélas ! oui. Rectifiez, mais expliquez qu'avec ce gaillard-là on ne sait jamais à quoi s'en tenir. Qualifiez-le de passager-matelot-patagon, avec la réserve de bien d'autres qualifications qui lui seront probablement données avant le retour.

Le 7, au point du jour, la *Junon* repartait, non sans avoir envoyé le charpentier clouer sur un arbre bien en vue, à l'entrée de la baie, une planchette avec l'inscription : *Junon*, vap. français, commandant Biard, 7/10/78.

Le petit lac d'eau douce que nous avons découvert, étant à peine indiqué sur les cartes et ne portant aucun nom, le commandant, après en avoir relevé approximativement le contour, lui a donné le nom de lac d'Aunet[7].

[7] Mme Biard, née Léonie d'Aunet, a fait en 1839, avec son mari, à bord de la corvette de l'État la *Recherche*, un voyage au Spitzberg.

Il y a là, par 80° de latitude nord, une petite crique qu'on a appelée alors l'anse Léonie ; en sorte que deux points situés aux extrémités du monde portent aujourd'hui le nom de la célèbre voyageuse.

Mme Biard est morte à Paris le 21 mars 1879.

Le temps, un peu brumeux dans la matinée, s'est enfin éclairci et nous donne une belle après-midi. Vers huit heures du matin, nous franchissons le passage le plus étroit de cette originale traversée. On le nomme *Guia narrows*. Il y règne un fort courant qui s'engouffre entre deux plages rocheuses, distantes d'un jet de pierre l'une de l'autre.

Il suffit à la *Junon* de se tenir bien au milieu du chenal pour passer ainsi dans un grand lac, compris entre les îles Chatham et Hanovre et l'archipel de la Mère-de-Dieu. Bientôt nous entrons dans le canal Wide, où les terres se resserrent de nouveau, et, comme la veille dans le canal Sarmiento, nous naviguons pendant quelques heures entre deux rangées de collines.

Cependant l'aspect général n'est plus le même. Quoique notre route se continue presque directement au nord, la végétation redevient rare, les montagnes se dressent altières, inaccessibles. La côte de Patagonie à notre droite est parsemée de glaciers ; celle de l'île Wellington, à gauche, plonge dans la mer d'énormes masses granitiques abruptes, sillonnées de cascades, couronnées d'arbres à leurs sommets, mais dont les versants sont presque tous dénudés. Le plus remarquable, le plus imposant de ces promontoires est le cap Bold, dont la paroi est absolument verticale sur une hauteur de plus de 200 mètres. Cette gigantesque muraille, qui me rappelle le passage supérieur des Portes-de-Fer du Danube, marque l'entrée d'un nouveau canal taillé entre deux coupures et s'ouvrant à angle droit sur notre gauche.

Avant de nous y engager, nous naviguons au milieu de glaces flottantes très nombreuses, venant d'un immense glacier situé droit devant nous, et descendant le bras de mer où nous sommes, poussés par une fraîche brise. Ces *icebergs* sont, en moyenne, de la grosseur d'une forte embarcation. De temps en temps, on incline un peu la route pour éviter les plus grands, pendant que les fins tireurs de notre bande font assaut d'adresse pour toucher ceux qui passent à 60 ou 80 mètres de nous. Le *Grand-Glacier* (c'est le nom qui lui est donné sur la carte) présente à ce moment un spectacle magnifique ; il se développe sur une étendue de 3 ou 4 kilomètres et nous laisse entrevoir d'immenses champs de neige, de gros blocs d'un bleu éclatant qui forment le plus pittoresque contraste avec les couleurs sombres, les tons durs des montagnes qui nous entourent de tous les côtés.

La *Junon*, contournant le cap Bold, tourne brusquement sur bâbord. Une demi-heure après, à la nuit tombante, nous étions de nouveau mouillés dans une petite baie, ressemblant beaucoup à celle de l'Isthme, que l'heure avancée et le temps devenu soudainement pluvieux ne nous permirent pas d'explorer.

Nous avions encore une journée de marche pour sortir des canaux latéraux, et, dans cette journée, restaient à franchir les passages les plus difficiles. Ayant quitté le havre Grappler de très bon matin (c'est le nom de notre troisième et dernier mouillage), nous donnâmes dans l'*Indian Reach* un peu après le lever du soleil ; là, nous rencontrâmes cette curieuse variété de canards que les Anglais ont appelés *steam ducks* (canards vapeur), qui ne peuvent se servir de leurs ailes que pour battre l'eau et semblent imiter un bateau à roues lorsqu'ils courent sur la mer en la frappant à chaque coup d'aile.

Cet endroit offre quelques dangers, parce qu'il contient plusieurs roches cachées qui ne sont peut-être pas toutes connues. Pour la première fois depuis notre entrée dans le détroit de Magellan, la vitesse habituelle de dix nœuds fut ralentie et un officier envoyé en vigie dans la mâture. L'Indian Reach franchi sans encombre, il nous restait encore, comme dernière et plus délicate épreuve, à passer le goulet ou détroit Anglais, à l'entrée duquel nous nous présentâmes vers dix heures.

Je ne décrirai pas la manœuvre, qui ne serait bien compréhensible que la carte sous les yeux, et n'aurait d'intérêt que pour les marins. Je me bornerai à dire que presque toutes les difficultés sont réunies sur ce point : le passage est fort étroit, sinueux, barré par plusieurs îlots, difficiles à distinguer les uns des autres ; il y a, de plus, quelques hauts-fonds dont rien ne signale la présence. Ainsi que dans la plupart des endroits très resserrés, les courants ont là une grande force.

Il faut arriver avec une vitesse bien calculée et, une fois engagé, manœuvrer sans hésitation, car on ne doit même pas songer à revenir en arrière. A un certain moment nous dûmes serrer la côte de si près que nos vergues rasaient les branches des arbres.

Bref, nous avons passé le goulet Anglais comme le reste. Une heure après, des torrents, des fleuves de pluie fondaient sur la *Junon*, naviguant maintenant sur le large canal Messier et donnant toute sa puissance pour en sortir avant la nuit close.

A sept heures, un léger balancement nous indiquait l'approche de l'Océan. Nous entrions dans le golfe de Peñas.

A minuit, nous étions en pleine mer.

....

Adieu, parages désolés, si pleins de charme, de poésie, d'imprévu ! rochers fantastiques, superbes glaciers, nature étrange et sauvage, au sein de laquelle nous avons tant vécu en si peu de temps !

Au milieu de ces solitudes, sous l'impression des beautés majestueuses de tout ce qui nous entourait, comprenant la réalité des dangers qu'une erreur de coup d'œil, une négligence, un ordre mal compris pouvaient nous faire courir, nous avons senti pour la première fois le lien qui nous unissait les uns aux autres ; nous avons mis en commun nos surprises, nos admirations, nos enthousiasmes, et nous emportons tous de cette magnifique traversée des souvenirs à jamais ineffaçables.

AU CHILI
VALPARAISO ET SANTIAGO

La baie de Valparaiso. — L'île de Robinson. — Opinion d'un homme sérieux sur les Chiliennes. — La Samacoueca. — Tremblement de terre. — En route pour Santiago. — Physionomie de la capitale. — La ville et les monuments. — Triste souvenir. — Santa-Lucia. — La Quinta normal. — Soirée chez le ministre de France. — Des bâtons dans les roues. — Le môle de Valparaiso. — Situation générale du pays. — La question patagonienne.

En mer, 26 octobre.

La baie de Valparaiso apparut à notre droite le 13. Elle a la forme d'un demi-cercle ouvert au nord, bordée de *cerros* ou collines assez élevées, nues, rougeâtres et d'un aspect triste. Le pied de ces collines est très voisin de la mer, et la ville, après s'être installée sur une longue ligne au bord de la plage, a dû, pour s'étendre, les escalader en partie. Dans les gorges, on aperçoit bien çà et là quelques bouquets de verdure ; mais rien cependant ne nous a paru, au premier coup d'œil, justifier le nom charmant de « Vallée du Paradis », donné au premier port de la république du Chili.

Un grand nombre de navires de commerce sont mouillés en rade, parmi lesquels nous reconnaissons deux baleiniers américains, récemment arrivés du cap Horn, à leur petite cabane-observatoire juchée dans la hune de misaine. Nous passons près de trois frégates cuirassées anglaises, d'un navire de guerre américain et de deux grands blindés chiliens, dont l'un porte le nom, célèbre au Chili, de l'amiral Cochrane. Des barques évoluent sur les eaux calmes. Le port paraît fort animé, et c'est avec une vive impatience que nous attendons la visite de la santé, qui va enfin nous rendre à la terre, à la vie !

Avant de débarquer, nous distinguons à notre gauche, et par delà les cimes lointaines de la Cordillère des Andes, le sommet neigeux de l'Aconcagua, le géant de l'Amérique, élevé de plus de 20,000 pieds, qui se montre aux navigateurs du Pacifique comme aux gauchos des pampas.

Le débarcadère de Valparaiso est le plus commode que nous ayons encore vu. A peine avons-nous gravi son large escalier, que nous nous trouvons en face d'un gai parterre de gazon et de fleurs, devant lequel s'ouvre une triple arcade supportant le bâtiment de la Bourse et les bureaux de la Douane. Tout cela est bien tenu, point froid à l'œil et de bonne apparence. Près de nous, sur le quai même, la grosse cloche d'une locomotive annonce le départ d'un train pour Santiago et invite les voitures à se ranger. Traversons.

Voici maintenant une autre place. Quel est cet édifice en ruine ? C'est la caserne principale des pompiers, récemment brûlée. Diable ! Si dans ce pays les pompiers laissent brûler leur propre logis... N'insistons pas. Plusieurs personnes viennent au-devant de nous ; c'est une députation du Cercle français. Ces messieurs nous entraînent à leur club pour nous en faire les honneurs. Quelques instants après, installés avec nos compatriotes dans des calèches presque confortables, nous voilà lancés à travers la ville.

— Où nous conduisez-vous ?

— A une heure d'ici, à Sainte-Hélène. C'est le Robinson de Valparaiso... Nous avons pris la liberté d'y faire préparer une petite collation dès que vous avez été signalés.

Nous sommes confus, mais comment refuser ?... A propos de Robinson, je demande ce que devient cette fameuse île Juan Fernandez, qui appartient au Chili et n'est pas à plus de cent-vingt lieues d'ici, juste en face de Valparaiso. C'est là, on s'en souvient, que le matelot Selkirk, abandonné par son navire, vécut de 1704 à 1709, absolument seul. Étrange histoire, qui nous a valu l'immortel livre de Daniel de Foë, le *Robinson Crusoë*. Il paraît qu'un Robinson nouveau s'y est installé depuis le commencement de l'année dernière ; mais, hélas ! ce n'est ni un pauvre naufragé, ni un philosophe, ni un poète, ni même un original : c'est simplement un homme pratique, de plus allemand, qui a loué l'île de Robinson au gouvernement chilien, comme il aurait loué un cinquième sur l'avenue de l'Opéra, et à peu près au même prix[8].

[8] M. de Rodt (c'est le nom du locataire de l'île Juan Fernandez), paye un loyer annuel de 1,500 pesos, environ 7,000 fr.

Il vit là, en gentilhomme campagnard, avec une soixantaine de vassaux ; il coupe les bois, élève des chèvres, tue des phoques, pêche des poissons et espère se faire une centaine de mille francs par an, avant peu, du produit de sa ferme. Voilà ce que deviennent les légendes.

Chemin faisant, nous étourdissons de questions nos nouveaux amis. Après l'histoire de Robinson, il faut qu'on nous dise à quoi nous en tenir sur les fameux tremblements de terre du Chili et du Pérou. Hélas ! les renseignements ne sont que trop abondants. Si on a osé construire dans la ville quelques édifices ayant plus de deux étages, c'est que la place manque absolument et que le terrain dans le quartier central est d'un prix excessif. Plaise à Dieu qu'un bouleversement, pareil à celui qui a détruit la ville d'Arica en 1868 et la ville d'Iquique l'année dernière, ne se fasse pas sentir à Valparaiso, car ce serait la plus épouvantable catastrophe que l'imagination puisse concevoir. A mesure qu'on s'éloigne du quartier le plus animé de la ville, les maisons n'ont qu'un seul étage, quelquefois un simple rez-de-chaussée. Le mode de construction le plus usité consiste dans l'emploi de la brique et d'un ciment très lâche, supportés par des madriers. L'ensemble « joue » et résiste mieux aux légères secousses qu'on éprouve plusieurs fois chaque année. Du reste, ajoute-t-on, si vous restez seulement une quinzaine de jours ici, il est presque certain que vous aurez une impression du mouvement.

— Bien obligé !

Beaucoup de maisons sont peintes des couleurs les plus tendres, rose et bleu, et soigneusement vernies. Au-dessus de chaque porte se dresse un mât qui souvent dépasse la toiture, et auquel on arbore un pavillon les jours de fêtes politiques ou religieuses. Cette touchante et unanime manifestation est simplement le résultat d'une loi qui frappe d'amende quiconque ne pavoise pas sa demeure aux jours officiellement consacrés. L'enthousiasme obligatoire, suprême expression de la liberté !

A propos d'enthousiasme, je crains bien que, si je vante le charme des Chiliennes, vous, lecteur, qui n'êtes pas venu au Chili, vous ne trouviez que j'ai l'admiration trop facile. Séduit à Montevideo, enchanté à Buenos-Ayres, charmé à Valparaiso, que sera-ce donc quand nous arriverons au Pérou, la terre classique et légendaire de la beauté !

Je prendrai la liberté de vous rappeler timidement que je n'ai pas parlé des Brésiliennes, et que j'ai tout à fait sacrifié mesdames les sauvagesses du détroit de Magellan et pays circonvoisins. Je ne suis donc pas si indulgent qu'on pourrait le croire tout d'abord, mais si vous voulez être tout à fait convaincu, écoutez une voix plus autorisée que la mienne, celle de M. Ed. Sève, consul général de Belgique au Chili, auteur de l'intéressant ouvrage : *Le Chili tel qu'il est.*

« Les alliances, dit M. Sève dans sa préface, sont souvent prématurées ; les épreuves de la vie conjugale sont parfois funestes et apportent le deuil et bien des calamités. L'amour de la famille est profondément enraciné dans le cœur des Chiliennes, et la fécondité des mariages en est une preuve irréfragable. Le père sacrifie volontiers ses goûts, ses plaisirs au bonheur de la famille ; mais *son autorité* est loin d'être aussi grande qu'en Europe... Je ne vous dirai rien des jeunes filles ; elles ont des grâces infinies, l'imagination vive, et elles sont si séduisantes que fort peu d'étrangers habitent quelque temps le pays sans leur faire l'hommage de leur cœur et de leur liberté. Les moralistes leur reprochent d'aimer trop la toilette... »

Vous voyez, les moralistes eux-mêmes ne trouvent que cela à leur reprocher. Voilà qui est probant. Est-il nécessaire d'ajouter, avec M. Sève lui-même : « La forte proportion des naissances illégitimes prouve précisément combien le Chilien *a besoin* de la vie de famille... » ?

L'auteur n'a peut-être pas dit en ce passage sa pensée bien exacte ; mais ce qu'il en dit suffit à démontrer que les Chiliennes sont aimables et que sur ce point les avis ne sont pas partagés.

Les Espagnoles de la Plata se coiffent de la traditionnelle mantille. Ici, c'est la *manta*, longue pièce d'étoffe noire, dans laquelle vieilles et jeunes se drapent et s'encapuchonnent comme les femmes d'Orient dans leur *feredjé*. Le plus souvent, on ne distingue que le haut du visage, en sorte qu'un mari peut passer trois fois à côté de sa femme sans la reconnaître. Cela donne aux personnes « d'un certain âge » un caractère un peu sévère, presque triste. Inutile d'ajouter que les modes françaises sont portées par un grand nombre de familles, et que, si la *manta* n'était absolument obligatoire pour entrer dans les églises, on ne la porterait peut-être plus du tout depuis longtemps.

Nous traversons la grande place de la ville, celle de la Victoire, agrémentée d'une fontaine placée au centre d'un square. Un édifice en ruine attire notre attention ; c'est le théâtre, brûlé depuis six mois. Décidément, les pompiers de Valparaiso n'ont pas eu de chance cette année.

Sainte-Thérèse est une petite oasis pleine de fleurs et d'arbres particuliers, située à l'extrémité du principal faubourg ; nous y faisons un *lunch* très gai, et en redescendant dans la ville à la nuit close, nos aimables compagnons nous donnent le spectacle d'une *samacoueca*. La samacoueca est la danse nationale au Chili comme au Pérou ; danse du peuple, bien entendu, car le quadrille, la polka et la valse ont conquis le monde fashionable là comme ailleurs et probablement pour toujours.

Dans une grande salle d'auberge, décorée de vieilles images et de banderoles de papier multicolore, les habitués de l'endroit, métis d'Espagnols et d'Araucans, gens braves plutôt que braves gens, nous dit-on, s'empressent de nous faire placer. Ils ont l'espoir, non déçu d'ailleurs, que nous leur offrirons quelques rafraîchissements. Nous nous asseyons, et la danse commence ou plutôt recommence. Les assistants accompagnent la guitare et marquent le rythme en frappant avec les doigts de la main droite dans la paume de la main gauche. Nous les imitons poliment.

Cette samacoueca est une sorte de fandango assez original et gracieux ; malheureusement les deux êtres qui l'exécutent sont absolument dépourvus de charme. L'homme est assez souple, mais petit et trapu ; son pantalon trop court, bordé d'une dentelle frangée, laisse entrevoir une partie de ses tibias ; il ressemble à un pitre de foire et est complètement ridicule. Sa danseuse, jeune, mais pas jolie, est fagotée d'un lourd corsage mal coupé et d'une jupe traînante trop ballonnée.

D'abord, c'est une série de passes entre-croisées, jeux de mouchoir et d'éventail, dédains, moqueries, regards coquets, bientôt tendre déclaration, poursuite, refus d'autre part, accompagné d'un coup d'œil encourageant, etc., etc...

Tout cela est bien et correctement dansé. Les poses sont naturelles, l'expression est juste, le crescendo du sentiment bien observé. Que peut-on demander de plus ? Des gens si éloignés du « foyer de la civilisation » peuvent-ils atteindre les perfections et les grâces chorégraphiques du bal Bullier ou de l'Élysée-Montmartre ? Impossible ! impossible !

Nous rentrons dans la ville, encore toute remplie de lumières, et nous croisons la retraite militaire, jouée par une bruyante et nombreuse musique. En tête de la troupe s'avancent gravement deux guanaques et une chèvre. J'ai déjà parlé du guanaque, sorte de lama, classé parmi les animaux dits sauvages, mais qui s'apprivoise avec autant de facilité qu'un chien. Seule, la chèvre ne nous eût pas causé une bien vive impression... Pourquoi pas le fameux toutou du 2e zouaves ? Mais les guanaques, à la bonne heure ! voilà de la couleur locale.

Le lendemain, la débandade des touristes de la *Junon* recommence. Les uns vont chasser dans les gorges, le plus grand nombre prennent le train pour Santiago, où je ne dois pas tarder à les rejoindre. Je reste encore un jour avec MM. Jules C... et Ch. R..., ce qui nous procure la satisfaction de ressentir nous-mêmes une secousse de tremblement de terre. A vous dire vrai, je n'ai rien ressenti du tout ; cependant la terre a tremblé. Voici comment :

Nous étions attablés chez nos nouveaux amis. La conversation était animée, lorsque nous les voyons tout à coup se taire et rester immobiles, comme s'ils avaient entendu un cri d'alarme.

— Qu'est-ce ?

— Regardez la lampe !

Nous remarquons alors une légère, mais très sensible oscillation de l'appareil, bien suspendu, très lourd et jusqu'alors tout à fait immobile. C'était bien un tremblement de terre, dit oscillatoire, dont les secousses, moins dangereuses que celles nommées horizontales ou giratoires, sont très fréquentes ici. Nos hôtes, habitués au phénomène depuis de longues années, l'avaient parfaitement senti pendant les deux secondes qu'il avait duré.

Le lendemain, le fait était confirmé par tous les journaux de la ville. A la suite de cet événement, qui ne causa d'ailleurs aucune émotion, on me raconta les détails du cataclysme du 13 août 1868, qui désola le Pérou, la Bolivie et la république de l'Équateur, causa la mort de 110,000 personnes et anéantit pour 1,500 millions de propriétés.

Et nous qui nous plaignons du roulis !

Le 15 octobre au matin, je montais dans le train de Santiago. Le chemin de fer part du quai, toujours très animé ; il n'y a aucune clôture pour isoler la voie ferrée, et il n'arrive pas d'accidents. Les seules précautions prises sont de sonner la grosse cloche de la locomotive quand elle est en marche dans l'intérieur de la ville et d'avoir placé à l'avant de la machine un chasse-obstacle, assez solide pour culbuter en dehors de la voie tout ce qui ne se rangerait pas à son approche.

Nous courons d'abord au travers de grandes vallées, couvertes de champs de blé et de maïs. Je m'étonne d'y voir aussi des plants de vigne très étendus. Mon voisin, qui s'annonce à moi comme un propriétaire d'une quinta des environs et parle très purement le français, m'apprend que depuis une dizaine d'années la culture de la vigne a pris un développement extrêmement considérable. L'introduction en grande quantité de cépages français, la transformation des procédés de culture et de fabrication ont donné d'excellents résultats, et le Chili produit maintenant en abondance des vins de Bordeaux et de Bourgogne, que j'ai pu reconnaître depuis comme très buvables. L'importation de nos cépages a été prohibée il y a deux ans, pour éviter celle du terrible phylloxera. Les méthodes se perfectionnent, l'art de choisir les expositions et le terrain est de plus en plus étudié, la production augmente de jour en jour... Sommes-nous encore loin du moment où il nous faudra aller chercher notre médoc et notre chambertin au Chili ? Oui, sans doute, nous en sommes encore loin..., les Chiliens ont la bonté de l'avouer eux-mêmes, mais nos vignerons n'ont qu'à bien se tenir.

Çà et là, un rideau de peupliers ou un bouquet d'eucalyptus rompt la monotonie de ces plaines ondulées. Sur tout le parcours, nous rencontrons de grands troupeaux de chèvres et de moutons ; parfois nous croisons des bandes de cavaliers chiliens, montés sur des chevaux petits, mais vigoureux, au pied toujours sûr, qui descendent les pentes au galop, la tête basse, la bride sur le cou. Ces cavaliers sont vêtus du même puncho que nous avons vu dans les pampas et coiffés d'un grand chapeau de paille ; ils sont chaussés d'énormes étriers en bois, ressemblant à des sabots, et dans lesquels leur pied disparaît complètement.

Nous arrivons aux Cordillères moyennes. C'est une chaîne plus basse que celle des Andes, s'étendant parallèlement à la côte, coupée par de larges gorges, donnant passage aux nombreuses rivières qui viennent se jeter dans l'océan Pacifique.

A Quillota, ville de 11,000 habitants, située à peu près à la moitié du chemin, nous faisons halte pour déjeuner. L'endroit est assez gai ; des jardins, plantés d'arbres fruitiers, s'étendent de chaque côté de la voie. De larges massifs de feuillage apparaissent au-dessus des maisons.

Chacun en a bien vite fini avec le buffet, qui est détestable, et, pendant que nous attendons le départ, des Araucans au teint de brique viennent offrir de superbes bouquets, encadrés dans des papiers de dentelle ; nous en faisons hommage à de jeunes señoras, nos voisines, qui nous remercient avec leurs plus gracieux sourires.

Cependant la chaleur est devenue presque accablante, un nuage de fine poussière donne aux prairies et aux habitations une teinte uniforme. Cette température n'a sans doute rien d'exceptionnel, car les marchandes, voire même les « demoiselles » de la localité, sont vêtues à la créole d'une simple robe traînante de couleur claire ; la plupart ont les pieds nus.

A partir de Quillota, nous sommes tout à fait dans la montagne. La voie ferrée franchit les hauteurs de la Cuerta-Tabon et c'est une véritable escalade. Je regrette d'avoir oublié le nom de l'ingénieur qui, en 1863, est parvenu à relier Valparaiso avec la capitale à travers ces roches et ces ravines, car le chemin de fer de Santiago est évidemment un des plus remarquables ouvrages de ce genre. Parmi les nombreux ponts et viaducs que nous avons traversés, il y a un pont qui ne paraît pas avoir plus de 200 mètres de rayon, jeté sur une gorge profonde et que les Chiliens considèrent avec raison comme un tour de force des mieux réussis.

On redescend ensuite à grande vitesse sur l'immense plateau de Santiago, situé à plus de 500 mètres au-dessus du niveau de la mer. Devant nous se dresse la grande Cordillère, plus belle que les Alpes, les Pyrénées, les Karpathes et les Balkans, et dont le majestueux profil se dessine nettement sur un ciel aussi pur que celui de la Provence.

La plaine que nous traversons semble d'une extrême fertilité. Les plantations de tabac et de vignes, les champs d'orge et de blé se succèdent sous nos yeux sans interruption. On devine aisément l'approche d'une grande, ancienne et opulente cité.

Vers six heures, le train s'arrête. Nous sommes à Santiago. Des coupoles, de nombreux clochers émergent au milieu des bois et des parcs qui entourent la vieille capitale, fondée en 1542 par le second gouverneur espagnol du Chili, don Pedro de Valdivia.

Santiago a une physionomie toute particulière, et ce n'est que de bien loin qu'elle rappelle les grandes villes que nous avons déjà visitées, Rio-de-Janeiro, Montevideo, Buenos-Ayres. Elle a pour le touriste, pour l'artiste, cette rare qualité de n'être pas une ville d'affaires, de commerce. Les nécessités de la vie mercantile n'ont transformé ni son caractère propre, ni son originalité. Ses rues ne sont pas sillonnées par de lourds et disgracieux camions ; ses magasins ne sont pas devenus des bazars ; ses édifices ne sont pas accaparés par des banques, et leurs murailles ne sont pas déshonorées par cent mille annonces et par un million d'affiches. Sur ses larges trottoirs, bien nets et bien droits, on marche, on ne court point, on se croise sans se culbuter. La vie n'y a pas cette allure fébrile, effarée, que prennent infailliblement les habitants des grands ports de mer et des grands centres de négoce.

Comme Santiago est une vraie capitale, que c'est de là que part l'impulsion, le mouvement, que vers elle convergent les forces et les volontés du pays, malgré ses vastes proportions et son plan régulier, ce n'est pas une ville triste. On devine, en y entrant, qu'elle contient des intelligences dont les facultés ne sont pas exclusivement absorbées par le maniement de l'argent ou des marchandises, qu'il y doit rester quelque chose des traditions et des coutumes des aïeux et que, par conséquent, on trouverait, sans trop chercher, comme un foyer éclairant d'une lumière discrète tout l'ensemble de la cité, un noyau social depuis longtemps constitué et formé de gens « comme il faut. »

Voilà mon impression, pour ainsi dire morale, sur la ville de Santiago. Maintenant, promenons-nous.

En quittant le chemin de fer, nous sommes en face d'une très longue et large avenue, avec quatre contre-allées plantées de grands arbres, bordées de belles maisons, dont quelques-unes pourraient, sans trop d'orgueil, se décorer du titre de palais. De distance en distance se dressent des statues et quelques monuments commémoratifs. Cette avenue se nomme l'Alameda. C'est la plus belle promenade de la ville et l'une des plus belles du monde.

Les rues sont tracées à angle droit ; elles sont spacieuses et bien entretenues. Toutes sont pavées de petits galets, dans lesquels les rails des inévitables tramways attestent l'obéissance de l'antique cité aux exigences de l'esprit moderne. Les maisons, construites en brique et terre, recouvertes d'une couche de plâtre, peinte le plus souvent d'un bleu tendre, ne sont élevées que d'un étage. Toujours à cause des tremblements de terre.

J'arrive sur la place principale ; au centre se dresse une jolie fontaine entourée d'un jardin tout en fleurs. La vieille cathédrale et l'hôtel de ville occupent deux des façades. Ces édifices n'ont rien de remarquable, mais ceux qui leur font face, de construction plus récente, ont d'assez belles proportions et sont supportés par des arcades pareilles à celles de notre rue de Rivoli. C'est là que, de quatre à six heures du soir, les bons bourgeois de Santiago, s'ils ne sont au parc ou à l'Alameda, viennent jaser des affaires courantes ; c'est là aussi que se trouve l'hôtel Anglais, où déjà sont nos valises. Aux galeries dont je viens de parler aboutissent d'autres passages très fréquentés, bordés de magasins dans le genre parisien et qui offrent un très agréable abri contre les chaleurs du jour.

Nos deux premières journées furent une course à travers tous les monuments : l'Université, le Muséum, la Monnaie, les églises, le palais du Congrès national et bien d'autres furent honorés de notre présence. Partout où nous nous sommes présentés, accueillis avec la plus parfaite obligeance, on nous a tout montré du haut en bas avec force explications, politesses, remerciements, etc., et le lendemain, les journaux de Santiago ne manquaient pas d'informer leurs lecteurs de nos faits et gestes, avec quelques mots toujours aimables à l'adresse des *jovenes è intrepidos viajeros.* L'acquisition de quelques guitares eût suffi pour nous transformer complètement en « *estudiantina* » ; l'insuffisance de nos talents musicaux et chorégraphiques nous a seule arrêtés dans cette voie.

N'ayant pas l'intention de faire de mes notes de voyage un « guide pratique du voyageur au Chili », je ne décrirai donc pas tous les édifices que nous avons visités à Santiago. L'un d'eux, le plus récent, rappelle un bien triste souvenir, celui de l'incendie de l'église de la *Compañia* en 1863. C'était jour de grande fête ; l'église était comble, lorsque le feu se déclara on ne sait comment. Aux premières lueurs de l'incendie, la foule effrayée se précipita pour sortir, et la poussée irrésistible de ceux qui étaient aux derniers rangs ferma les portes qui ne pouvaient s'ouvrir qu'intérieurement. L'assistance entière fut brûlée ! Il y avait là plus de deux mille personnes. La plupart des victimes étaient des femmes appartenant aux meilleures familles de Santiago. Jamais, peut-être, une cité n'avait été frappée par une catastrophe aussi terrible et aussi soudaine.

On dit que depuis ce triste événement Santiago ne possède plus autant de jolies femmes qu'on en voyait autrefois, et il n'est pas rare que, faisant compliment à quelque père de famille sur la beauté des femmes et des jeunes filles de la capitale, il ne vous réponde, parfois avec une larme dans les yeux : « Ah ! señor, si vous aviez vu…, avant l'incendie !… »

C'est à deux pas de l'emplacement qu'occupait cette église qu'on a construit le Congrès national, grand édifice isolé dont les quatre façades rappellent celle du Corps législatif, à Paris, mais qu'on a eu le tort de badigeonner en rose tendre.

En face même de la « *Camara de Deputados* », on lit sur le piédestal d'un superbe monument taillé dans le marbre, supportant une figure allégorique de la Douleur, cette inscription :

A LA MÉMOIRE
DES VICTIMES IMMOLÉES PAR LE FEU
LE 8 DÉCEMBRE 1863

L'AMOUR ET LA DOULEUR INEXTINGUIBLES DE LA POPULATION DE SANTIAGO

Tout près d'un fort beau théâtre, œuvre d'un de nos compatriotes, se trouve une des grandes curiosités de la ville, le cerro de Santa-Lucia. C'est un rocher assez étendu, d'une hauteur de soixante-dix mètres environ, dont on a voulu faire et dont on a fait « quelque chose ». Mais ce quelque chose n'a de nom dans aucune langue, parce que cela n'appartient à aucune catégorie d'objets connus.

Supposez la réduction de la butte Montmartre transformée en un jardin de peupliers, de marronniers, d'orangers, d'eucalyptus, d'acacias, de grenadiers, de rosiers, de géraniums, etc., un jardin qui n'est ni anglais, ni français, ni même chilien. Un peu partout, sans plan apparent, sans raison, au hasard, faites jaillir des cascades, ouvrez des grottes, creusez des bassins, percez des tunnels, puis dessinez des allées avec des escaliers et de petits ponts rustiques, pour circuler à travers ce dédale ; construisez encore une chapelle, un café, un observatoire, un restaurant, un tir, une ferme, un kiosque, un guignol, une salle de concert, un moulin, un beffroi, une ménagerie. J'en passe. Comme il faut sacrifier à l'art décoratif, dressez ensuite, toujours au hasard, des statues de militaires, de prêtres et... d'animaux. Voilà un aperçu bien incomplet du fashionable cerro de Santa-Lucia. Vous voyez qu'il dépasse de beaucoup les fantaisies de notre Jardin d'acclimatation et que ce n'est pas là une promenade ordinaire.

Nous avons ri de bien bon cœur en parcourant ce capharnaüm ! En revanche, nous avons longuement contemplé l'admirable panorama que l'on découvre du sommet de son observatoire.

La ville, les faubourgs, les grands vergers, les parcs, et au delà l'immense plaine se développent au-dessous de nous et autour de nous. Toute la partie est se trouve dominée par les pics dentelés et étincelants de neige de la Cordillère, et nous pouvons à peine détacher nos regards de ce tableau qu'aucun pinceau ne pourrait rendre, qu'aucune plume ne saurait décrire.

Avez-vous, comme moi, remarqué que c'est presque toujours de points modérément élevés qu'on a les plus beaux points de vue ? Il me semble que c'est rendre service aux voyageurs que de leur rappeler sans cesse cette élémentaire vérité. Elle s'explique, d'ailleurs, bien aisément : quoi de plus banal, de moins artistique qu'une carte de géographie, et qu'est-elle autre chose qu'une reproduction aussi fidèle que possible d'une partie de la terre vue de très haut ?

Quand, après bien des peines, bien des dangers et des fatigues, vous voilà parvenu au sommet d'une montagne, si le temps est clair, ce qui est rare, c'est une carte de géographie que vous avez sous les yeux, moins exacte que celle de votre atlas, parce que les détails rapprochés paraissent plus grands que les autres. Vous êtes influencé par la nouveauté du spectacle, surpris par l'étendue énorme du vide qui est devant vous, impressionné peut-être par le vertige ; mais si quelque chose en vous est satisfait, c'est d'abord la curiosité, à laquelle on montre ce qu'elle demandait à voir, et ensuite la vanité, à laquelle on permet de dire : Moi, j'ai vu cela ! Vous voyez comme je suis poli, je mets la curiosité en premier. Pour le plaisir des yeux, ce n'est pas si haut qu'il faut l'aller chercher ; il se nourrit de perspectives, d'harmonie de formes et de couleurs ; tout cela est brouillé et perdu dans ces grands horizons, où rien n'est distinct, où les plans cessent d'être étagés, où les ombres apparaissent comme des taches.

Du haut de Santa-Lucia, nous avions sous les yeux la ville de Santiago tout entière, dont nous pouvions saisir sans effort les plus insignifiants détails. La succession de ses murs blancs, jaune clair, roses et bleus lui faisait perdre le caractère un peu monotone qu'ont toutes les grandes villes regardées à vol d'oiseau ; ses toits rouges, alternant avec le vert feuillage des petits jardins que chaque maison entretient dans sa cour intérieure, ou *patio*, ajoutaient un ton plus chaud aux couleurs tendres des édifices ; les grands parcs, les belles villas qui l'entourent conduisaient l'œil, par une douce et naturelle transition, jusque dans les champs couverts de moissons, et de là jusqu'au pied des hautes montagnes, vivement éclairées par les rayons du soleil couchant.

Si le petit rocher de Santa-Lucia n'est, à vrai dire, qu'une bizarrerie sans utilité, la capitale du Chili possède, en revanche, un établissement, nommé la *Quinta Normal*, où nous avons fait la plus agréable et la plus instructive des promenades.

La traduction littérale de Quinta Normal serait « maison de campagne », ou « villa », ou « ferme modèle » ; mais cela ne donnerait qu'une très inexacte et surtout très insuffisante idée de cette création encore toute récente, où se trouvent réunis les charmes de la nature cultivée aux plus intelligentes dispositions propres à favoriser le goût et l'étude des sciences agronomiques.

Aux portes mêmes de la ville, ou, pour parler plus exactement, tout près de l'un des quartiers les plus riches et les mieux habités de Santiago (car la ville n'a pas de portes), on rencontre un très grand et beau parc, bien dessiné, admirablement tenu ; c'est la Quinta Normal. Près de l'entrée se dresse un grand édifice, d'un style simple et élégant, entouré de pelouses, de corbeilles de fleurs, de grands arbres ; c'est là qu'en 1875 fut installée l'Exposition universelle internationale du Chili, à laquelle la France, bien que dignement représentée, n'a pas pris une part aussi considérable qu'elle eût pu le faire. Je m'empresse d'ajouter que le palais de l'Exposition, aujourd'hui transformé en Institut agronomique, comprenant en outre un musée ethnographique très curieux et des collections de toutes sortes, est l'œuvre d'un architecte français, M. Paul Lathoud.

Non loin du palais sont disséminées de nombreuses et élégantes constructions ; ce sont les écuries, les étables, les parcs à bestiaux, les serres, les volières, les poulaillers. En avançant sous les allées ombreuses, nous arrivons à des plantations types de tous les végétaux utiles dont la culture doit être développée ou innovée au Chili. Les maisons d'habitation des directeurs de la Quinta sont entourées d'une profusion de fleurs. Ces directeurs sont deux de nos compatriotes, MM. Jules Besnard et René Le Feuvre ; ils sont à eux deux l'âme de ce petit monde charmant, où s'écoule toute leur existence, où sont concentrées toutes leurs pensées. Ils nous ont reçu mieux que si nous eussions été des princes, car ils nous ont reçu en vieux amis. Nous avons longuement causé avec eux, sans nous lasser des mille détours qu'il a fallu faire dans leur domaine ; ils ne nous ont épargné ni une allée de leur ravissant jardin, ni une salle de leur magnifique musée ; mais leurs explications sur toutes choses étaient si claires, si intéressantes, données avec tant de bonne grâce, qu'elles nous ont fait oublier l'heure et la fatigue jusqu'au dernier moment.

MM. Besnard et Le Feuvre ont bien voulu nous raconter les commencements difficiles de cette institution, aujourd'hui l'une des plus importantes de leur patrie adoptive ; ils ont décrit les perfectionnements réalisés chaque mois, presque chaque jour, grâce à leur infatigable persévérance.

Nous avons pris un très grand plaisir à entendre ces hommes de science et de courage, dont la volonté calme et réfléchie est parvenue à faire le bien autour d'eux et n'a d'autre aspiration que d'en faire encore davantage ; notre amour-propre national en a été vivement flatté, et nous n'avons pu nous séparer de ces messieurs sans leur témoigner notre sympathie pour leurs personnes et notre admiration pour l'œuvre remarquable à laquelle ils se sont voués.

En rentrant à l'hôtel, après notre visite à la Quinta Normal, nous trouvâmes une immense corbeille de roses, qui venait d'arriver avec l'adresse : « A M. le commandant de la *Junon*, et MM. les membres de l'expédition française. » C'était la carte de visite des directeurs de la Quinta.

Nous avons retrouvé à Santiago, chez le ministre plénipotentiaire de France, M. le baron d'Avril, l'accueil aimable et cordial que nous avait fait, à Buenos-Ayres, M. le comte Amelot de Chaillou. Trois jours avant notre départ, le ministre eut la gracieuseté de donner une soirée à l'occasion de notre passage. Mme la baronne d'Avril, aidée de ses deux charmantes filles, en fit les honneurs avec cette parfaite simplicité qui sait mettre les nouveaux venus à leur aise, avec cette adresse et ce tact de la femme du monde qui voit tout sans paraître rien regarder. Il y avait là presque tous les ministres étrangers, plusieurs membres du parlement et du gouvernement chilien, les amis de la maison et les deux secrétaires de la légation, MM. de Richemont et de Saint-Georges, qui, depuis notre arrivée, s'étaient constitués nos cicerones, dissimulant leur parfaite obligeance sous le prétexte du plaisir qu'ils prenaient à revoir en détail les curiosités de Santiago.

Quoique cette soirée eût un caractère intime et à peu près improvisé, elle fut très animée et très brillante. Je n'ose parler du personnel féminin, craignant d'être déjà soupçonné de partialité ; si je disais toute ma pensée, je serais accusé d'un enthousiasme aveugle. Ce qui ne sera pas une redite, puisque c'est la première fois, depuis notre départ, que nous allons « dans le monde », c'est que la plupart de ces dames, Chiliennes ou étrangères, s'habillent avec goût et élégance, et dansent au moins aussi gracieusement qu'on le fait d'habitude dans les salons de Paris. Les modes sont de l'année dernière, assurément, mais comme nous-mêmes n'en connaissons pas d'autres, celles-là sont pour nous le dernier mot de l'actualité.

Un excellent souper fut servi vers deux heures du matin, et M. Al. Fierro, ministre des relations extérieures du Chili, assis à la place d'honneur, nous adressa le toast suivant :

« Je salue bien cordialement les voyageurs distingués auxquels la ville de Santiago est heureuse de donner une franche et noble hospitalité ; je souhaite que des vents favorables les conduisent jusqu'au terme de leur voyage, et qu'en touchant le sol de leur patrie, en retrouvant le foyer de la famille, ils aient conservé un bon et impérissable souvenir de nos sentiments d'amitié, ainsi que de la civilisation américaine, dans laquelle nous voyons, comme dans un reflet, la pensée, toujours grande, de la nation française. »

Le commandant répondit, en notre nom, par quelques paroles de remerciement, qui furent très chaleureusement applaudies. Après le souper, on dansa de nouveau jusqu'à l'aurore, et, lorsque les dernières mesures de la dernière valse se furent éteintes, Mme la baronne d'Avril s'avança vers nous, un verre de champagne à la main, pour nous souhaiter, au nom de toutes les dames présentes, un heureux voyage et un agréable retour.

Une réception aussi aimable nous faisait désirer de prolonger notre séjour à Santiago ; malheureusement, cela n'était pas possible ; après une excursion aux eaux de Cauquenez, site ravissant au pied de la Cordillère, quelques promenades aux alentours de la ville et une soirée fort agréable chez le président de la république, don Annibal Pinto, il nous fallut reprendre le chemin de Valparaiso, où nous attendait la *Junon*.

J'ai laissé entrevoir, au moment où nous avons quitté Montevideo, que des difficultés avaient été créées à notre expédition par les propriétaires du navire ; ces difficultés se sont renouvelées ici, et il semble que ce soit une véritable persécution contre nous. Comment ! Nous avions à craindre les terribles caprices de l'Océan, les abordages en mer, les parages redoutés, les atterrissages de nuit, les manœuvres délicates et dangereuses ; nous avons, jusqu'à ce jour, triomphé de tout cela, nous avons le bonheur de trouver sur un sol étranger un accueil excellent, sympathique à notre pays et à l'idée que nous représentons, on nous donne d'indiscutables témoignages de considération, on a pour nous les plus délicats procédés, et c'est de la France que surgit l'obstacle. Voilà qui prouve bien que

Le vrai peut quelquefois n'être pas vraisemblable.

Que s'est-il donc passé ? Voici ce que nous apprenons en arrivant à Valparaiso : les armateurs de la *Junon* ont fait publier dans tous les ports où nous avons touché des annonces publiques qui ont déconsidéré l'expédition, porté une grave atteinte au crédit de la Société des voyages, et fait perdre au commandant des frets représentant une somme considérable ; ils ont en outre désigné des agents dans ces ports, dont l'action concourt, avec celle de leur représentant à bord de la *Junon*, pour entraver la continuation du voyage. La Société a protesté, s'appuyant sur le contrat d'affrètement, et, pour couper court à cette contestation, MM. les armateurs ont tout simplement *ordonné* d'arrêter le navire à Valparaiso.

Heureusement, il y a des juges ici, comme jadis à Berlin, et notre consul, M. de Saint-Charles, dont la vieille expérience fait autorité en pareille matière, ayant entendu les deux parties, met à néant les prétentions de ces messieurs et décide que la *Junon* est libre de continuer sa route.

On n'en a pas moins perdu beaucoup de temps en négociations, auxquelles nous ne comprenons qu'une chose, c'est que nous voulons continuer notre voyage, et comme nous savons qu'une somme de plus de deux cent mille francs a été remise aux armateurs avant le départ, ce qui représente au moins la moitié de la valeur de la *Junon*, nous nous perdons en conjectures sur les motifs qui ont pu déterminer les propriétaires du navire à nous créer de tels embarras.

Le premier résultat de cette contestation fut de nous empêcher de prendre aucun fret pour le nord, et le second de reculer notre départ de plusieurs jours.

Je ne regrette pas cependant ce retard forcé ; il nous a permis de faire quelques courses aux environs, d'inviter nos amis de Valparaiso à déjeuner à bord et d'aller visiter les travaux du môle, dont on nous avait beaucoup parlé.

Le môle de Valparaiso, construit par M. Léon Chapron, président du cercle Français, est, en effet, une œuvre très hardie, d'une nécessité absolue, d'une exécution fort difficile.

La rade est, on le sait, grande ouverte au nord, et c'est du nord précisément que viennent en hiver les plus redoutables tempêtes. De mai à septembre, les navires sont à la merci d'un coup de vent et les sinistres sont nombreux. En toute saison, le déchargement et le chargement des cargaisons est long, dangereux et coûteux. Ce sont là de mauvaises conditions. Si on eût pu prévoir l'avenir, une autre baie que celle de Valparaiso eût peut-être été choisie pour être le premier port de la république ; mais aujourd'hui, il ne reste plus qu'à accepter le fait accompli.

La très grande profondeur des eaux jusqu'à quelques mètres du rivage rendant les fondations hydrauliques au moyen de blocs coulés à peu près impossibles, pour faire un môle capable de servir au déchargement simultané de plusieurs grands navires, il a fallu le fonder sur des piles tubulaires, coulées verticalement, enfoncées dans le sol marin jusqu'à une profondeur de 15 mètres. Ces énormes colonnes ont en hauteur, comme en grosseur, des dimensions égales à celles de la colonne Vendôme, et cependant elles ne dépassent le niveau de la mer que de 3 mètres. Le môle a la forme d'un L, dont la petite branche, celle qui touche à la plage, a 80 mètres de long, et la grande 220 mètres.

Un premier projet avait été dressé par M. l'ingénieur Hughes, qui mourut peu de temps après le commencement des travaux ; M. Chapron, qui est encore un jeune homme, a repris les plans de M. Hughes, les a modifiés et les a *exécutés*. Il a dû, pour la première fois, employer dans la mer libre, fréquemment battue par le mauvais temps, les procédés de fonçage par l'air comprimé, dus à M. Triger, autre ingénieur français, et cela à trois mille lieues de l'Europe, dans un pays où l'industrie est à peine née, avec des ouvriers venus de tous les points du monde et dont on a dû se contenter, faute de mieux. Aujourd'hui, le môle est terminé, car il ne reste plus qu'à parfaire la plate-forme supérieure.

Cette construction donnera-t-elle tous les heureux résultats qu'on en espère ? Les navires, secoués par la houle, pourront-ils se tenir accostés le long de l'ouvrage ? Les uns disent *oui*, les autres *non*. Pour moi, instinctivement, je me range à l'avis de l'ingénieur en chef, et je dis que quand le mauvais temps viendra, ce qu'on sait ici toujours à l'avance, les vaisseaux interrompront leur déchargement et se tiendront au large ; seulement, au lieu de l'interrompre encore pendant deux ou trois jours après le mauvais temps passé, comme ils sont obligés de le faire maintenant, ils pourront reprendre leur travail dès que la mer ne sera plus très forte.

J'aurais bien une petite critique à faire à M. Chapron au sujet de ses plaques tournantes au coude de la jetée, mais j'aime mieux dire du bien que du mal d'une belle chose ; donc je félicite M. Chapron d'honorer le nom français au Chili, en prouvant que nos compatriotes émigrés sont parfois, et plus souvent que nous ne le croyons nous-mêmes, des hommes de science, de travail et, pour tout dire en un mot qui contient tous les éloges, au temps où nous vivons, des hommes pratiques.

Je ne vous parlerai pas de la politique au Chili. C'est un pays sage, qui a pris son assiette, qui est en bonne vitesse dans la voie du progrès, et dont les mouvements intérieurs n'ont pas d'importance (à ce qu'il semble, au moins) sur les destinées finales.

On trouverait peut-être singulier que je ne constate même pas le mauvais état des affaires commerciales, car le pays souffre d'une crise assez rude ; aussi ne demandé-je pas mieux que de reconnaître ce fait ; je constate volontiers également que ce même fait intéresse beaucoup ceux qui perdent de l'argent, et ils sont nombreux. Mais je ne saurais aller plus loin et voir l'avenir plus sombre que ne le voient les hommes intelligents et haut placés avec lesquels j'ai eu l'honneur de m'entretenir. Les récoltes des dernières années ont été détestables, et le cuivre a baissé beaucoup ; il baisse encore. Voilà les causes principales de la crise ; elles peuvent et doivent disparaître d'une année à l'autre.

Quant à l'état général du pays, malgré les doléances que nous avons entendues, je soutiendrai qu'il est excellent, parce que les statistiques le soutiennent avec moi ; l'élevage du bétail, la culture des farineux et de la vigne sont en pleine prospérité, l'étendue des terres irriguées s'accroît chaque jour ; si le Chili, comme cela n'est pas douteux, développe hardiment son industrie agricole, encourage la création d'une industrie manufacturière et ne prend du système protecteur que ce qu'il lui en faut pour atteindre ce double but, il ne tardera pas à se trouver à l'abri de crises semblables à celle qu'il traverse aujourd'hui.

La politique extérieure est occupée de quelques démêlés avec la Bolivie au sujet de tarifs douaniers et de rectification de frontières. La discussion paraît calme quant à présent ; mais l'histoire contemporaine des républiques de l'Amérique du Sud nous a réservé déjà trop de surprises, pour qu'on puisse compter sur une longue paix[9]. La question du jour est la question patagonienne, sur laquelle j'ai promis de revenir. Quoiqu'on en fasse beaucoup de bruit en ce moment, parce qu'un avocat chilien, établi depuis longtemps à Buenos-Ayres, a publié ici même une brochure *conciliatrice*, très désagréable à l'amour-propre de ses compatriotes, la solution ne paraît pas bien proche.

[9] C'est ce différend, en effet, qui a amené la guerre actuelle entre le Chili, d'une part, la Bolivie et le Pérou, d'autre part.

Ces jours derniers, on a voulu lapider le conciliateur et renverser la statue de Buenos-Ayres, sur l'Alameda. L'avocat s'est esquivé ; la statue, qui ne pouvait en faire autant, a vigoureusement résisté, et la Patagonie, toujours balayée par des tempêtes autrement terribles que l'exaltation de quelques jeunes écervelés, est bien tranquille là-bas, attendant silencieusement que ses amoureux aient terminé leur querelle.

Dans cette grosse affaire, où la vanité nationale me semble avoir plus de part que de sérieuses considérations économiques, le Chili a contre lui l'histoire et des déclarations antérieures ; mais en attendant, ou plutôt sans attendre davantage, il a occupé le détroit de Magellan par sa colonie de Punta-Arenas et profite de tous les incidents pour faire acte de police. Quant à la république Argentine, son dernier établissement vers le sud-est est Carmen-de-Patagones, sur le rio Negro.

Les arguments des deux parts sont donc excellents ; aussi la guerre de plume et de parole peut-elle se continuer indéfiniment et se continue en effet. Quant à en venir aux mains, c'est une autre affaire ; la nature a sagement séparé les deux ennemis, et je ne pense pas qu'aucun d'eux ait la pensée d'engager ses armées dans les défilés de la Cordillère.

Du reste, le jour où il pourra être prouvé que la possession de la Patagonie offre un réel intérêt pour l'occupant, il faudra sans doute en appeler à quelque puissant arbitre :

in Dandin arrive : ils le prennent pour juge.

in, fort gravement, ouvre l'huître et la gruge,

deux messieurs le regardant.

epas fait, il dit, d'un ton de président :

enez, la cour vous donne à chacun une écaille,

dépens ; et qu'en paix chacun chez soi s'en aille.

Il n'est pas absolument impossible que les choses se passent ainsi. Qui vivra verra.

AU PÉROU
LE CALLAO ET LIMA

Coquimbo. — Arrivée au Callao. — Physionomie de Lima. — Souvenirs historiques. — Les églises. — Le jour des Morts. — Le clergé péruvien. — Jardin de la « Exposicion. » — Les Liméniennes. — Ascension de la Cordillère en chemin de fer.

En mer, 10 novembre.

Le 24 octobre, à la nuit close, ayant échangé compliments et espérances, sinon promesses, de se revoir, avec nos compatriotes du Cercle français et avec l'état-major de la corvette le *Seignelay*, arrivée de la veille, nous reprenions la mer, en route pour Coquimbo, où la *Junon* ne devait s'arrêter que quelques heures, et de là pour le Pérou.

Je ne dirai rien de notre traversée, si ce n'est qu'elle s'écoula fort paisiblement avec un temps superbe, et peu de chose de Coquimbo, qui n'a d'intérêt que pour les acheteurs, fondeurs ou vendeurs de cuivre. La rade est plus petite et plus triste que celle de Valparaiso, moins dangereuse et cependant moins fréquentée, parce que ce petit port n'alimente qu'un commerce spécial. La ville est une bourgade sans caractère ; un petit chemin de fer la relie à La Serena, située de l'autre côté de la baie et le seul point un peu verdoyant de cette côte, absolument rocheuse et dénudée. Nous avons visité une fonderie de cuivre ; on nous a initiés au traitement des minerais par la coulée simple et par la cémentation. Ce dernier procédé est employé à Coquimbo avec brevet exclusif et passe pour être de beaucoup supérieur à l'autre. Quoiqu'on nous ait donné fort complaisamment la description de ces différents travaux, je n'entrerai pas dans les détails, que les traités sur la matière vous donneront plus clairement et plus exactement que moi.

Le 30, un peu avant l'heure du dîner, on signale la terre. A l'horizon, nous voyons se dresser la gigantesque ossature de la Cordillère. Bientôt les rivages apparaissent.

Devant nous, l'île de San-Lorenzo, énorme rocher roussâtre, tacheté de parties blanches, qu'un tremblement de terre, dit-on, fit surgir il y a quelques siècles du fond de l'Océan ; plus loin, les mâtures des navires ancrés dans le port de Callao. Sur notre droite, nous distinguons assez nettement la ville de Lima, étalée sur un plateau qui domine toute la côte, avec ses blanches murailles dominées par une quantité de coupoles, de clochers, de dômes et par les deux hautes tours de sa cathédrale. Comme toile de fond, les hautes cimes des Andes, au pied desquelles est assise la capitale du Pérou. Peu de neige sur les monts ; çà et là seulement quelques panaches argentés.

Le soleil des tropiques jette sur ce tableau les tons clairs, chauds et colorés de ses derniers rayons. Bientôt l'ombre s'étend sur la plaine, gagne insensiblement les murs, envahit les édifices, escalade les dômes et les clochers, et en peu d'instants la grande cité disparaît dans les ténèbres. Pendant que la base des montagnes s'efface à son tour, l'immense crête dentelée se détache longtemps encore et semble suspendue dans les hauteurs du ciel, légèrement empourprées de feux vermeils.

Vers six heures, la *Junon* s'engageait dans le canal du Boqueron, situé entre la côte péruvienne et l'île San-Lorenzo. C'est un endroit qui passe pour dangereux et que ne suivent pas d'habitude les bâtiments qui entrent au Callao ou qui en sortent pour aller dans le sud ; mais comme il a l'avantage de raccourcir le chemin de sept à huit milles, ce qui nous permettait d'arriver au mouillage avant la nuit, le commandant se décida à choisir cette route. En manœuvrant avec attention, nous eûmes bientôt paré tous les récifs, et à huit heures du soir, ayant trouvé un bon poste pour notre relâche, nous étions mouillés dans les eaux tranquilles de la baie du Callao.

Le principal port du Pérou contient souvent plus de cent navires. Au moment de notre arrivée, il y en avait un peu moins, mais l'aspect général était cependant fort animé. Plusieurs navires de guerre, deux rangées de grands et beaux steamers, un mouvement incessant de canots, d'allèges, de chaloupes, nous montraient bien que nous étions dans un grand centre d'affaires commerciales et maritimes.

Le Callao est un beau port de mer, avec un dock en pierre superbe, qui n'a pas coûté moins de soixante millions, et des fortifications plus superbes encore, où l'Espagne en a dépensé trois fois autant. C'est à leur propos que Philippe III disait qu'avec une bonne lunette on pourrait les voir de l'Escorial, tant elles devaient être énormes, à en juger par leur prix. Le Callao a encore un arsenal, un dock flottant, de spacieux entrepôts, quelques rues assez propres, une jolie église et bien d'autres choses dignes d'intérêt... Mais ces attractions ont été impuissantes à nous retenir. Quiconque aborde au Havre ne tarde guère à prendre l'express pour Paris. Or, du Callao à Lima, il y a vingt-cinq minutes de chemin de fer et des trains chaque demi-heure.

Nous n'étions pas à terre depuis vingt minutes que nos billets étaient pris, et la vapeur nous emportait vers la ville de Pizarre, celle qu'on nommait jadis la *ciudad de los Reyes*, la cité des Rois.

Ce chemin de fer est charmant. Je ne parle pas de la route, mais du chemin de fer lui-même. Ce sont de grands wagons américains, longs, hauts, larges, avec un passage au milieu, s'en allant d'un bout du train à l'autre. Les dossiers des fauteuils se rabattant en avant ou en arrière, à volonté, on y est très confortablement assis, et la faculté de causer avec ses voisins ou de leur tourner le dos n'est pas à dédaigner. Si vous avez un ami dans le train, il est inutile d'aller faire de la gymnastique devant chaque compartiment pour s'en assurer. En un instant on le trouve, on lui serre la main, on bavarde pendant le trajet, et voilà une visite faite. Pourquoi n'adopterions-nous pas cette mode pour aller à Versailles ou à Saint-Germain, au lieu de courir le long des wagons, cherchant en vain celui où il n'y a personne, dans lequel montera infailliblement à la première station un groupe compact de *cockneys* en villégiature ?

Nous voici arrivés. Le train s'arrête au bord du Rimac, fleuve torrent qui partage Lima en deux parties, inégales en grandeur comme en beauté. La vraie ville est sur la rive gauche. Quelques minutes de marche nous conduisent à la *plaza Mayor*, lieu de promenade, de flânerie, d'emplettes et de rendez-vous.

Pas plus qu'à Santiago, je ne veux, lecteur, vous emmener avec moi dans toutes mes courses à travers les rues, les monuments, les jardins et les habitations. Ceci est une causerie et non pas un compte rendu. Voilà trois jours que j'ai quitté Lima ; il vaut mieux, je pense, vous donner mon impression que de vous faire le journal de mes allées et venues.

Cette impression est, cependant, difficile à rendre, car, en vérité, on peut emporter de la capitale du Pérou des souvenirs bien différents. Tout le monde vous dira que Santiago est une grande, belle et noble cité, son caractère est bien net, bien franc ; elle plaît ou ne plaît pas, je l'accorde, mais, avec plus ou moins d'indulgence ou d'enthousiasme, les descriptions qu'on en fera se ressembleront.

Je ne crois pas, je dirai même, je suis sûr, qu'il n'en est pas ainsi de Lima. J'en suis d'autant plus certain, qu'en quittant le pays, nous qui l'avons vu de la même façon et pendant le même temps, nous ne sommes pas du tout du même avis. Il semble que nous ayons, et pourtant ce n'est qu'une apparence, un parti pris pour ou contre.

Je tenterai d'expliquer cela. Ceux d'entre nous qui ont été les plus curieux, qui n'ont pas craint d'user, d'abuser peut-être (je suis de ceux-là) de l'amabilité et des prévenances que nous avons rencontrées, qui ont couru sans relâche, questionné sans trêve, regardé sans discrétion, ceux-là se sont trouvé, paraît-il, des lunettes roses sur le nez ; ils ont vu, ils ont *cru* voir Lima telle qu'elle est. Telle qu'elle est aussi, et cependant tout autre, elle a paru à ceux qui ont limité leurs investigations à quelques visites aux édifices publics, à quelques chasses dans la campagne, et n'ont pas même tenté de soulever le voile, assez léger cependant, qui cache la vie, les mœurs, les idées des Péruviens de la côte.

Ainsi que les autres capitales de l'Amérique du Sud, sauf Rio-de-Janeiro, Lima, construite sur une plaine, offre un plan régulier et monotone ; les angles sont droits, les places carrées. Il paraît qu'il y a peu d'années, c'était encore une ville assez malpropre et poussiéreuse, mais peu de traces subsistent de cet état de choses ; on a démoli les fortifications pour en faire des boulevards, et on l'a dotée de tous les luxes que nous avons pris la bonne habitude de considérer comme nécessaires, tels que trottoirs, réverbères, égouts, etc. Que les affaires du Pérou aillent bien ou mal, je doute qu'on s'arrête dans cette voie, parce que Lima est la ville par excellence du luxe et du superflu. C'est une ville de plaisir avant tout, et de plaisir sous toutes les formes ; la ville où on s'inquiète aussi peu de l'avenir que du passé, où l'on vit pour vivre et pour vivre de son mieux, à son gré. A Lima, on remet presque toujours au lendemain ce qu'on pourrait faire aujourd'hui, à moins qu'il ne s'agisse de fête, de toilette, de bal, ou de quelque autre prétexte à distraction.

Ce n'est pas la vanité, le désir de paraître, la pensée de se faire un marchepied avec l'apparence du luxe et de la prodigalité, qui fait gaspiller ainsi les fortunes ; c'est tout simplement que chacun a des caprices et les satisfait, des tentations et y succombe ; c'est aussi, et surtout, parce que les Péruviennes sont très belles, très bonnes, très séduisantes, très aimables et, plus que tout cela, très aimées. Dans les vieux palais du temps de la conquête, comme dans les masures de la *Montaña* (pays des forêts, de l'autre côté des Andes), les femmes au Pérou sont reines ; leur gouvernement n'est ni constitutionnel ni autocratique ; on n'en discute ni la forme ni les exigences ; c'est de la part de toute la nation une servitude volontaire acceptée, dont le principe se transmet paisiblement de père en fils, comme une tradition sacrée et impérissable. Les gens venus d'Europe ne tardent pas à se conformer à cet usage ; ils acceptent la sujétion comme les autres, au bout de fort peu de temps, et ne s'en plaignent pas.

Nous voici donc dans un milieu qui ressemble bien peu à ce que nous avons vu jusqu'ici, et la dissemblance est plutôt dans la physionomie de chaque chose que dans le détail matériel des dispositions. Prenons pour exemple la *plaza Mayor*, où je reviens après ma digression et mes promenades. On pourrait la décrire dans les mêmes termes que la grande place de Santiago. Toutes deux sont carrées, avec une cathédrale sur l'une des façades, des maisons basses supportées par des arcades, une fontaine au milieu, un pavé de galets… Voilà la grande place de Santiago, voilà aussi la grande place de Lima. Mais entrons sous les arcades. Quelle différence ! Comme ici il y a plus d'animation, comme la vie personnelle de l'habitant s'y montre mieux ! comme on y devine plus aisément ses coutumes, ses défauts, ses préférences, ne fût-ce que par les objets qui sont à la montre des magasins !

Là, le luxe utile, sérieux, solide ; ici, rien que des étoffes, des dentelles, des bijoux, une profusion de petits souliers de satin, et un mouvement d'acheteuses à la fois nonchalantes et affairées.

Si c'est le soir, sur la place comme sous les galeries, c'est un flot de promeneurs, causant, caquetant, flânant, fumant, qui jouissent de la belle nuit tropicale, oublieux de la journée passée, insouciants de la journée à venir.

Laissez passer les heures et la foule, et quand il ne restera plus sur la vieille plaza Mayor que quelques rares groupes prêts à se disperser, combien de souvenirs extraordinaires, terribles même, n'évoquera-t-elle pas sous vos yeux ! Le premier, le plus grand de tous, sera celui de François Pizarre, le conquérant, ce type complet de l'aventurier audacieux, brutal et perfide ; vous le reverrez attirant l'inca Atahuallpa dans un piège, le faisant attaquer par les siens, puis le saisissant aux cheveux et l'emmenant prisonnier, cet empereur, presque dieu, comme un sauvage emmène une bête de somme échappée ; plus tard, lui demandant pour rançon de remplir d'or la chambre même où se discute le prix de sa liberté, et quand la chambre fut pleine d'or et deux autres chambres encore pleines d'argent, donnant l'ordre de faire baptiser son prisonnier et de l'étrangler ensuite.

C'est cependant ce même Pizarre qui, le 6 janvier 1535, jour de l'Épiphanie, a ordonné la fondation de Lima et l'édification de la cathédrale, dont le vaste portail tient tout un des côtés de la place.

Vous verrez, comme dans un rêve, le farouche Herreda, avec les dix-huit assassins qui ont juré la mort du conquérant, traverser la place en courant et en criant, entrer comme des furieux dans le palais. Ils rencontrent Pizarre dans une galerie et se précipitent. Le héros leur tient tête ; Martinez de Alcantara, son frère utérin, François de Chaves et un de ses officiers viennent à son secours et sont tués ; mais plusieurs des brigands sont tombés aussi, et le gouverneur semble invulnérable. C'est alors qu'Herreda saisit l'un des conjurés à bras-le-corps et le jette sur l'épée menaçante de Pizarre, qui ne peut se dégager assez vite et tombe percé de coups.

Cette vision effacée, ce sont les échafauds de Pedro de La Gasca qui vont se dresser sur la place. L'envoyé de Charles-Quint a mission de rétablir au Pérou l'autorité de l'Espagne et de ses lois, et il fauche sans pitié tout ce qui lui résiste. Les bandits sont décimés à leur tour, mais aucun ne demande grâce. On voit le vieux condottiere Carbajal, âgé de quatre-vingt-quatre ans, condamné à être roué et écartelé, monter sur la plate-forme d'un air railleur. Cet homme s'est vanté d'avoir fait massacrer environ quatorze cents Espagnols et vingt mille Indiens. On lui parle de se confesser ; il répond qu'il n'a rien à se reprocher, si ce n'est d'avoir laissé une dette d'un demi-réal à un cabaretier de Séville. Et il subit le supplice sans exhaler une plainte.

....

Lima, qui compte environ 190,000 âmes, n'a pas moins de soixante-dix églises (c'est, toute proportion gardée, dix fois ce que nous en avons à Paris) ;

vous m'excuserez de ne pas les avoir visitées toutes et de supprimer leur description. Cependant, je ne voudrais pas me montrer trop sévère ou trop dédaigneux à l'égard des églises espagnoles. On dit généralement qu'elles sont de mauvais goût, et, cela dit, on se croit quitte avec elles. Voilà qui est trop aisé et un peu injuste. D'abord, il est bien rare que l'expression d'un sentiment très profond soit ridicule ou de mauvais goût. Or, ici, on est, et surtout on a été, dévot jusqu'à la superstition, voire même au delà ; ce n'est pas affaire de mode et de convenance, c'est une manière d'être qui fait partie intégrante du caractère national. Entre le fanatisme brutal des conquérants et la servile idolâtrie des vaincus, le culte des symboles était le seul point de contact possible. La religion des incas et le catholicisme se sont, en quelque sorte, superposés ; à l'autocratie religieuse des descendants de Manco-Capac, le fils du Soleil, s'est substituée sans effort l'autocratie religieuse des moines.

Les immenses trésors découverts au Pérou pendant plus de deux siècles ayant engendré un luxe excessif, les couvents, les églises, les images en devaient user et abuser tout d'abord. De nos jours, l'indifférence calculatrice de l'esprit moderne a arrêté ce mouvement ; les ardeurs de la foule se sont changées en habitudes, mais elle n'a pas songé encore à brûler ce qu'elle avait adoré ; partout nous retrouvons les autels plaqués d'or et d'argent, les statues ornées d'une profusion de pierres précieuses, les madones vêtues de brocart et de dentelles. Déjà, le temps a mis son empreinte sévère et uniforme sur ces splendeurs.

Peut-être, alors que les prodigalités de tout un peuple couvraient ses idoles d'un ruissellement barbare d'or et de pierreries, un homme de goût eût haussé les épaules ; mais, aujourd'hui, toutes ces richesses accumulées ne sont plus que le témoignage d'un passé qui s'éloigne sans retour, et ces temples d'une autre époque, surchargés d'une ornementation disparate, ont pris une physionomie grave et triste sous les fastueux lambeaux qui leur restent encore.

Respectons ces vieux souvenirs. Respectons-les d'autant plus que les anciennes maisons à l'espagnole, avec leurs façades ornées et badigeonnées, leurs balcons ouvragés, tendent aussi à disparaître. La construction de ces vérandas suspendues en dehors des habitations, qui leur donnent un caractère si original et se prêtent si bien aux manifestations joyeuses des jours de fête, est interdite maintenant. On leur reproche, peut-être avec raison, de communiquer l'incendie d'une maison à sa voisine, parfois même à la maison qui fait face.

Dès notre arrivée, on nous avait bien recommandé d'aller, le 2 novembre, jour des Morts, faire une visite au cimetière, qu'on nomme ici le Panthéon.

Cette nécropole est située sur les bords du Rimac, non loin de la ville, et desservie par le chemin de fer qui mène au Callao ; pour cette occasion, il triple, quadruple le nombre de ses trains, qu'on peut fort bien nommer trains de plaisir, car le jour des Morts au Pérou est certainement l'un des plus gais de l'année.

Depuis l'avant-veille, les abords du Panthéon présentaient un spectacle fort animé. Un grand nombre d'industriels y avaient dressé des tentes et des abris en feuillage, joyeusement pavoisés aux couleurs de toutes les nations, et sous lesquels, durant quatre jours, se débitent force boissons et victuailles.

Le jour consacré, et dès le matin, toute la population de Lima est en route, et bientôt on fait queue pour pénétrer dans l'enceinte funèbre. Autour des portes, des milliers de visiteurs circulent avec peine, attendant leur tour pour boire et manger à l'ombre des cabarets improvisés qui ne désemplissent pas un instant. Les types les plus variés de la ville et de la campagne se rencontrent là, depuis le créole jusqu'à l'Indien, depuis le nègre jusqu'au Chinois ; ce qui domine naturellement, c'est le type du Péruvien d'aujourd'hui, sang mêlé d'Espagnol et d'Indien.

Enfin, nous parvenons à entrer dans le Panthéon. Ici, les morts ne reposent pas sous la terre ; ils sont encastrés, sur trois rangs, dans d'épaisses murailles à double face, dont les ouvertures, hermétiquement fermées après l'introduction des cercueils, glissés à l'intérieur comme autant de tiroirs, sont couvertes de pieuses inscriptions. Les personnages célèbres, généraux et présidents de la république, ont parfois de somptueux monuments en marbre, surmontés d'emblèmes ou de statues.

Quelque discrétion que je veuille mettre dans certaines appréciations d'un ordre délicat, je dois dire que la tenue du clergé péruvien dans ce cimetière et au milieu de cette foule m'a complètement scandalisé. Tous les prêtres marchandent les oraisons qu'on vient leur demander, et comme le client abonde, leur attention est uniquement fixée sur la valeur de la monnaie qui leur est offerte ; ils s'interrompent des prières qu'ils marmottent d'une voix brève et hâtive, pour examiner de près les petits papiers crasseux, payement de leurs bons offices ; ils s'arrêtent court si le prix leur semble insuffisant, ils discutent, ils ont des mouvements d'impatience… Cela est du plus triste effet aux yeux d'un étranger. On m'a dit que les prêtres péruviens étaient doux, tolérants et aimables : ce sont de charmantes qualités ; lors même qu'ils seraient trop tolérants pour eux et trop aimables pour d'autres, ce que de mauvaises langues assurent, on le leur pourrait pardonner ; mais, par grâce, messieurs, et dans votre intérêt, n'oubliez pas le mot de messire Brid'Oison : *La fo-o-orme !* C'est une grande dame que la forme, qui vous a rendu bien des services, mais susceptible à l'excès, et si vous la négligez, elle vous négligera à son tour. Méfiez-vous !

Pour voir le Lima moderne, nous sommes allés dès les premiers jours à la *Exposicion*, promenade qui a détrôné l'*Alameda Nueva*, située dans le quartier de la rive droite. Comme à la *Quinta Normal* de Santiago, il y a là un assez beau bâtiment qu'on utilise pour les expositions de tout genre, ainsi que nous faisons de notre palais de l'Industrie ; de plus, un parc, rendez-vous, à certaines heures et à certains jours, des élégants et des élégantes de la ville. Je ne dirai rien du palais, dont la construction extérieure est fort convenable, mais qui était fermé lors de notre passage.

Quant au jardin, il tient à la fois de notre Jardin des plantes et de notre Jardin d'acclimatation ; mais il n'a ni la gravité savante du premier, ni les agréables dispositions du second. Tracé sans doute sur un plan mal défini, on y a accumulé, un peu à tort et à travers, mille curiosités dont chacune a sa valeur, mais dont aucune n'est à sa place. Des serres, des maisonnettes, des parterres, des bassins, des cages à bêtes fauves et des volières sont disséminés au hasard ; sur les murailles de ces constructions mal groupées se retrouvent les affreux peinturlurages dont on fait un si colossal abus dans toute l'Amérique du Sud.

Cela produit un ensemble qui n'est ni joli ni beau, gai tout au plus. Heureusement, la collection des fleurs est splendide. Le Pérou est peut-être, de tous les pays du monde, celui dont la végétation est la plus variée, et une promenade au parc de la *Exposicion* suffirait à s'en convaincre. Dès qu'on a commencé à regarder les corbeilles, on oublie le maladroit arrangement des joujoux bariolés qui les encadrent ; plus vivaces qu'en aucun point de l'Europe, voici nos rosiers, nos fuchsias, nos lis et nos géraniums, puis de magnifiques hybiscus d'un rouge éclatant, d'énormes bégonias de toutes couleurs, le fameux *amancaës*, fleur essentiellement péruvienne, aux grands calices dorés, et mille autres dont j'ai le regret d'ignorer les noms. A la vue de cette flore vigoureuse, s'épanouissant en pleine terre et en pleine lumière, j'allais me prendre, je crois, d'une belle passion pour l'horticulture, lorsque je fus croisé par quelques jeunes Liménéennes en promenade, et les fleurs à leur tour furent oubliées.

Il faudrait avoir vécu plusieurs années dans les républiques de La Plata, du Chili et du Pérou, pour se permettre, nouveau Pâris, de décider entre les types de beauté, issus d'une même origine et encore peu différents, des femmes de ces pays. Un voyageur nomade, comme moi, n'osera prendre une telle liberté. Je me suis demandé pourtant sur quoi est basée l'opinion de notre vieille Europe, qui donne la palme aux Péruviennes. Sont-elles vraiment plus belles et plus gracieuses que leurs rivales ? Cela paraît bien difficile à dire. Ont-elles un plus séduisant costume ? Non. L'ancienne *manta*, aujourd'hui délaissée pour les modes françaises, partout n'habille bien que les duègnes, en les cachant.

C'est peut-être parce que la souveraineté de la femme est plus puissante et plus reconnue au Pérou que dans tout le reste de l'Amérique, parce que les mœurs, sans y être plus douces, y sont cependant plus tendres et plus affectueuses, parce que le Pérou est un pays de plaisir, où la femme, je le répète avec intention, car c'est un caractère bien saillant de ce peuple, est plus aimée qu'elle ne l'est nulle part. Le bonheur, autant et plus que la vanité satisfaite, met sur leurs visages son idéale et trop rare expression ; leur sourire semble un remerciement du luxe, des égards, des prévenances et surtout des tendresses qui les entourent ; il n'est pas un échange de politesse diplomatique et raisonnée ; il a la grâce de ce qui est simple, naturel, spontané, de ce qui vient sûrement du cœur et de ce qui doit y aller sûrement.

Voilà mon explication, et si vous ne la croyez pas bonne, faites le voyage ; que vous en trouviez ou non une meilleure, vous ne vous en repentirez pas.

Je n'ai quitté Lima qu'un seul jour. Cette journée a été employée à gravir les Andes jusqu'à une hauteur à peu près égale à celle du mont Blanc, et... à redescendre pour l'heure du dîner. Ceci paraît un tour de force incroyable ; je vous assure, cependant, qu'avec un bon chemin de fer bien installé l'ascension est des plus faciles.

Le 5 novembre, à huit heures du matin, nous avions rendez-vous général à la gare de *Desemparados* ; nous montons tous dans un train spécial, en compagnie de notre savant compatriote, M. Malinowski, ingénieur en chef de la ligne, et de notre aimable vice-consul au Callao, M. Saillard. Bientôt nous roulons dans la direction des montagnes. Pendant que nous longeons les bords du Rimac et que nous franchissons à toute vapeur les plantations de café, de cannes, de coton et de maïs, cultivées par des nuées de Chinois, je vais vous dire ce que c'est que le *Ferro Carril Central Transandino.*

La nature a partagé le Pérou en trois parties bien distinctes : la *Costa*, région de la côte ; la *Sierra*, région des montagnes, embrassant les chaînes des Andes et leurs plateaux ; la *Montaña*, pays des forêts, qui touche à la Bolivie, au Brésil et à la république de l'Équateur. Or, la partie la plus riche, la plus fertile du sol péruvien est ce pays des forêts, situé par delà les Andes. Il est comme enfermé entre les grandes solitudes du Brésil occidental et la gigantesque Cordillère. Le chemin de fer transandin va lui donner la vie et, plus tard, atteignant l'un des grands affluents de l'Amazone, l'Ucayali, aura créé une voie directe sur l'Europe, par laquelle s'écouleront les produits de cet immense territoire.

On peut affirmer que jamais l'établissement d'une voie ferrée ne présenta pareilles difficultés.

Le chemin de fer de l'Oroya gravit une hauteur de 4,700 mètres, sur un parcours de 200 kilomètres, ce qui donne une pente moyenne de 22 millimètres par mètre. La ligne compte 45 tunnels et 25 ponts, dont l'un a des piles de 79 mètres de hauteur (quatre à cinq fois l'une des plus hautes maisons de Paris).

Il a fallu une audace et une énergie peu ordinaires pour entreprendre et mener à bien un pareil projet. L'honneur de son exécution en revient d'abord au gouvernement du Pérou, puis à M. Meiggs, ingénieur américain, concessionnaire des deux lignes de Mollendo au lac Titicaca et de Lima à Oroya, enfin à M. Malinowski, déjà nommé.

Vers huit heures du matin, notre train commence à attaquer sérieusement la montagne ; nous sommes entrés dans la région interandine, la Sierra. Le paysage devient sévère et les précipices se creusent sous notre route à mesure que s'effectue l'ascension. La voie ferrée ne peut plus trouver assez de place pour y développer ses courbes ; alors le train s'engage dans un cul-de-sac sans issue, s'arrête à son extrémité ; un aiguilleur change la voie, véritable lacet, et la machine, repartant en arrière, nous pousse sur une nouvelle pente. Ainsi, tantôt tirés, tantôt poussés, nous escaladons une succession de terrasses superposées à des hauteurs qui déjà nous donnent le vertige. Voici le pont de Verrugas, d'une hardiesse inouïe, jeté entre deux montagnes séparées par un précipice, le tablier est à claire-voie, et le regard plonge librement dans le vide. Plus loin, le pont de Challapa, tout en fer comme le premier, construit en France et ajusté sur les lieux par des ouvriers français. On nous fait remarquer, sur le revers des montagnes, de larges plates-formes soutenues par des pierres, travail primitif des Indiens, déjà attirés par les gisements métalliques.

Le train s'arrête au village de Matucana. Nous ne sommes encore qu'à quatre-vingt-dix kilomètres de la capitale, et l'altitude est de deux mille quatre cents mètres. Après avoir été vite, mais consciencieusement écorchés par des exploiteurs allemands installés au buffet de la station, nous repartons.

L'aspect de la montagne devient tout à fait grandiose ; notre route est une course échevelée par-dessus des gouffres invraisemblables, à travers d'étroits tunnels se succédant presque sans interruption. Soudain, au sortir d'une profonde obscurité, nous nous engageons sur un pont jeté en travers d'une énorme crevasse formée par deux murailles de rochers à pic, dont les bases se perdent dans un abîme. Le site a un caractère de sauvagerie diabolique, et l'endroit est bien nommé : *el puente del Infernillo*, le pont de l'Enfer ! Nous avançons doucement, nous franchissons ce sombre passage, non sans quelque émotion, et le train disparaît de nouveau dans un tunnel qui sert de lit à un torrent qu'on s'apprête à détourner ; les eaux roulent au-dessous de nous avec un mugissement assourdissant et sinistre, la machine semble lutter avec peine contre ce nouvel obstacle. Je ne puis rendre le sentiment d'admiration et de crainte que nous éprouvâmes en cet endroit. Cette escalade à toute vapeur de la plus grande chaîne de montagnes qui soit au monde n'est-elle pas véritablement extraordinaire ? Nous sommes encore bien plus « empoignés » par ces deux simples rubans de fer que par les sévères beautés du paysage, et les vers du grand poète des *Odes et Ballades* reviennent à ma mémoire :

« A peine adolescent, sur les *Andes* sauvages,

» De rochers en rochers, je m'ouvrais des chemins ;

» Ma tête, ainsi qu'un mont, arrêtait les nuages ;

» Et souvent, dans les cieux, épiant leur passage,

» J'ai pris des aigles dans mes mains. »

Allons, hurrah ! trois fois hurrah ! à notre compatriote, qui, semblable au *Géant*, a su s'ouvrir et ouvrir au monde entier un chemin à travers ces altières montagnes.

Vers deux heures, nous atteignons Chicla, où s'arrête actuellement le chemin de fer, bien que les travaux soient presque complètement terminés jusqu'au *Summit tunnel*, point culminant de la voie ferrée, dont l'altitude exacte est 4,768 mètres. Chicla n'est qu'à 3,725 mètres au-dessus du niveau de la mer, juste la hauteur du fameux pic de *Ténériffe*. C'est une petite station, auprès de laquelle on a construit une modeste auberge, où nous trouvons cependant le luxe d'un billard. Nous n'y devons rester que quelques minutes et ne protestons pas contre un arrêt aussi court, car quelques-uns d'entre nous, y compris le conducteur du train lui-même, souffrent du *sorocho* ou mal des montagnes, causé par la raréfaction de l'air ; nous le combattons assez victorieusement par l'absorption de plusieurs petits verres d'eau-de-vie, et comme la température est devenue très froide, nous nous enveloppons dans nos manteaux. En attendant que le train soit prêt, nous assistons au départ assez pittoresque d'une troupe de lamas porteurs. Cet animal rend aux habitants de la Sierra des services inappréciables ; doux, timide, s'apprivoisant facilement, il remplace ici le dromadaire qu'il rappelle un peu par sa couleur, sa forme et ses allures, sinon par sa taille qui est beaucoup plus petite.

Nous n'avons constaté à cet utile quadrupède qu'un défaut, dont il est bon d'être prévenu à l'avance, celui de cracher à la figure des gens qui lui déplaisent.

Au-dessus de nos têtes plane un grand condor, ce roi des oiseaux carnassiers, qui peut dans ses puissantes serres enlever un mouton ou un enfant. L'envergure de celui-là doit bien atteindre cinq mètres. Tout près de nous se dresse le mont Meiggs, dans le ventre duquel passe la voie ferrée avant de redescendre le versant oriental ; deux de nos amis, MM. René et Jules de Latour, sont partis depuis la veille au matin pour en atteindre le sommet et ne seront de retour que dans la nuit. Un employé du chemin de fer nous dit les avoir vus passer. Sans inquiétude sur le sort de nos compagnons qui, d'ailleurs, se sont dégourdi les jarrets en faisant l'ascension du mont Blanc avant notre départ, nous remontons dans notre wagon.

Un coup de sifflet sec, strident, et nous redescendons sur Lima avec une vitesse vertigineuse. Les grands monts, les profonds tunnels, les gorges sauvages, les noirs précipices défilent comme une fantasmagorie de ballade allemande ; l'ardente vapeur semble nous emporter dans une fuite éperdue, et nous avons à peine le temps de reconnaître les lieux que nous venons de traverser tout à l'heure.

Cependant, nous voici en plaine ; le train ralentit sa course, s'arrête et, sous la clarté d'un crépuscule prêt à s'éteindre, nous dépose sains et saufs, étourdis et charmés, aux portes de la ville.

AU PÉROU
LE CALLAO ET LIMA
(Suite.)

La collection Zaballos. — Discussion avec le Vatican. — Rembrandt et le Savetier. — Un bal à bord de la *Junon*. — Notes rétrospectives : le guano, l'empire des Incas, la situation actuelle et l'avenir du Pérou.

Le lendemain de notre excursion en chemin de fer, nous avons été invités à visiter la collection des tableaux d'un riche armateur de Lima, don Manuel Zaballos. Ici, lecteur, j'ai besoin de toute votre indulgence et de toute votre confiance dans ma sincérité. Vous ne voudrez pas me croire quand je vous aurai dit que M. Zaballos a la plus belle collection particulière du monde entier, et vous m'opposerez cette irréfutable objection : Si cela était, on le saurait. « A beau mentir qui vient de loin » est un commun proverbe, et vous voilà tout prêt à me l'appliquer. Un chemin de fer fantastique, une collection merveilleuse de toiles anciennes..., au Pérou ! c'est trop à la fois.

Croyez-moi ou ne me croyez pas, je me suis donné pour mission de dire ce que j'ai vu, j'obéis à ma consigne.

Nous voici devant une des plus vieilles maisons de la ville, dont la façade est déjà un bijou d'architecture espagnole. Le maître de céans nous introduit dans un premier salon ne contenant que des sujets religieux ; il nous montre avec quelque négligence trois Murillo, où nous cherchons en vain la faute d'orthographe d'un copiste, et avant que nous ayons eu le temps de détailler cette *Sainte Madeleine*, ce *Saint Jean* et cette *Descente de croix*, il nous entraîne dans son salon carré, en face d'un Zurbaran bien connu ou plutôt bien cherché des connaisseurs : l'*Extase de saint François* ; à droite deux beaux Rubens ; à gauche, un Van Dyck ; partout, accrochés au hasard, dans des cadres ternes et vermoulus, des Raphaël, des Claude Lorrain, des Paul Potter. Sans être savants comme des experts, nous ne sommes pas trop de notre province, et quelques-uns de la bande, le commandant entre autres, ont de bonnes raisons pour savoir distinguer le coup de pinceau d'un maître du tâtonnement d'un élève ; nous nous regardons un peu surpris. Le visage de notre hôte s'éclaire d'un sourire de satisfaction triomphante. Nous passons dans une autre pièce, même profusion de chefs-d'œuvre, même désordre.

Les écoles se mêlent, les sujets se heurtent, les cadres empiètent les uns sur les autres. Ce sont encore les mêmes noms de maîtres anciens, parmi lesquels dominent ceux de la grande école espagnole. Devant ces toiles noircies, enfumées, mal rangées, nos doutes s'évanouissent, et notre admiration est un plus sûr garant de la sincérité des signatures que les signatures elles-mêmes.

Enfin nous entrons dans une vaste galerie qui est à elle seule tout un musée. Le milieu et les extrémités de cette galerie sont occupés par trois tableaux splendides. D'abord, la *Communion de saint Jérôme*. — Ah ! pour le coup, monsieur le voyageur, vous abusez, me direz-vous ; la *Communion de saint Jérôme*, du Dominiquin, est au Vatican ; on l'y a vue, et tout le monde encore peut l'y voir ; donc... — Pardon, à mon tour. J'en suis fâché pour le Vatican, mais la *Communion de saint Jérôme* qu'il possède n'est qu'une reproduction de l'original, qui est ici. En voulez-vous la preuve ?

Voici, à l'autre extrémité de la même galerie, la *Mort de saint Jérôme*, du même Dominiquin, laquelle n'a pas été reproduite, que je sache, et vous conviendrez qu'il est difficile de se tromper quand on a sous les yeux deux *saint Jérôme*, du même ton et presque dans la même attitude. Quant à supposer que le Dominiquin ait envoyé en même temps au Pérou la copie de l'un des tableaux et l'original de l'autre, cela est peu vraisemblable. N'est-il pas plus simple de supposer, ce que des recherches dans les papiers des couvents prouveraient sans doute, qu'à une époque où certaines congrégations religieuses possédaient ici plus de 800,000 francs de revenu, sans compter les dîmes, offrandes, cadeaux et héritages de l'année, elles pouvaient faire aux maîtres anciens des offres colossales, que ces illustres prodigues ne songeaient pas à décliner.

Mais continuons... Voici une Vierge de Raphaël, avec la gravure du temps qui en démontre l'authenticité ; plus loin une bataille de Salvator Rosa, d'un effet plus puissant que celle du Louvre ; trois portraits équestres de Velazquez, grandeur naturelle ; des Tintoret aussi beaux que ceux du palais ducal de Venise ; une collection complète de l'école flamande : des Teniers, des Van Ostade, des Gérard Dov, etc., à faire envie au musée de La Haye ; enfin, trois beaux Rembrandt, dont l'un représente avec un fini de détails et une crudité d'expression bizarre « le mur d'une échoppe de cordonnier ». Don M. Zaballos nous raconta l'histoire de ce tableau ; la voici :

« Rembrandt se promenait un jour dans les rues d'un des plus pauvres quartiers d'Amsterdam, lorsque passant à côté d'un bouge infect, occupé par un vieux savetier, il lui sembla voir, fixée au mur de la boutique, une gravure représentant l'un de ses premiers tableaux.

» Une idée originale lui vient à l'esprit. Il entre et s'adresse au vieillard :

» — Voulez-vous me vendre cette gravure ?

» — Mais, monsieur, elle n'est pas à vendre...

» — Si je vous en offrais un bon prix ?

» — Ma foi, non, monsieur. Je ne veux pas la vendre, cette image-là. C'est de notre fameux maître Rembrandt, et j'y tiens.

» — Cependant..., dix ducats d'or !

» — Dix ducats ! Ah ! mon bon monsieur, je sais bien que cela ne vaut pas dix ducats ; mais quoique je ne sois pas riche, dit le vieux cordonnier en jetant un regard attristé sur sa misérable échoppe, quand même vous me les offririez pour de bon, j'aimerais mieux la garder... ça me tient compagnie, voyez-vous. Voilà sept ans que je l'ai là...

» — Allons, pas tant de bavardages. Voilà trente ducats, dit Rembrandt en prenant une poignée d'or dans sa poche, et donnez-moi la gravure...

» Le bonhomme hésite un moment, regarde cet étrange visiteur d'un air stupéfait, puis s'en va détacher l'image et la donne au maître :

» — J'ai une femme et des enfants, lui dit-il, et je n'ai pas le droit de vous refuser.

» Le lendemain, Rembrandt venait replacer son acquisition de la veille là où elle était restée si longtemps, s'asseyait droit en face du mur et commençait ce petit tableau que vous voyez. Voici le *portrait* de cette gravure salie et écornée, un vieux peigne édenté suspendu à une ficelle, l'almanach de l'année 1651, avec ses feuilles toutes graisseuses ; les rognures de cuir laissées sur une vieille table branlante, et tout cela rendu en trompe-l'œil, avec une vérité saisissante.

» Rembrandt conserva cette toile toute sa vie, et j'ignore moi-même comment elle est venue au Pérou ».

L'école espagnole surtout est admirablement représentée dans la collection Zaballos, et peut-être serait-il nécessaire de venir l'étudier ici pour la bien connaître, car il y a des toiles, comme les *Bohémiens* de Zurbaran et la *Naissance du Christ* de Cano, dont les équivalents ne se retrouvent, je crois, nulle part.

Avant de quitter cette maison, dont nous sortions émerveillés, don Manuel Zaballos nous réservait une dernière surprise. Prenant sur un vieux bureau Louis XIII une feuille de papier jauni : « Messieurs, nous dit-il, je remercie les étrangers qui veulent bien venir voir mes tableaux, mais je ne conserve que les noms de mes compatriotes. Voici une liste qui est commencée depuis six ans ; voyez, il n'y en a pas cinquante ! »

C'est peu flatteur, pensai-je, pour les Péruviens. Mais ne nous hâtons pas d'être sévère. Si quelque jour on s'avisait de fermer brusquement les portes des galeries du Louvre et de compter combien on aurait ainsi enfermé de bourgeois de Paris, y en aurait-il beaucoup ?

J'ai eu l'occasion de dire que, partout où la *Junon* avait passé, l'expédition avait trouvé un accueil fort aimable, mais, nulle part plus qu'au Pérou, nous n'avions trouvé autant de bonne grâce et de prévenances. Notre ministre plénipotentiaire, M. de Vorges, nous avait reçu plusieurs fois ; il s'était, dès notre arrivée, occupé de faire organiser l'excursion du chemin de fer de l'Oroya, et nous avait donné la clef de sa loge au théâtre, où, par parenthèse, jouait une excellente troupe française de vaudeville et d'opérette ; les attachés de la légation s'étaient constitués nos pilotes, et, grâce à eux, nous eûmes bientôt notre couvert mis en plusieurs endroits. Nos noms figuraient comme membres honoraires du Cercle français, fort bien installé au centre de Lima, car la colonie française est ici très importante ; nous ne pouvions y paraître sans recevoir quelque invitation. Au Callao, les hospitalières maisons de notre vice-consul et du commandant de Champeaux, directeur du port, nous étaient ouvertes.

Comment reconnaître tant de bons procédés ? Le commandant proposa d'organiser, pour la veille du départ, une réception à bord, et ce fut en un instant chose résolue.

L'installation du bateau pour cela n'était pas facile, car l'honorable ingénieur qui, il y a quelque quinze ans, construisit la *Junon*, n'avait certes pas prévu qu'on dût jamais y donner une fête. Heureusement, les marins sont adroits et inventifs ; ils se mettent de tout cœur à un travail de ce genre et aiment assez à avoir « du beau monde » à bord, sachant bien que, de manière ou d'autre, il leur en reviendra quelque aubaine.

Le 6 novembre, au coup de midi, c'est-à-dire vingt-quatre heures après les premiers ordres donnés, la *Junon*, pimpante, brillante, méconnaissable, transformée en un nid de fleurs et de feuillages, était prête à recevoir ses amis. Le second capitaine, M. Mollat, M. de Saint-Clair, M. J. Blanc, officier de quart, et notre excellent consignataire, M. Cavalié, qui s'étaient partagé le soin des préparatifs, contemplaient avec satisfaction leur ouvrage. Plusieurs d'entre nous avaient contribué *propria manu* à l'arrangement décoratif ; mais ceux qui arrivèrent en toute hâte de leurs excursions dans les environs n'en pouvaient croire leurs yeux en franchissant la coupée.

La dunette, débarrassée des compas, manches à vent et autres *impedimenta* qui l'encombraient d'habitude, était devenue une vaste salle de bal, complètement entourée d'une ceinture de branchages garantissant en même temps des rayons du soleil, du souffle de la brise et des regards profanes. On y accédait par un large escalier, de construction récente, couvert de tapis et de fleurs. Partout on avait disposé des corbeilles de roses, de jasmins, de gardenias, de géraniums rouges, enlevées aux jardins de Lima. Dans notre salon arrière, en partie démeublé, on avait disposé un monumental buffet ; les dressoirs en étaient chargés de fleurs, courant en festons tout autour du cadre des glaces ; enfin la galerie et le logement du commandant avaient été arrangés en boudoir, avec force mousseline et profusion de ces mille riens qui sont de si grande importance lorsqu'il s'agit de relever une boucle qui se dérange ou de faire un point à un volant déchiré.

Par-dessus ce jardin improvisé, on avait établi une tente de forte toile, cachée par un velum formé de pavillons, parmi lesquels ceux de la France et du Pérou tenaient les places d'honneur.

Notre canot à vapeur et celui de la Direction du port, remorquant d'autres embarcations, amenèrent nos invités vers deux heures et demie. Je cite au hasard : M. de Vorges, ministre de France, Mme et Mlle de Vorges, M. le comte de Persan, secrétaire de la légation, M. le comte de Boutaut, chancelier, M. d'Alvim, ministre du Brésil, Mme et Mlles d'Alvim, M. le consul général de Belgique, M. Saillard, vice-consul de France au Callao, et Mme Saillard, M. le capitaine de vaisseau de Champeaux, M. Combanaire, président de la chambre française de commerce, M. Combe, etc., etc... Quant au monde essentiellement péruvien, ces messieurs de la légation française le connaissant bien mieux que nous, toute latitude leur avait été laissée pour le choix des invitations. Ils avaient eu la cruauté de nous amener les plus jolies têtes de Lima...

Le grand faux pont, dont nos visiteurs ne soupçonnaient même pas l'existence, avait été transformé en salle de souper. Lorsque, vers cinq heures, on y pénétra par une galerie dont l'entrée avait été jusqu'alors interdite, à la vue de cette longue pièce, entièrement tendue aux couleurs péruviennes, blanc et rouge, étincelante de lumières et de cristaux, ce fut une explosion de compliments et d'enthousiasme. Après le *lunch*, qui fut rempli d'entrain et de gaieté, nous remontâmes sur le pont.

La nuit était venue, et la *Junon*, pavoisée d'innombrables lanternes vénitiennes, semblait inaugurer une nouvelle fête. On recommença donc à danser de plus belle, et ce fut seulement le dernier train du soir qui emmena le gracieux essaim de nos valseuses. En prenant congé de nous, notre aimable ministre dit au commandant : « La *Junon* a trop de succès. Je vous conseille de partir demain, sinon vous ne partirez plus. »

Le conseil était sage ; car, en vérité, les séductions de ce magnifique pays étaient bien de nature à nous retenir. Nous eûmes le courage de résister. Malgré notre secret désir de rester ici encore une semaine... ou deux, et en dépit des manœuvres des propriétaires de la *Junon*, qui, pour des motifs bien différents, voulaient à toute force arrêter notre voyage, le 7, à la tombée de la nuit, nous étions en route pour Panama.

En mer, 11 novembre.

Je viens de relire mes notes sur le Pérou, et je m'aperçois que j'ai complètement oublié de vous parler de ce que tout le monde est censé connaître sur ce pays. Je n'ai rien dit du fameux *guano*, source de tant de fortunes et de conflits ; du légendaire empire des Incas, sur le compte duquel on a raconté mille sottises ; enfin de la situation économique et politique actuelle, qui nous montre *la plus riche contrée du globe* luttant difficilement contre d'énormes embarras financiers, tristes conséquences de la légèreté de ses habitants.

Il ne faudrait pas moins de trois gros volumes pour résumer en une étude complète ces graves questions, trois gros volumes que vous ne liriez certainement pas, tandis que vous aurez, j'espère, la patience de lire les quelques pages que mes devoirs de narrateur m'obligent à leur consacrer.

Le *guano*, nul ne l'ignore, est un engrais des plus efficaces, très recherché depuis une trentaine d'années, et dont le prix a toujours été en augmentant. Ses principes actifs sont le phosphate et le carbonate de chaux. Son nom est tiré de l'idiome des Indiens Quichuas, du mot *huanay*. Le guano n'est autre chose que de la fiente d'oiseaux de mer, pétrels, mouettes, pingouins, pélicans, etc., mélangée avec les détritus de ces animaux et accumulée par couches qui atteignent parfois cent mètres de profondeur. Le Pérou n'est pas le seul pays qui possède des gisements de cet étrange et précieux produit ; on en trouve aussi en Patagonie et au Chili ; mais le guano du Pérou est le meilleur et le plus abondant ; tellement abondant que, sans les maladresses financières des gouvernants qui ont laissé écraser la république sous le poids d'une dette d'un milliard, la seule exploitation du guano suffirait à couvrir le budget des dépenses normales de l'État.

Toutes les îles du littoral en sont plus ou moins couvertes, et il se trouve encore en amas considérables sur un grand nombre de points de la côte. Quand le dépôt des îles Chinchas fut épuisé, on fit courir le bruit que le Pérou n'avait plus de guano : c'était une manœuvre de la spéculation. Il y a encore *actuellement* sept ou huit millions de tonnes de guano, dont les gisements ont été reconnus ; mais les sondages opérés dans cette matière d'une consistance variable, parfois dure comme de la pierre, étant très incertains, des dépôts ignorés devant sans doute être plus tard découverts, on peut assurer que ce chiffre est fort au-dessous de la réalité. En somme, bien que l'épuisement du guano dans un avenir relativement prochain soit chose certaine, il est absolument impossible d'en fixer l'époque.

Mes renseignements étant pris au Pérou, je me garderai bien de discuter ici, même d'une manière générale, les conditions des contrats que le gouvernement a passés avec des banquiers européens. Il lui a plu d'affermer et d'hypothéquer sa principale source de richesse, pour subvenir à des besoins toujours croissants, et cela à plusieurs reprises. C'était au moins une imprudence. Il n'y a pas besoin de connaître le dessous des cartes pour supposer que cette imprudence a dû profiter à quelqu'un.

Quoi qu'il en soit, la situation est telle aujourd'hui, que tout le monde se plaint, et personne ne s'entend. L'Angleterre, la France, le Pérou, les banquiers, les porteurs de bons, — autant de ruinés.

N'y aurait-il pas là le sujet d'un de ces petits dessins à énigmes qui nous amusaient tant l'année dernière ? On l'ornerait de la légende : « Où est… celui qui n'est pas volé ? » Quelqu'un d'habile trouverait peut-être.

De tous les pays que nous avons visités, le Pérou est celui dont l'histoire primitive est la plus intéressante, d'abord parce qu'elle porte un cachet d'originalité très remarquable, ensuite parce que la race actuelle tient beaucoup plus de la race indigène qu'en aucune autre contrée de l'Amérique du Sud.

Tout porte à croire que le continent américain a été peuplé par des migrations asiatiques, mais je n'oserais m'engager dans une discussion sur ce point. Ce qui est considéré comme certain, c'est qu'avant l'arrivée des Incas, dont le premier, Manco-Capac, est tout simplement descendu du ciel avec sa femme Mama-Oello, vers l'an 1000 de notre ère, le territoire péruvien était occupé par diverses tribus dont les plus importantes étaient les Chinchas, les Quichuas et celle des Aymaraës. Cette dernière avait la singulière coutume de déformer la tête des enfants, le plus souvent de manière à lui donner une hauteur tout à fait anormale ; une telle distinction ne s'appliquait qu'aux personnes bien nées, et sans doute il y avait à cet égard des règles de convenance absolument obligatoires.

On croit que Manco-Capac, avant de descendre du ciel, avait passé les premières années de sa jeunesse parmi ces guerriers au crâne pointu.

Cet homme extraordinaire ne tarda pas à devenir grand prêtre et empereur incontesté de tous ceux qui entendirent sa parole. Il mourut paisiblement après avoir régné quarante ans ; son fils continua l'œuvre commencée, compléta ses lois, agrandit ses domaines, et, successivement, douze Incas s'assirent sur le trône de Manco-Capac.

Cet empire théocratique, fondé par un seul homme, se perpétuant et prospérant pendant quatre siècles et sur l'étendue de douze générations consécutives, est certainement le fait le plus étrange de l'histoire du monde. Par quelle mystérieuse influence ces souverains improvisés ont-ils pu faire respecter leur domination sur plusieurs peuples très différents, occupant un espace de trois millions de kilomètres carrés ? Nul ne peut l'expliquer. Bien des livres donnent, avec force détails, des renseignements sur la religion fondée par les Incas et principe de leur autorité ; malheureusement, on ne peut avoir que peu de confiance dans ces récits, parce qu'ils émanent d'Espagnols fanatiques ou de métis convertis au catholicisme.

Il est vraisemblable que le Soleil, plutôt que l'idéalité par laquelle ces historiens ont cherché à le remplacer, occupait le premier rang dans la mythologie des Incas ; l'empereur n'était rien moins que le petit-fils du Soleil, ce qui le faisait, dans le fait, l'égal de la plus haute divinité. La coutume des empereurs Incas était d'épouser une de leurs sœurs ; l'impératrice devenait ainsi la personnification de la lune (ainsi que le prouvent les statues des temples de Cuzco), et la succession au trône était dévolue aux premiers enfants mâles issus de ces mariages.

Si les Incas s'étaient bornés à ces joies de famille, constamment isolés au milieu de leur peuple, ils eussent vraisemblablement été renversés ou abandonnés avant la venue des Espagnols. Mais le prudent fondateur de la dynastie avait eu le soin de laisser, en dehors de ses enfants légitimes, une postérité des plus nombreuses, officielle sinon régulière, en sorte que, imité par ses successeurs, la famille impériale devint bientôt une nation dans la nation, multipliant avec une incroyable rapidité, grâce au pouvoir absolu dont jouissaient tous ces descendants d'Apollon.

Bien que les empereurs fussent, de droit divin, maîtres de leurs sujets et de leurs biens, législateurs et justiciers, autocrates dans toute la force du mot, ce n'est pas par la terreur qu'ils avaient assis et maintenu leur puissance. Leur despotisme allait jusqu'à défendre de changer de lieu et jusqu'à interdire absolument l'écriture. On ne peut donc imaginer un esclavage plus étroit que celui de ces malheureux peuples ; cependant il n'y eut, pendant la domination des Incas, que peu d'exécutions, et les idoles ne réclamaient que rarement des sacrifices humains. Ces tyrans ne manquaient jamais de proclamer bien haut les principes de droit et « d'égalité », de protester de leur respect pour les anciennes coutumes, de leur tendresse à l'égard de leurs sujets, du souci qu'ils avaient de leur bien-être. Mais ce n'étaient là que de vaines déclamations ; leur fantaisie était la loi, le sol et ses habitants leur propriété ; nul ne pouvait se mouvoir, parler, trafiquer, aimer, vivre, en un mot, sans la permission du maître.

Il suffit d'une poignée d'aventuriers pour renverser le colosse. L'empereur mort ou prisonnier, il ne devait plus rester de ce monstrueux état social qu'un troupeau d'esclaves à la merci du premier venu ; aussi ne fut-ce que par précaution qu'après le meurtre d'Atahuallpa, Pizarre le remplaça par un fantôme d'empereur, dont il ne s'embarrassa guère, malgré ses tentatives de révolte. Ce dernier des souverains Incas se nommait, ainsi que le premier, Manco-Capac.

Après la bataille vint le pillage. L'Espagne, pendant trois siècles, recueillit avidement le butin que quatre années de combats (1532-1536) lui avaient acquis. La rapacité brutale des conquérants réveilla parfois le courage endormi des vaincus ; il y eut des rébellions, qui furent réprimées avec une terrible cruauté. La race indienne, écrasée, épouvantée, se mourait ; mais une race nouvelle venait de naître et grandissait chaque jour : fille des Indiens et des Espagnols, maîtresse du pays et par droit de naissance et par droit de conquête, jeune, ardente, impatiente, il lui tardait de venger à son profit les aïeux opprimés des aïeux oppresseurs.

Les temps de Charles-Quint étaient passés ; l'aigle espagnole combattait ailleurs, non plus pour sa gloire, mais pour sa vie. Bientôt le Chili se soulève au nom de la liberté ; l'illustre Bolivar accourt du fond de la Colombie et vient pousser le cri de l'indépendance jusque dans les murs de Lima ; le peuple entier prend les armes ; et le drapeau victorieux du Pérou remplace à jamais celui de la métropole (1826).

Ainsi qu'on pouvait le prévoir, ce fut au milieu des troubles et des désordres politiques, des pronunciamientos, dans le tourbillon d'un changement perpétuel des hommes et des institutions, que grandit la jeune république. Elle grandit cependant ; elle a franchi aujourd'hui l'ère redoutable du travail trop facile et des fortunes trop rapides ; l'or et l'argent ne sont plus à la surface du sol, et le président ne pourrait, pour entrer dans son palais, s'offrir la fantaisie de faire paver toute une rue de Lima en argent massif, ainsi que le fit le vice-roi espagnol, duc de La Palata. Le Pérou a payé très cher une chose dont le prix n'est jamais trop élevé : l'expérience, et, s'il lui en reste à acquérir, il est encore assez riche pour le faire.

En ce moment, deux partis sont en présence, lesquels malheureusement représentent des ambitions tout autant, sinon plus, que des idées. Le premier, le plus fort et le plus intelligent, sympathique aux commerçants et aux étrangers, est celui qu'on nomme le parti civil ; il est dirigé par un homme d'une haute valeur et d'une grande influence, don Manuel Pardo, actuellement président du Sénat.

Le second parti a pour chef Nicolas Pierola, le même qui, à bord du garde-côte cuirassé péruvien, le *Huascar*, soutint, le 29 mai 1877, un brillant combat contre les navires de guerre anglais *Schah* et *Amethyst*, plus puissamment armés que lui. Nicolas Pierola, révolutionnaire, fils de prêtre, dit-on tout haut à Lima, personnifie une fusion assez compliquée entre la révolution et le cléricalisme. Ce parti a surtout pour lui les femmes, qui se font gloire d'être « piérolistes ».

Le président actuel, le général Mariano Prado, s'appuie d'une part sur l'armée, d'autre part sur une fraction considérable du parti civil, et ce groupe, assez mal défini, constitue ce qu'on appelle actuellement le parti « national ».

Les piérolistes affectent de le laisser tranquille ; mais il suffira d'un événement imprévu, d'un prétexte quelconque, pour faire passer le pouvoir en d'autres mains, et tout ce monde est si remuant que l'événement ou le prétexte peut surgir d'un jour à l'autre[10].

[10] Ces appréciations ont été écrites quelques jours seulement avant l'assassinat du président Pardo par le sergent Manuel Montoya, le 16 novembre 1878. Il est à craindre que la mort du président du Sénat n'ait entraîné la désorganisation du parti civil, amené le président Prado à accentuer sa politique de militarisme et concouru ainsi à l'immixtion armée du Pérou dans le différend entre la Bolivie et le Chili, qui vient d'éclater récemment.

Les difficultés financières contre lesquelles lutte le Pérou sont intimement liées à son instabilité politique, mais les conséquences en sont plus graves encore, parce qu'elles engagent l'avenir de plus loin. La dette est hors de proportion avec les ressources *effectives* du pays ; mais, heureusement, celles-ci sont, à leur tour, hors de proportion avec sa richesse réelle. Le travail ne s'organise pas assez vite au gré des exigences de la situation ; les vieux préjugés, enracinés par trois siècles de luxe et d'oisiveté, mettent trop de temps à disparaître ; là est le danger du présent et la source de craintes légitimes pour un avenir prochain.

Quant à l'avenir définitif, il nous paraît absolument assuré. Le Pérou possède les éléments d'une prospérité dont on ne peut même prévoir les limites, et qui se résument en deux mots : une race vigoureuse et intelligente sur un sol d'une richesse incomparable.

Que notre vieille Europe, si prudente et si prévoyante... pour les autres, réserve donc à de meilleures occasions ses dédains affectés. Elle a pris coutume de nous représenter les républiques de l'Amérique du Sud comme des coupe-gorge, où le terrible se mêle au ridicule ; qu'elle veuille bien se rassurer à leur égard et relise, avant de les juger si durement, la liste des attentats qui, depuis quarante années, ont mis en danger les jours de ses propres souverains.

Pour ne parler que du Pérou, dont l'histoire ne date guère de plus loin, qu'on ne se mette pas en peine de ses destinées. S'il est malade, ce n'est pas du développement d'un de ces germes morbides éclos dans l'atmosphère viciée des prisons ; c'est la fièvre de croissance d'un bel enfant élevé au grand air, et il a, pour s'en guérir, un médecin qui ne repassera plus l'Atlantique, le meilleur de tous : la Jeunesse !

PANAMA

La mer de sang. — Mouillage à Panama. — La ville. — Le vieux et le nouveau Panama. — L'espoir des Panaméniens. — Percera-t-on l'isthme ? — La politique. — Le chemin de fer de l'isthme. — Comment on écrit l'histoire. — Le climat de Panama. — En route pour New-York.

A bord de l'*Acapulco*, 19 novembre.

Nous voici depuis deux jours installés sur un des beaux steamers de la *Pacific Mail Navigation Company*, qui fait le service de l'isthme de Panama à New-York. Après avoir visité les États-Unis, nous irons rejoindre la *Junon* à San-Francisco.

Le lendemain de notre départ du Callao, nous avons eu l'occasion d'observer un phénomène très curieux et assez rare, que les marins appellent « la mer de sang. » Quoique la côte ne fût pas très éloignée, elle était cependant hors de vue, le temps presque calme, un peu couvert. Aux environs de midi, et sans transaction, nous vîmes les eaux passer du vert à un rouge peu éclatant, à reflets faux, mais absolument rouges. La teinte n'était pas uniforme ; le changement de couleur se produisait par grandes plaques aux contours indécis, assez voisines les unes des autres. De temps en temps, l'eau reprenait sa teinte habituelle ; mais, poursuivant toujours notre route, nous ne tardions pas à entrer dans de nouvelles couches d'eau colorée, et nous naviguâmes ainsi pendant plus d'une heure. La couleur primitive, d'un vert pâle, reparut alors brusquement, et peu de temps après nous avons revu l'eau tout à fait bleue.

On explique ce phénomène d'une manière aussi claire qu'insuffisante, en disant que la coloration accidentelle de la mer est due à la présence d'un nombre infini d'animalcules ; s'ils sont blancs, on a la mer de lait ; s'ils sont phosphorescents, on a la mer lumineuse ; s'ils sont rouges, on a la mer de sang. Voilà qui est bien simple. Mais pourquoi ces petites bêtes sont-elles là et non ailleurs ? Ah ! dame ! Elles sont là... parce que...

On n'a pas pu m'en dire davantage.

Du Callao à Panama, la distance est d'environ 1,500 milles ; nous l'avons franchie en six jours et demi. Ce n'était pas trop de temps pour mettre un peu d'ordre dans nos cerveaux fatigués. Cette revue du monde entier à toute vapeur laisse tant d'idées et rappelle tant de souvenirs qu'il est nécessaire de se recueillir un peu pour classer dans l'esprit et la mémoire ces fugitives images.

Je constate cependant que nous commençons à nous faire à ce « diorama » de pays et de peuples. Nous voyons mieux, nous nous attardons moins aux détails ; nos surprises sont moins grandes lorsque nous nous trouvons en présence de tableaux nouveaux et en contact avec d'autres êtres ; de même qu'en regagnant le bord nous possédons le calme du marin qui supporte la tempête avec la même insouciance que le beau fixe. En résumé, notre éducation de voyageur est en bonne voie, et j'espère qu'elle sera terminée lorsque nous atteindrons les rivages asiatiques.

Le 10 novembre, nous avons coupé l'équateur pour la seconde fois, mais sans aucune fête ni baptême, puisque nous sommes tous devenus vieux loups de mer et porteurs de certificats en règle, délivrés, il y a deux mois et demi, par l'estimable père Tropique. Le charme des magnifiques nuits étoilées nous a fait prendre en patience la chaleur parfois accablante des après-midi, et, sans fatigue ni mauvais temps, nous avons atteint, dans la nuit du 13 au 14, les eaux paisibles du golfe de Panama.

L'arrivée à Panama présente un aspect assez agréable, à cause de la puissante végétation répandue sur toute la côte et sur les îles détachées qui ferment la rade du côté de l'ouest. Le terrain est fortement ondulé ; la ville, construite sur un promontoire, avec ses vieux murs en ruine, escaladés par des arbustes d'un vert éclatant, a une apparence pittoresque, et pendant que la *Junon* s'avançait lentement pour laisser tomber l'ancre aussi près que possible de la plage, nous accusions les récits de nos prédécesseurs, qui représentent Panama comme un lieu désolé et insupportable.

Nous fûmes un peu surpris de trouver cette magnifique rade presque déserte ; deux navires de guerre, l'un américain, l'autre anglais, et un paquebot de la ligne de San-Francisco, tous trois mouillés près des îles, étaient nos seuls compagnons.

Après un long voyage en canot à vapeur (car les grands navires ne peuvent approcher à moins de trois milles) et un débarquement assez laborieux sur les épaules de nos canotiers, nous avons mis pied à terre. Là, notre désillusion devint complète : vilaines rues, vilaines maisons, mauvaise odeur, point d'animation, tout un quartier brûlé, laissant voir des intérieurs jonchés de briques et de ferrailles tordues. Voilà ce qu'aux rayons d'un soleil vertical nous laissa voir cette ville, dont le nom retentissant est plus connu que celui de bien des capitales.

Un examen plus complet ne détruisit pas la fâcheuse impression produite par le premier. Panama semble une ville qui se meurt. Tout ce qui a été construit sérieusement et solidement, remparts, églises, maisons privées, est en ruine. J'en excepte les habitations de quelques négociants et le Grand-

Hôtel, édifice confortable, où semble concentré tout ce qui reste d'existence dans ce lieu si célèbre et si peu vivant aujourd'hui. La salle du rez-de-chaussée du Grand-Hôtel, installée comme un *bar* des États-Unis, est, aux heures brûlantes de la journée, le rendez-vous des gens d'affaires ainsi que des désœuvrés ; les uns et les autres y absorbent sans discontinuer d'excellents *cock-tails* glacés, et parfois avec une telle persévérance qu'ils ont toutes les peines du monde à regagner leurs domiciles respectifs. Mais ici cela est passé dans les usages, et il n'est pas de bon goût d'y prêter la moindre attention.

N'ayant rien de mieux à faire que d'attendre patiemment le départ de l'*Acapulco*, partant dans trois jours pour New-York, je me mis en quête de renseignements sur ce pays, peu intéressant par lui-même, mais auquel sa situation géographique donne une importance considérable.

Le Panama que nous avions sous les yeux, malgré son air de vétusté, n'est pas le vieux Panama fondé au temps de la conquête. Celui-là était à douze kilomètres de la ville actuelle. Il fut brûlé et pillé, il y a plus de deux siècles, par une bande de flibustiers, commandés par un Anglais nommé Morgan. Le procédé qu'ils employèrent pour se rendre maîtres de la ville est des plus simples ; ayant débarqué sur la côte de l'Atlantique, au nombre d'environ cent trente, ils traversèrent l'isthme et s'en vinrent camper sur les hauteurs, où ils allumèrent un grand nombre de feux. Les habitants, croyant avoir affaire à toute une armée, s'enfuirent, laissant la ville à la merci de ces gredins.

Une dame espagnole fort riche possédait alors une vaste propriété qui s'élevait à l'endroit où est maintenant la place Santa-Anna ; une grande partie des fuyards alla se réfugier chez elle ; on leur donna asile, et ils se mirent en demeure de rebâtir leurs habitations au lieu où ils se trouvaient.

Ainsi fut fondé le nouveau Panama, dont l'emplacement se trouva, d'ailleurs, bien mieux choisi et plus facile à mettre à l'abri de toute surprise. Ce qui reste des anciennes constructions prouve que la ville était autrefois très prospère. Tout le trafic de la partie occidentale des deux Amériques passait alors à Panama. L'établissement du chemin de fer de New-York à San-Francisco et la création de la ligne anglaise de vapeurs qui, par l'Atlantique et le détroit de Magellan, dessert les côtes du Chili et du Pérou, ont enlevé à Panama la plus grande partie de son commerce.

Il y a bien une compagnie américaine, la *Pacific Mail*, qui fait le service de New-York à San-Francisco par l'Isthme, mais cette compagnie, liée intimement à celle du chemin de fer de l'Isthme (*Panama Railroad Company*, également américaine), a pris ses mesures de façon que marchandises et voyageurs passent presque sans s'arrêter de bateau en chemin de fer et de chemin de fer en bateau, de sorte que Panama est un peu comme la maison d'un garde-barrière placée au bout d'un tunnel. Elle a le plaisir de voir passer le train.

L'espoir, — je ne serai pas assez cruel pour dire : le rêve, — des gens de Panama, est de voir le canal interocéanique aboutir dans leur rade, et alors Panama retrouvera une splendeur plus grande que jamais ; ce sera l'âge d'or, plus l'or.

Il ne m'appartient pas de décider sur une aussi grave question, mais elle est trop intéressante pour que je n'en dise rien. Me plaçant au point de vue des Panaméniens, je décomposerai le problème comme suit :

1° Y aura-t-il un canal interocéanique, c'est-à-dire un passage permettant aux grands navires de se rendre de l'Atlantique dans le Pacifique, ainsi que, grâce à M. de Lesseps, ils se rendent aujourd'hui de la Méditerranée dans l'océan Indien ?

2° Si ce canal est exécuté, aboutira-t-il à Panama ?

3° S'il aboutit à Panama, cette ville redeviendra-t-elle un centre actif de commerce et d'affaires, rival de New-York, de Liverpool ou du Havre ?

Pour la satisfaction des Colombiens, il faudrait que ces trois questions fussent résolues affirmativement. Le seront-elles ainsi ? J'admets volontiers que, sans être trop hardi, on peut répondre *oui* à la première ; mais pour rester dans les limites de la prudence, on devrait se borner à répondre *peut-être* à la seconde et *bien douteux* à la troisième.

L'opinion, à Panama, semble tout au rebours de ce que je viens de dire. On n'y est pas très convaincu que le canal soit jamais percé ; mais s'il l'est, c'est à Panama qu'il devra aboutir *évidemment*, et bien plus évidemment encore, d'après les gens d'ici, ce sera la fortune du pays, de ses habitants, etc., etc…

Maintenant examinons. Et d'abord, qu'il soit bien entendu que je parle au point de vue des gens du monde, laissant les questions purement techniques de côté, admettant l'exactitude approximative des études sérieuses déjà faites, et surtout que je décline la ridicule prétention d'apporter le concours de mes lumières à ceux qui poursuivent la solution de ce difficile problème.

Je crois que le canal interocéanique sera exécuté. Cela ne fait même aucun doute dans mon esprit, parce que la *possibilité* de son exécution est aujourd'hui démontrée, et que, d'autre part, les avantages du percement de l'isthme américain sont immenses et incontestés ; plus grands même, sinon plus immédiats, que ceux du percement de l'isthme de Suez, étant donné que les navires à voiles utiliseront un canal débouchant dans le Pacifique et ne peuvent utiliser celui qui débouche dans la mer Rouge, dont la navigation est pour eux pleine de lenteurs et de dangers.

Panama sera alors à 1,500 lieues marines de la Manche, au lieu d'en être à 4,250 lieues ; c'est donc une économie de près de 3,000 lieues de route ; Panama se trouvant entre l'Amérique du Sud et l'Amérique du Nord, cette économie de 3,000 lieues sera donc l'économie *moyenne* de route que la traversée par le canal aura fait gagner aux navires qui se rendent d'Europe dans *l'un des ports* des côtes occidentales du continent américain.

De là résultera qu'un même navire, voilier ou vapeur, fera deux voyages dans le temps qu'il eût mis à en faire un seul ; donc abaissement du fret et du taux des assurances, importation en Europe des produits du sol américain de l'ouest, trafic plus abondant, émigration plus facile, extension des marchés, ouverture de débouchés nouveaux…

Telles seront les heureuses conséquences de l'établissement du canal interocéanique. Des impossibilités matérielles ou financières pouvaient seules faire reculer ses promoteurs. Or, les travaux des dernières expéditions ont prouvé qu'aucune impossibilité matérielle n'existait, et maintenant que les devis ont pu être faits avec soin, les statistiques exactement établies, on sait à quoi s'en tenir sur le prix de l'exécution, sur les dépenses d'entretien et sur l'importance du mouvement de transit.

Ceci n'étant pas une étude, mais un simple aperçu, je ne citerai que trois chiffres qu'on peut considérer comme de prudentes moyennes :

Prix de la construction du canal : 600 millions de francs ;

Entretien et frais d'exploitation annuels : 3 à 4 millions ;

Revenu annuel brut du canal : 70 à 80 millions[11].

[11] Ces appréciations ont été pleinement vérifiées par les études du congrès international du canal interocéanique, réuni à Paris au mois de mai 1879.

Ce congrès a désigné le tracé par Colon et Panama, comme devant être adopté.

Sans chercher à démontrer, ce qui serait facile, que pendant plusieurs années au moins les recettes s'accroîtront plus rapidement que celles du canal de Suez, on voit que rien ne s'oppose à l'exécution de cette grande œuvre. Il ne s'agit plus que de savoir où sera faite la gigantesque coupure que le génie du vieux continent va tailler à la surface du nouveau.

La principale ou, pour mieux dire, la seule difficulté sérieuse du percement de l'isthme américain ne réside pas dans la longueur du canal, car la moyenne des tracés proposés dans la partie étroite est de 70 kilomètres, tandis que le canal de Suez n'en a pas moins de 164.

L'obstacle est dans l'inégalité du terrain, et il faudra, croit-on, tourner cet obstacle en construisant des écluses, ou le franchir en creusant des tunnels *dans lesquels* devront passer les navires. Parmi les nombreux tracés étudiés, il n'y en a aucun qui ne comporte l'un ou l'autre de ce genre de travaux ; parfois ils les exigent tous deux.

La description de ces divers projets, dont je ne connais d'ailleurs que les dispositions générales, n'aurait d'intérêt que si je pouvais les faire suivre d'un examen comparé, lequel est hors de ma compétence.

Je me bornerai à signaler, comme classé parmi les plus sérieux, celui qui a été récemment étudié par une commission internationale sous les ordres des lieutenants de vaisseau français Wyse et Reclus et dont faisait partie M. Sosa, ingénieur, représentant le gouvernement colombien, que nous avons eu le plaisir de voir à Panama. Ce projet ne comporte qu'un seul tunnel d'une longueur d'environ six kilomètres, et on estime même que la tranchée pourrait être faite *à ciel ouvert* moyennant une dépense supplémentaire de 50 millions ; il ne nécessite la construction d'aucune écluse et suivant à très peu près la voie du chemin de fer actuellement construite, *vient aboutir à la rade de Panama.* Tous les autres tracés comprenant un plus long tunnel ou un nombre considérable d'écluses, on voit que les Panaméniens, s'ils ne sont pas aussi sûrs de leur fait qu'ils le croient, ont au moins des chances sérieuses de voir une partie de leurs désirs réalisés.

Je dis « une partie de leurs désirs », car je crains bien que, même passant à Panama, le canal interocéanique ne donne pas à ce port abandonné beaucoup plus d'importance qu'il n'en a aujourd'hui.

Assurément, malgré les efforts que ne manquera pas de faire la Compagnie du canal pour assurer elle-même ses approvisionnements de toute nature, un mouvement considérable animera l'isthme pendant la durée des travaux, qu'on croit devoir durer huit ans. Mais Panama ne subira-t-elle pas ensuite le sort de Suez, ville éteinte, presque déserte, que le percement de l'isthme a galvanisée un moment ?

En ce moment, le défaut de coïncidence encore fréquent entre les arrivées, d'un côté, et les départs, de l'autre, amène des arrêts dans le transit des voyageurs, et il y a des compagnies, comme la Compagnie transatlantique et la Compagnie Atlas, qui ne peuvent correspondre exactement avec les lignes du Pacifique. Panama en profite. Quand le canal sera percé, il n'y aura plus ni arrêts ni transbordements, et ce n'est pas à Panama, dont les productions sont insignifiantes et le climat désagréable, que ces diverses compagnies placeront leurs têtes de ligne. Le canal étant à niveau, c'est-à-dire sans écluses, le personnel en sera relativement peu nombreux ; les navires entreront par un bout et sortiront par l'autre sans perdre de temps, et m'est avis que les pauvres Colombiens verront plus que jamais « passer le train. »

En attendant des jours meilleurs, Panama trompe l'ennui qui règne en ses murs délabrés par une agitation politique n'ayant rien de comparable avec tout ce que nous avons vu jusqu'ici. Les blancs et les noirs, c'est-à-dire les cléricaux et les libéraux, sont en lutte continuelle, et cette lutte amène fréquemment de sanglants désordres. L'élément nègre domine à Panama ; uni à quelques hommes de race blanche, ou plutôt de métis d'Indiens et d'Espagnols, c'est lui qui représente le parti dit libéral, toujours prêt à tirer des coups de fusil contre le gouvernement au profit de quelque homme d'État, lequel, devenu gouvernement à son tour, sera brutalement renversé par ses amis d'hier quand il n'aura plus de places à leur donner.

Cette population remuante, turbulente et, ce qui est plus grave, fainéante, n'est pas encore capable — à supposer qu'elle le devienne jamais — de s'unir à l'élément européen dans un commun effort pour la prospérité du pays. Ce n'est pas là une des moindres raisons qui m'ont donné à penser qu'avec ou sans le canal l'avenir florissant de Panama est chose très problématique.

Au moment de notre passage, le président de l'État de Panama était le général Correoso, ayant, comme le général Trujillo, président de la confédération, et comme tous les généraux colombiens, gagné ses grades dans les guerres civiles. Nous l'avons entrevu dans une soirée que les officiers de la corvette anglaise *Penguin* donnaient chez leur consul le jour même de notre arrivée. C'est un homme d'une figure aimable, de manières simples et réservées ; s'il était sage de juger les gens sur la mine, je conseillerais aux bouillants Panaméniens de se persuader que la fable des *Grenouilles qui demandent un roi* contient le plus politique de tous les préceptes et de se contenter de ce président-là, qui a l'air et la réputation de valoir au moins la moyenne de ceux qu'on voudra mettre à sa place.

Mais, bien certainement, ils ne m'écouteraient pas, par la bonne raison que, quand ils jettent le gouvernement par terre, c'est à la présidence qu'ils en veulent et non au président. Il n'y a rien à faire à cela[12].

[12] Le 28 décembre, une émeute a éclaté à Panama ; le gouverneur civil de la ville, don Segundo Pena, a été tué d'un coup de fusil, et peu s'en est fallu que le général Correoso, sur lequel on a tiré à bout portant, ne fût tué également. Le lendemain, l'ordre était rétabli ; mais le président a donné sa démission le 30, et a été remplacé par don Ricardo Casoria, — jusqu'à nouvelle bagarre.

Les étrangers, au nombre d'un millier, sur une population de dix mille habitants, assistent philosophiquement aux émeutes, auxquelles ils ne prennent généralement aucune part, ferment leur magasin jusqu'à ce que l'orage soit passé et se consolent de l'argent qu'il leur fait perdre en songeant que, sans la politique et les *cock-tails* du Grand-Hôtel, il n'y aurait guère de distractions à Panama.

Le 17 novembre, nous avons pris le chemin de fer pour Colon (que les Américains appellent Aspinwal), emportant les souhaits de notre excellent commandant, de tous les officiers du bord et des quelques compatriotes obligeants qui nous avaient accueillis et renseignés pendant notre courte station à Panama.

La voie ferrée a été percée dans la forêt vierge qui s'étend sans interruption sur toute la largeur de l'isthme. La végétation est donc d'une puissance et d'une richesse extrêmes, et comme cette région est accidentée d'un grand nombre de mamelons, derniers vestiges de la Cordillère, il y a de temps à autre de jolis points de vue. La majeure partie du trajet se fait cependant entre deux haies de feuillage, dans lesquelles le regard ne pénètre pas à plus de quelques mètres. Point de clairières, peu d'échappées, donc peu de paysages, si ce n'est lorsque le train côtoie les bords du rio Chagres, petit fleuve qui vient se jeter dans la baie de Colon.

Nous avons retrouvé là, mais plus sauvage et plus touffue, la flore que nous avions admirée au Brésil, avec la même variété infinie de plantes grimpantes et parasites s'enroulant autour des arbres, se nouant entre elles mille et mille fois sous des dômes de verdure impénétrables, tellement compacts et serrés que la lumière du jour a peine à y parvenir. Au bord même de la voie, on nous a fait remarquer une grande fleur assez étrange nommée *Spiritu Santo*, parce qu'elle a la forme d'une colombe aux ailes déployées.

Le train s'arrête devant quelques villages d'aspect misérable, formés de simples huttes ou gourbis, habités par des noirs qu'occupe en ce moment la récolte des bananes.

La pente générale de la voie est très douce et inappréciable à l'œil ; l'altitude la plus élevée ne dépasse pas, en effet, 85 mètres. On n'y rencontre que fort peu de travaux d'art, point de tunnels ni de viaducs et les courbes, assez nombreuses, sont au rayon ordinaire de 300 à 400 mètres. Les difficultés de l'exécution de ce chemin de fer n'ont donc pas été causées par la forme du terrain, mais bien plutôt par sa nature inconsistante et humide, la masse énorme de végétaux qu'il a fallu faire disparaître, les intempéries des saisons et l'insalubrité du climat.

Cette question de l'insalubrité de l'isthme américain a pris une grande importance depuis que les projets de percement sont considérés comme bientôt réalisables. Or, l'opinion publique a étendu à tout le territoire compris entre le Guatemala et le golfe de Darien une si terrible réputation, que, pendant bien longtemps, ce seul motif faisait juger impraticable le percement du canal interocéanique. On a raconté, et on raconte encore, que chaque traverse du chemin de fer de Panama à Colon a coûté la vie à un homme, ce qui ferait environ quatre-vingt mille existences sacrifiées.

S'il en était ainsi, c'est par centaines de mille qu'il faudrait compter les travailleurs destinés à succomber dans le percement de l'isthme. Je me hâte de dire qu'il y a là une exagération dont on appréciera l'énormité quand on saura qu'au lieu de quatre-vingt mille coolies chinois morts pendant les travaux du chemin de fer, c'est quatre à cinq cents qu'il faut lire.

D'une manière générale, les climats tropicaux sont dangereux pour l'Européen, surtout à cause des excès auxquels il se livre malgré toutes les recommandations, du peu de précautions hygiéniques qu'il a coutume de prendre et qui, sous les basses latitudes, deviennent nécessaires. Le travailleur chinois souffre moins du changement de climat ; mais, le plus souvent mal traité et mal nourri, il y supporte avec peine les fatigues d'un labeur exagéré. Ces observations s'appliquent à Panama comme aux Antilles, au Brésil, à Sumatra, enfin à tous les pays situés dans la zone torride.

En ce qui concerne l'isthme américain, il faut distinguer les parties insalubres, marécageuses, telles que le versant de l'Atlantique dans les États de Nicaragua et de Costa-Rica, d'avec les parties dont le terrain accidenté donne aux eaux un écoulement rapide, au sol une base stable et fertile. L'État de Panama, sauf un ruban assez étroit qui s'étend le long des côtes de l'Atlantique, se trouve dans ces conditions, qui, au point de vue de la salubrité, sont les conditions normales des pays intertropicaux.

Il suffit de parcourir les tables de mortalité de la ville de Panama, les statistiques des cinq années de travaux du chemin de fer et les rapports des officiers qui ont commandé des stations navales dans ces parages, pour s'en assurer. C'est, d'ailleurs, ce que j'ai fait.

J'ignore si les grands travaux de terrassement que nécessitera le percement du canal changeront sensiblement l'état sanitaire du pays ; mais, quant à présent, on fera bien de laisser de côté, à propos de Panama et de son isthme, les expressions de « climat terrible et meurtrier ; » elles entretiennent un préjugé nuisible à la grande œuvre qui se prépare aujourd'hui et ne sont à leur place que dans la bouche de ceux qui désireraient qu'on accordât plus de valeur à leurs travaux ou plus d'intérêt à leurs personnes.

Après cinq heures de route, au moment du coucher du soleil, nous arrivons à Colon, petite ville bâtie en terrain plat ; c'est un lieu triste, moins sain que Panama et plus ennuyeux encore, s'il est possible.

Nous jetons un regard distrait sur les quelques maisons basses, entrepôts et bureaux alignés le long d'une plage dénudée, et nous courons nous réfugier à bord de l'*Acapulco*. A la nuit close, le steamer largue ses amarres ; nous disons adieu, sans doute pour toujours, à l'Amérique du Sud, et, par une nuit splendide, nous glissons rapidement sur la mer des Antilles.

NEW-YORK

Coup de vent dans l'Atlantique. — A New-York. — Le chemin de fer aérien. — Un poste de pompiers. — Avertisseurs d'incendie. — Chronique mondaine. — Les bals par abonnement. — Les clubs. — Plus de *Junon*. — Retour en France.

A bord de l'*Acapulco*, 24 novembre.

Nous serons demain à New-York, non sans avoir essuyé un rude coup de vent, je vous assure. Heureusement, n'a-t-il pas été de trop longue durée, et l'*Acapulco*, qui est un solide bateau de cent mètres de long, taillé pour la course, s'y est bravement comporté.

Partis de Colon le 17 au soir, nous avons joui d'un fort beau temps pendant quatre jours. Le 19, après avoir coupé les eaux du fameux courant le *Gulf-Stream* dans sa branche sud, nous avons passé entre la Jamaïque et Haïti, l'Hispaniola de Colomb, notre ancienne Saint-Domingue. Le 20, nous étions en vue de l'île de Cuba, dont nous avons parfaitement distingué les côtes. En arrière du phare de Maysi, élevé sur la pointe la plus orientale de l'île, les falaises s'étagent comme des gradins, formant de gigantesques marches qui semblent indiquer les périodes successives du soulèvement de cette terre au-dessus des eaux.

L'*Acapulco*, passant au milieu des îles Lucayes, a coupé le tropique du Cancer le 21 et, laissant à bâbord l'île de San-Salvador, première découverte de Christophe Colomb, put mettre enfin le cap en ligne droite sur New-York.

C'est dans la nuit du 22 que nous avons été assaillis par le mauvais temps. En quelques heures, la mer, jusqu'alors calme, devient très grosse et bientôt la tempête éclate avec une extrême violence. Le temps reste absolument clair, et les étoiles brillent dans un ciel pur. Le vent siffle avec rage dans la mâture ; mais, comme les voiles ont été bien serrées et toutes les précautions voulues prises à l'avance, il n'y a pas d'avarie à craindre de ce côté. Malgré les planches à roulis qui nous retiennent dans nos cadres, les secousses sont tellement violentes qu'il nous est impossible de fermer l'œil.

Le matin, nous montons sur le pont. L'ouragan est dans toute sa force, et notre grand navire, battu par des lames énormes, roule comme un tonneau.

J'ai raconté que, par le travers des côtes de l'Uruguay, nous avions déjà reçu un coup de vent ; mais c'est seulement aujourd'hui que nous voyons la mer tout à fait furieuse. Je comprends maintenant qu'on lui applique ces mots de colère, de rage, qu'on dise : « les éléments déchaînés », car il semble qu'alors la mer ait une volonté de destruction et s'acharne contre le navire. Les vagues paraissent se grossir au loin, se préparer à l'attaque, augmenter de vitesse à mesure qu'elles approchent et se précipiter à un assaut ; comme dans une invasion de barbares, les nouveaux combattants succèdent sans interruption aux premiers, et l'Océan semble une immense plaine couverte d'innombrables légions ennemies, se ruant à la bataille avec une ardeur toujours croissante.

Mais le navire, tant qu'il possède ses moyens d'action, reste indifférent à cette lutte où le triomphe lui est assuré. C'est une gymnastique à laquelle il est rompu : une lame se présente, haute, rapide, couronnée d'écume ; sa crête dépasse le niveau du pont, il semble qu'elle va déferler sur lui, balayant tout sur sa route. Au moment où elle arrive, le vaillant steamer se soulève doucement ; la vague s'engage sous lui ; il remonte sans arrêt la pente liquide, puis son avant retombe un peu ; il flotte comme indécis sur le sommet de cette masse énorme déjà vaincue ; enfin elle s'échappe, l'arrière s'élève à son tour, et le même mouvement se renouvellera sans effort, sans fatigue apparente, jusqu'à ce que la mer, enfin lassée, se calmant d'elle-même, lui permette de reprendre sa marche à toute vitesse pour regagner les heures perdues.

Les vagues que nous avons observées pendant ce coup de vent avaient, au dire des marins, cinq à six mètres de hauteur. On en voit souvent de beaucoup plus fortes aux environs du cap Horn et sur toute l'étendue des mers antarctiques ; mais il n'est pas probable qu'elles dépassent jamais une dizaine de mètres, en sorte que les lames monstrueuses, « hautes comme des montagnes », sont à reléguer dans le domaine de la fantaisie avec le vaisseau Fantôme, le grand Serpent de mer et autres poétiques inventions.

Nous avons aperçu quelques navires, des voiliers, tous à la cape, c'est-à-dire avec une voilure très réduite, composée seulement du petit foc et du grand hunier au bas ris. Ils se laissaient aller au gré de la tempête, livrés à une sarabande échevelée, tantôt sur la crête des vagues, tantôt disparaissant dans leur creux. L'un d'eux avait perdu son mât de misaine et son grand mât de perroquet ; mais comme il n'a fait aucun signal de détresse, nous avons continué notre route.

Bref, l'*Acapulco* en a été quitte pour trois voiles défoncées par le vent, au moment où on a essayé de les établir, et le temps, maniable aujourd'hui, n'a d'autre inconvénient que d'être extrêmement froid.

En débarquant à New-York, la neige et la glace nous attendent. Je ne puis m'empêcher de remarquer que notre voyage n'est pas seulement d'agrément et d'études, c'est aussi un voyage d'acclimatation.

Qu'on ne s'avise pas de nous demander, à notre retour, combien nous avons de printemps, cela nous vieillirait trop. En quatre mois, nous avons passé par deux hivers et deux étés. Cette fois-ci, la température vient de s'abaisser de 35° en cinq jours ; c'est un changement un peu brusque. Aussi sommes-nous devenus frileux comme des Arabes, tout en étant équipés comme des Esquimaux.

....

New-York, 28 novembre.

Depuis trois jours, nous sommes au *Grand Central Hotel*, dans le magnifique *Broadway*, qui, à mon humble avis, n'est qu'un banal boulevard, moins large que les nôtres, animé, bien garni de boutiques, mais absolument dépourvu de cette tranquille élégance qui caractérise la rue de la Paix ou le boulevard des Italiens.

La première impression, en arrivant à New-York, n'a pas été des plus favorables ; le passage de l'Hudson, depuis *Sandy Hook* jusqu'au wharf, est intéressant, et tout indique l'approche d'une cité de premier ordre ; mais, en mettant le pied dans les mares de neige fondue qui s'étalent sur les voies publiques, jusqu'à ce qu'il plaise au soleil de les dessécher, ou au froid de les transformer en casse-cou, nous n'avons pu réprimer de sévères critiques.

Suivant mon habitude, j'ai commencé par inspecter la ville au hasard, courant de la *Battery* au *Central Park*, de la rivière de l'Est aux quais de l'Hudson, montant dans le premier *car* venu, pour me laisser mener n'importe où, et, grâce au fameux *Elevated Railroad* (chemin de fer suspendu), parfaitement sûr de retrouver mon hôtel, avec un quart d'heure au plus de retard ou d'avance.

Cet Elevated Railroad est bien le moyen de locomotion le plus commode qu'on puisse imaginer. Il s'adapte merveilleusement aux besoins de la population de New-York. La ville est construite en forme de coin, dont la pointe est dirigée vers le sud ; la rivière de l'Est et l'Hudson se réunissent à cette pointe et s'en vont de là, ne formant plus qu'un seul fleuve, jusqu'à la mer. Ainsi limitée de trois côtés, New-York s'étend constamment vers le nord et s'étendra ainsi jusqu'à ce qu'elle ait envahi toute l'île de Manhattan, sur laquelle elle est bâtie, et cela arrivera bientôt.

La vieille ville, qui est naturellement le centre du commerce et des affaires, est donc la partie inférieure, et comme il n'y a plus de place pour la vie privée dans cette accumulation de bureaux, de banques, de docks et de magasins, tout le monde demeure dans la ville haute. Il en résulte que chaque matin une population de deux ou trois cent mille personnes descend à son travail et en revient chaque soir. Ce sont les Elevated qui se chargent de transporter cette marée humaine.

Du côté de l'Hudson, où se trouve le quartier le mieux habité, et parallèlement à la rive, il y a deux voies ferrées, indépendantes l'une de l'autre ;

du côté de l'est, il n'y en a qu'une. Les wagons passent à la hauteur du premier, du second ou du troisième étage des maisons, suivant les dénivellations du sol. Il y a des stations à peu près toutes les deux minutes, et les trains se suivent de si près qu'on n'a jamais à attendre.

Quant au fonctionnement, il est simplement parfait. On prend son billet, on monte, on descend, on rend son billet, sans qu'une seconde soit perdue. Les wagons, plus grands que nos tramways, ont la même disposition, avec plate-forme à l'avant et à l'arrière. Au moment où le train arrive, il passe avec tant de rapidité qu'on suppose qu'il va brûler la station. Point. Il s'arrête court, et pourtant sans aucun choc ; on passe de plain-pied sur la plate-forme ; le train repart presque immédiatement. L'arrêt n'a pas été de plus de huit à dix secondes.

Si pressée et grande que soit la foule, il n'y a ni poussée, ni désordre, ni cris ; cela se fait tranquillement, adroitement. Pourquoi marcherait-on sur les pieds de ses voisins de peur de manquer de place, quand, au moment où le train se remet en route, on voit le train suivant, à quelques centaines de mètres, qui s'avance à toute vapeur ?

Arrivé à destination, on descend, on laisse tomber dans une boîte en verre, sous les yeux d'un employé, le billet qui vous a été remis, et c'est tout. Point de contrôle, point de queue, pas d'autre limite au nombre des voyageurs que la place occupée par chacun ; les premiers arrivés sont assis, les autres debout. Il est possible qu'un de ces jours l'Elevated tombe dans une rue, tuant deux ou trois cents voyageurs et écrasant une trentaine de passants ; mais en attendant cette catastrophe, qui peut-être n'arrivera jamais, il rend aux habitants de New-York d'inappréciables services.

Hier, j'ai vu une installation d'un autre genre qui m'a vivement intéressé et surpris. C'est l'organisation d'un poste de pompiers. La chose a été souvent décrite. Au reste, tout ce qu'il y a à New-York l'a été cent fois. Si donc, lecteur, vous connaissez l'organisation des postes de pompiers à New-York, veuillez tourner la page ; dans le cas contraire, je vous conseille de lire, car la perfection ici est poussée à un tel point que cela touche à la coquetterie.

Le poste que nous avons visité est dans une petite rue voisine de Broadway et de Washington Square. Nous arrivons vers onze heures du soir, accompagnés d'un jeune Américain, fils du correspondant de la Société des voyages à New-York, lequel connaissait l'officier commandant le poste. Nous nous faisons reconnaître, et nous entrons.

En face de la porte est une grande voiture portant la pompe à vapeur ; à gauche, une autre voiture un peu moins grande, munie d'un énorme tambour sur lequel est enroulée une manche en toile ; au fond, trois *boxes*, dans lesquelles sont trois beaux chevaux, bien tranquilles.

Je passe les détails : seaux, lampes, robinets, manivelles, instruments accessoires accrochés aux côtés et au-dessous des voitures. L'officier nous fait remarquer que les harnais sont suspendus au plafond par de petites cordes. Deux des chevaux doivent traîner la pompe, le troisième la manche à incendie. Tout ce matériel est si bien fourbi, poli, astiqué, qu'on pourrait l'envoyer tel quel à une exposition de carrosserie. Un homme de garde, en tenue correcte, se promène sous la remise. Sauf le brillant et la propreté excessive des moindres objets, nous ne voyons jusque-là rien d'extraordinaire.

Le capitaine de pompiers nous conduit auprès d'un petit tableau encadré, où sont inscrits les noms de tous les *blocks* ou pâtés de maisons de la ville de New-York ; à côté du tableau est une sonnerie électrique avec deux timbres, un grand et un petit. Cela sert à donner le signal d'alarme et à indiquer, par une combinaison de coups simples et de coups doubles, un numéro d'ordre correspondant à l'endroit où un incendie vient de se déclarer.

— Tout cela est très bien ordonné, dis-je à l'officier ; et combien de temps faut-il pour que vos hommes soient prêts, la pompe attelée et en route ?

— Environ quinze secondes, monsieur.

J'avais bien entendu : *quinze secondes*, mais je pensai qu'il avait voulu dire quinze minutes. Je répétai ma question.

— Oui, monsieur, quinze secondes, sauf accident, mais c'est rare.

— Vos hommes sont habillés, sans doute ?

— Non, monsieur, ils sont couchés et déshabillés, et ils dorment. Voulez-vous voir ?

Nous montons au premier, et nous arrivons dans un dortoir fort propre où huit hommes dorment à poings fermés ; leurs habits sont disposés uniformément sur le plancher au pied de leur lit. Le capitaine nous montre comment cet équipement est arrangé : les bottes sont fixées à la culotte, qui est fixée elle-même à la veste. Il s'approche de l'un des lits et touche le dormeur à l'épaule : « Smith ! » le pompier ouvre les yeux, jette draps et couvertures, tombe les deux pieds dans ses bottes, passe les manches de sa veste, boutonne d'une main agile les huit boutons réglementaires. En moins de temps qu'il ne faut, non pour le dire, mais pour l'imaginer, il était prêt.

— Et les chevaux ?

— Si vous voulez bien vous donner la peine de descendre, je vais vous montrer comment nous nous y prenons.

Au moment où nous atteignons le bas de l'escalier, un carillon très fort et très précipité se fait entendre, l'officier nous crie : « Rangez-vous ! » et nous pousse près du mur. Les trois chevaux sortent en courant de leurs boxes et vont se placer *d'eux-mêmes* sous les harnais ; l'homme de garde décroche les suspentes, tout le harnachement tombe déployé et se trouve exactement à sa place. Pendant qu'en deux coups de poignet secs il ferme les colliers à ressort, le poste entier dégringole comme une avalanche le petit escalier, les cochers sautent d'un bond sur leurs sièges, les servants sur l'arrière des voitures ; deux hommes à la porte battante ont tiré les verrous et sont prêts à ouvrir ; sur un signe de l'officier, les deux voitures vont partir au galop.

Je n'avais pas eu la présence d'esprit de compter les secondes, mais assurément il ne s'en était pas écoulé plus de dix ou douze.

Pendant ce temps, le gros timbre, battant un certain nombre de coups, avait fait connaître le lieu où était l'incendie. Un second appel du carillon eût été l'ordre de s'élancer dans la rue.

Nous étions absolument émerveillés, et ce qui nous paraissait le plus inexplicable était la manœuvre des chevaux s'en allant aux brancards tout seuls. Qui donc les avait détachés ? Le même courant électrique qui avait mis en mouvement la sonnerie. Ce courant actionne un mécanisme de déclanchement très simple, et les animaux se trouvent instantanément débarrassés de leurs licous. Ils sont dressés à sortir de leurs *boxes* au premier bruit du carillon, et c'est avec une ardeur presque joyeuse qu'ils vont se placer sous les harnais.

C'était dans un quartier fort éloigné que le feu s'était déclaré ; aussi l'officier était-il à peu près sûr de n'être pas appelé pour l'éteindre. Mais il est de règle que dès qu'un incendie est signalé, si peu important qu'il soit, tous les postes de la ville, au nombre d'une cinquantaine, font la manœuvre à laquelle nous venons d'assister. Si après cinq minutes un nouveau signal ne s'est pas fait entendre, l'officier renvoie ses hommes se coucher. Il y a parfois trois ou quatre alertes dans la même nuit, et le capitaine du poste nous a assuré en avoir eu plus de cinq cents dans le cours de l'année dernière.

Le plus grand nombre des postes de pompiers de la ville de New-York ont été créés par les compagnies d'assurance contre l'incendie. Elles ont trouvé cette dépense moins onéreuse que le payement des indemnités. Ceci est intelligent et pratique. Pourquoi nos compagnies n'en font-elles pas autant ?

Là-bas, il n'a pas suffi d'organiser un admirable service pour éteindre les plus terribles incendies ; on s'est appliqué aussi à les prévenir, se basant sur une vérité indiscutable, que celui qui brûle a un intérêt capital à prévenir les pompiers. C'est sur ce sage principe qu'est établie l'organisation des

« avertisseurs ». Chaque maître de maison ou chef de famille habitant New-York reçoit, sur sa demande, une grosse clef en cuivre, portant un numéro. Le feu prend-il chez lui, et craint-il de ne pouvoir l'éteindre aussitôt, lui-même ou un des siens court avec la clef en question jusqu'au réverbère qui fait l'angle de la rue, ouvre une petite porte en fonte et démasque ainsi un indicateur à aiguille qu'il place au numéro de la maison.

Le seul fait d'ouvrir la porte, prévient par une sonnerie électrique le poste de pompiers le plus voisin, et l'indicateur lui fait connaître exactement où est le feu. Ce poste prévenu transmet l'indication au poste central de la ville, s'équipe et sort. Le poste central communique le renseignement à tous les autres. En une minute, l'immense matériel du *Fire Office* est prêt à être lancé au triple galop et concentré sur le lieu du sinistre.

On ne manquera pas de supposer que d'aimables plaisants s'avisent d'ouvrir les portes des réverbères avertisseurs, pour la seule distraction de faire faire l'exercice aux pompiers. Mais le cas a été prévu : dès que la porte a été ouverte, la clef ne peut, sans un instrument spécial, être retirée de la serrure. Or, le numéro que porte cette clef correspond au nom de son propriétaire, lequel, découvert immédiatement, payerait d'une forte amende le luxe de cette mauvaise farce.

Nous devons partir dans deux jours pour Washington, puis, revenant à New-York, commencer bientôt notre course à travers les États-Unis. Le jour n'en est pas encore fixé. M. de Saint-Clair, qui nous a accompagnés ici, attend les dépêches que la Société doit lui envoyer de Paris. Nous ne pouvons nous rappeler sans inquiétude les ennuis qui ont déjà menacé d'arrêter notre voyage, et ce retard dans l'arrivée des ordres relatifs à notre grande excursion nous fait craindre que de nouvelles difficultés n'aient surgi.

New-York, 6 décembre.

Toujours ici en expectative. J'ai déjà vu la plus grande partie des monuments, établissements publics et privés de New-York et recueilli une foule de renseignements sur toutes choses ; mais je n'ai ni le temps ni le désir de décrire une cité tant de fois décrite.

Je dirai seulement quelques mots du monde américain, sur lequel, soit dit en passant, on a généralement des idées assez fausses chez nous, et que le grand succès de *l'Oncle Sam* de Victorien Sardou a été loin de redresser.

Le moment actuel est la pleine saison des bals, soirées, réunions, réceptions, et tout autant, sinon plus qu'à Paris, l'hiver à New-York est mondain à l'extrême. Mais ici n'est pas mondain qui veut.

Nous nous imaginons volontiers que, dans cette société ultra-démocratique par ses principes avoués, ce qu'on nomme en France « le monde » est un mélange confus de tout ce qui a de l'argent ou une situation, que les salons sont des caravansérails, où l'on entre et d'où l'on sort à son gré, que chacun se meut à la seule règle de sa fantaisie, ainsi que la foule sur une place publique un jour de fête.

Jamais préjugé ne fut aussi peu fondé, car, plus que dans tout autre pays, les castes aux États-Unis sont tranchées, les détails des origines de chaque famille étudiés et commentés, et nulle part, j'entends au point de vue des relations, les nuances ne sont plus sensibles et la fusion des groupes difficile, lors même que la puissance incontestable du « dieu dollar » veut établir l'égalité sociale entre les gens « comme il faut » et ceux qui ne le sont pas.

Le critérium le plus important de ces degrés d'aristocratie mondaine est l'ancienneté des familles. On tient compte, assurément, des traditions qui s'y sont perpétuées ou éteintes, du rôle que ses membres ont joué, des situations qu'ils ont occupées ; mais, en principe, les descendants des signataires de la déclaration d'indépendance sont du « grand monde », comme diraient nos bourgeois, et les descendants d'un émigré de la veille, s'il ne s'est allié à l'une de ces familles qui prennent rang au-dessus des autres, ne sont pas du monde du tout.

En un mot, politiquement et civilement, tous les Américains sont égaux, mais socialement ils ne le sont pas ; aussi faut-il le tremplin de bien des millions pour franchir les barrières qui marquent les différents niveaux de castes très jalouses de leurs théoriques privilèges.

On s'est beaucoup émerveillé chez nous, — et beaucoup amusé, — des coutumes américaines qui permettent tant de liberté aux jeunes gens des deux sexes dans leurs rapports mutuels. Cette liberté, assure-t-on ici, ne dépasse jamais les bornes de la plus stricte convenance. « Jamais » est probablement beaucoup dire, les exemples cependant ne prouvent rien, étant susceptibles de confirmer les exceptions aussi bien que les règles, suivant la manière dont on les choisit. Il est certain qu'à New-York, comme dans toute l'Amérique, une jeune fille peut sortir seule, aller d'un bout de la ville à l'autre, sans qu'un regard impertinent, une parole offensante la fasse rougir.

C'est affaire d'habitude. Au Japon, les Européens se plaisent à aller dans les bains publics regarder les dames qui se baignent toutes nues ; ils en rient à gorge déployée, et pendant ce temps-là les Japonais et les Japonaises rient d'aussi bon cœur de notre étonnement, parce qu'ils ne le comprennent pas et qu'ils le trouvent ridicule.

Les coutumes sociales, dans tous les pays, sont basées sur un certain nombre de « telle chose ne se fait pas », qui deviennent bien vite pour tout le monde, et à tous les degrés, la loi et les prophètes. A New-York, on rencontre à chaque instant des jeunes femmes et des jeunes filles seules, occupées à faire des emplettes ou des visites ; on trouve cela tout naturel parce qu'on y est habitué, et on se garde de les importuner parce que « cela ne se fait pas. » Et c'est la meilleure des raisons. Cette liberté, qui nous semble extraordinaire, a pour conséquences des usages bien éloignés des nôtres. Telles sont les soirées données ailleurs que chez soi : les maisons américaines étant petites et le nombre des amis étant parfois considérable, si on a cependant assez de fortune pour pouvoir donner un bal, on invite son monde chez Delmonico, — le Bignon de New-York ; — on y trouve un superbe appartement, musique, souper, service, une entrée privée où, pour ce jour-là, vos amis seuls ont accès. Quand on a bien dansé, causé et *flirté*, chacun prend sa voiture, la maîtresse de la maison comme les autres, et on rentre tranquillement chez soi.

Votre cercle de relations est-il très étendu, vous faites mieux encore : la jeunesse seule est invitée ; les papas et les mamans, débarrassés de l'insupportable corvée qu'ils font en France avec tant de résignation, restent paisiblement au logis ; mademoiselle va au bal avec son frère, si elle en a un ; sinon, une femme de chambre l'accompagne jusqu'au vestiaire et elle trouve toujours là quelque jeune femme de ses amies avec laquelle elle fait son entrée.

La saison des bals commence après le jour du « *Thanks giving* », qui est ordinairement le dernier jeudi du mois de novembre. L'ancien usage, encore très suivi, veut qu'en ce jour chaque famille se réunisse au complet, après avoir rendu grâce à Dieu pour les bonnes récoltes et les bienfaits reçus pendant l'année. Alors se succèdent les réceptions d'après-midi, les grands dîners et les bals, et cela dure jusqu'au carême.

Un trait assez remarquable de la société de New-York est la coutume des soirées « par abonnement. » Des invitations anonymes, au moins dans la forme, sont adressées portant les mystiques initiales F. C. D. C. (*Family Circle Dancing Class*), et la famille qui les reçoit souscrit ou ne souscrit pas à quatre réunions dansantes, dans lesquelles on est sûr de ne trouver que des gens du meilleur monde. Un autre jour, c'est le *Common sense* qui envoie des cartes : encore un bal par souscription. Quelquefois, c'est une réunion de *skating*, toujours organisée d'après le même système.

Cela est bizarre, j'en conviens ; mais le premier résultat de ces habitudes est d'amener les jeunes gens à aller davantage dans le monde, de s'y faire plus facilement connaître et apprécier, de s'y créer plus jeunes des relations et d'y tenir déjà une place à un âge où nous ne les comptons pour rien, ce qui les ennuie et par conséquent les éloigne.

Parmi les plus célèbres bals fondés à New-York, on cite ceux des « Patriarches ». Ce sont trente pères de famille qui souscrivent une certaine somme et ont chacun la disposition de sept billets à distribuer entre leurs amis. Les bals des Patriarches sont donnés chez Delmonico ; ce sont les plus élégants et les plus recherchés. Il y en a trois par saison.

Inutile de parler des modes. On ne connaît ici que les nôtres. Les belles Américaines y ajoutent un caractère de hardiesse fantaisiste, qui fait de leurs toilettes des chefs-d'œuvre de grâce, quand une mauvaise inspiration ne les amène pas au ridicule.

La vie des clubs à New-York est à peu près la même que dans les grandes villes européennes. Le plus beau de tous est le *Union Club* ; c'est le rendez-vous des fashionables et des *knickerbockers*, fils des premiers colons de la ville, très fiers des droits qu'ils ont sur le sol natal, et grands gastronomes, à en juger par la respectable réputation culinaire du Union Club. Le *Loyal League* est un club presque exclusivement politique, hanté par l'élément républicain, en opposition avec le *Manhattan*, club des démocrates. Il faut citer aussi le *Century*, qui a beaucoup d'analogie avec notre cercle des Mirlitons ; c'est une réunion purement littéraire et artistique, dans laquelle l'admission est fort difficile. J'en passe un grand nombre plus ou moins importants, mais qui ne viennent qu'en seconde ligne après ceux-ci.

La saison des bals est aussi celle des expositions ; j'en ai vu une ces jours-ci dans laquelle les noms de Dupré, de Jacques, de Vibert, de Bouguereau, de Cot tenaient la première place, et dont le produit était destiné à subventionner une école d'art décoratif, qui, fondée depuis deux ans seulement, paraît avoir donné d'assez beaux résultats.

....

A bord du *Labrador*, 10 janvier 1879.

Nos craintes se sont, hélas ! réalisées. Notre voyage est interrompu, et cette belle expédition, si intéressante et si heureuse jusqu'à ce jour, ne se continue pas. La *Junon*, toujours à Panama, alors que nous la croyions en route pour San-Francisco, où nous devions l'y rejoindre, vient d'être rendue à ses propriétaires. Elle va refaire, sans nous, le chemin que nos jeunes enthousiasmes avaient tant égayé.

Les compagnons du tour du monde sont déjà dispersés ; quelques-uns ont continué leur voyage par les voies ordinaires ; d'autres ont déjà regagné la France, où le *Labrador* me ramène en ce moment.

La Société des voyages d'études a été gravement atteinte par les manœuvres de la compagnie à laquelle elle avait affrété la *Junon.* Notre expédition avait été cependant organisée par des hommes de haute valeur et d'une honorabilité indiscutable ; dans tous les pays que nous avons traversés, elle avait recueilli les plus sincères et les plus vifs témoignages de sympathie ; mais partout des annonces ambiguës, insérées par les armateurs dans les journaux locaux, des bruits malveillants répandus, des demandes d'arrêt du navire expédiées en réponse aux protestations de la Société, devaient lui porter un grand préjudice. Le dommage ne tarda pas à se traduire par des pertes d'argent ; car, même dans les ports où le mouvement commercial était le plus actif, la *Junon* ne put prendre de fret.

Nous l'avons vue, à Montevideo, par exemple, venant de se voir retirer un chargement promis, obligée d'acheter des pierres pour lester le navire, et perdant par cela même, avec les recettes légitimement espérées, le crédit auquel elle avait droit.

Quand nous atteignîmes Panama, cette situation était devenue trop grave pour pouvoir se prolonger. La Société des voyages, à découvert d'une somme de plus de 200,000 francs remise aux armateurs, se résolut à leur rendre le navire, en les déclarant responsables des conséquences.

Quels motifs ont pu dicter la conduite des propriétaires de la *Junon* ? N'y aurait-il donc là qu'un esprit de mercantilisme exagéré, une appréciation étroite et fausse des éléments matériels et moraux de l'entreprise ?... Il nous est impossible de trouver d'autres raisons. Quelles qu'elles soient, il est triste de penser que c'est *seulement* de notre pays que sont survenus les obstacles.

J'ai ici le droit et le devoir de constater les efforts loyaux et énergiques de notre commandant pour faire cesser une persécution à laquelle il n'a jamais fourni aucun prétexte et qui a commencé avec le voyage lui-même. Je dois également rendre hommage à ses solides qualités de marin, à celles du personnel qu'il avait choisi. Nous leur devons d'avoir fait 5,000 lieues dans les parages les plus variés, parfois les plus difficiles, sans une avarie, sans un accident et sans perdre un seul homme.

....

Donc, lecteur, pardonnez-moi si je manque à ma promesse. Je m'étais engagé à vous faire faire le tour du monde. Hélas ! nous n'en avons fait qu'un peu plus du tiers, et parmi mes voyages à travers trois autres continents, c'est le premier où il m'arrive de ne point atteindre le port... Infidèle *Junon* !

En ce moment, le magnifique *Labrador* roule et bondit sur les vagues du fougueux Atlantique. Sa mâture « chante » sous les efforts de la tempête ; son large pont est balayé par les eaux, des stalactites de glace pendent à tous les agrès, et de violentes rafales de neige ajoutent encore à la difficulté des manœuvres... Mais, bah ! nous en avons vu bien d'autres.

Encore huit jours de patience et nous allons revoir la patrie, nos familles, nos amis. — C'est égal, je n'en reviens pas encore… d'en revenir sitôt !

Milton Keynes UK
Ingram Content Group UK Ltd.
UKHW010708240424
441619UK00004B/372